Edo/Tokyo through Maps

ATLAS TOKYO

アトラス東京

地図でよむ
江戸〜東京

Bilingual

監修＝正井泰夫

Edited by MASAI YASUO

平凡社

ま え が き
Foreword

正井泰夫
MASAI Yasuo

　東京。あまりにも大きく，実に多様性に富み，溢れんばかりの魅力に満ちたこの超巨大都市は，いま私たちの注目の的となっている。区部人口800万，都人口1150万人という大人口は，それだけでも大きい。だが，東京大都市圏という地理的空間には，何と2500万人以上の人が生活し，世界最大都市が出現している。人類史上，これほどの人口規模に達した都市は他にない。

　現代の東京は，明治以後の近代化のプロセスのなかで，たくさんの欧米的要素をとり入れた。にもかかわらず，巨大な封建都市で，徒歩交通依存の大江戸のユニークな地域構造が，現代都市東京にさまざまな影を落としている。歴史都市東京は，東西両文明接触の巨大な実験場なのだ。

　このアトラスでは，行政区画にとらわれない東京大都市圏というとらえ方を随所に用いた。通勤やショッピングはもとより，日常のレクリエーション行動も，大都市圏的行動パターンだからである。都内の自然だけでなく，東京から見える山を展望するのもそのためである。

　東京の中心部は，江戸・明治・大正・戦前の昭和，そして現代の昭和という時代を追った歴史地理的とらえ方に重点を置いた。つまり，城下町東京という視点である。

　現代は国際化時代である。したがって，東京も国際的視野で見つめたい。国際比較をときおり用いるとともに，解説は日英両語によるバイリンガル方式をとった。

　この『アトラス東京』は，江戸っ子，東京人，首都圏人，そしてまた東京を愛するすべての日本人と外国人のためのものである。実りあるディスカッションを期待したい。

What is it about Tokyo that makes this giant, multifarious city so attractive ?

With eight million living in its 23 wards alone, and a total population of 11.5 million, that is already big enough; but the geographic region of which Tokyo is the focus is home to all of 25 million. This is the world's greatest metropolis, surely the largest concentration of human beings in history.

As a result of rapid modernization since the Meiji Era(1868-1912), Tokyo has taken on many of the features of any Western city, but even so, there are echoes everywhere of Old Edo, with its own unique structure based on pedestrian rather than vehicular traffic. East and West come into contact here, in this melting-pot of civilizations.

ATLAS TOKYO deals with the whole metropolitan zone in terms beyond simple administrative divisions. After all, commuting and shopping, and everyday recreation too, are activities which follow a city-wide pattern beyond artificial boundaries. Therefore, we include not only natural phenomena inside the city limits, but even the distant mountains that are visible from the city.

We have mapped out the historical changes in central Tokyo from the Edo Period, via the Meiji, Taisho and pre-war Showa Eras, right up to the present, to illustrate the development of *Jokamachi Tokyo* – Castle Town Tokyo.

Japan is being urged to internationalize. Tokyo must be looked at from an international viewpoint, too. Therefore, we introduce occasional international comparisons, and have chosen this bilingual Japanese/English format.

ATLAS TOKYO is for *Edokko* (the Cockneys of Tokyo), for Tokyoites in general, for all who live in the metropolitan zone – indeed for anyone and everyone who loves Tokyo. We hope you enjoy it, and it reveals new aspects of the city to you.

目次　Contents

地図でよむ市街の変遷 II　*Tokyo Close Up* II

東京最新地図　*Tokyo Now*

資料・地名索引　*Appendices, Index of Place Names*

Note on the English text:

The English text is intended as a summary and occasional supplement to the main Japanese text. Personal names are given in accordance with normal Japanese practice, family name first.

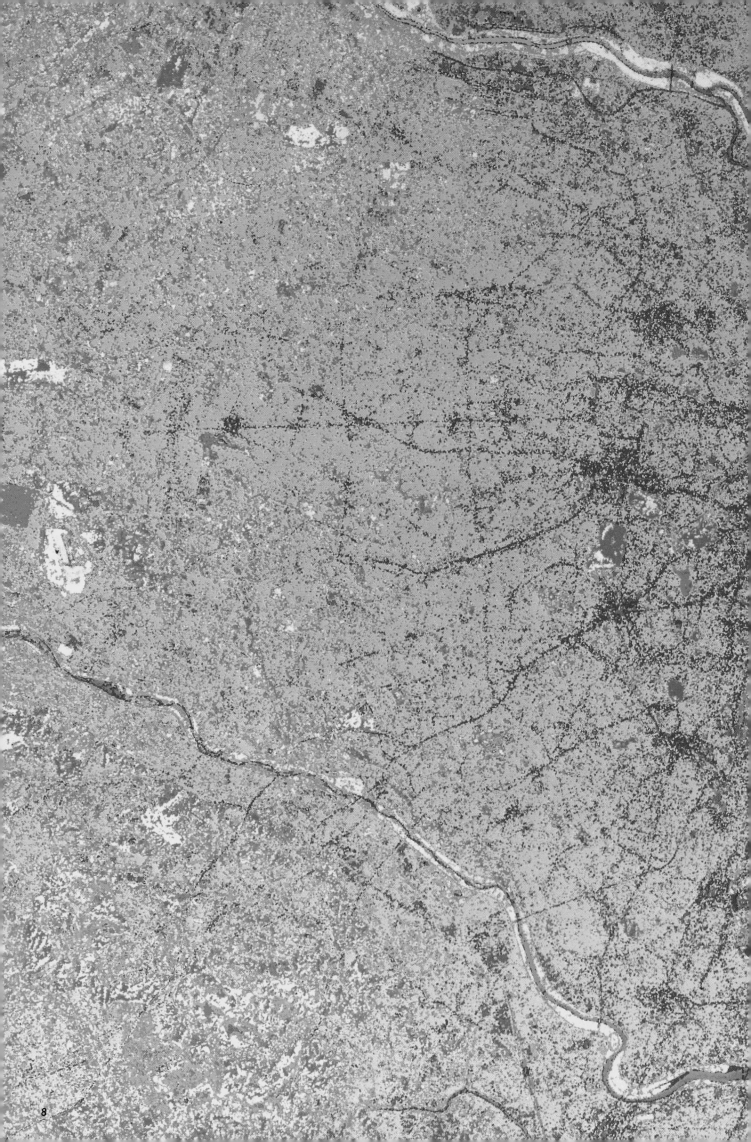

Tokyo from Space
人工衛星ランドサットから見た東京

　写真は，高度約705kmの軌道上を周回するランドサット5号に搭載された人工の眼セマンティックマッパーから見た映像を，コンピュータ処理により地表分類したものである。

　濃青は海，薄青は川と水域，赤は市街地，緑は森，黄緑は田畑，黄色は丈の短い草や芝，藤色は工場，そして私たちの住む住宅地は肌色に着色されている。真中の赤い部分が丸の内，大手町などのオフィス街，その西側の緑色は皇居である。かつての東京は，日本橋，浅草など皇居から東側の隅田川までの間に発達していことが，赤い色のひろがりによってうかがえる。一方，陸上交通が発達して市街はしだいに西側へひろがり，新宿，池袋，渋谷，目黒にも赤い部分が集中している。都心から放射状に伸びる赤い線は鉄道沿線の町を表している。荒川を境に北部，東部には赤い部分が比較的少ない。

　こうして見ると皇居，大宮御所（東宮御所），新宿御苑，代々木公園，上野公園などの都心部の緑が意外に多い。十何年か後の東京周辺を宇宙から見たら，どのようになっているのだろうか。　　　　　　　　　　　　　　　　　　　　　　　（村中泰志）

This map was taken by a thematic mapper installed in Landsat V, from a height of 705km. The data have been computer-processed to show land use in the Tokyo area. The sea is dark blue; rivers are light blue. Red represents urban areas, deep green — woodlands, yellow-green — fields, and yellow — parks and similar areas. Industrial and residential areas are mauve and pink, respectively. Are there enough parks ?

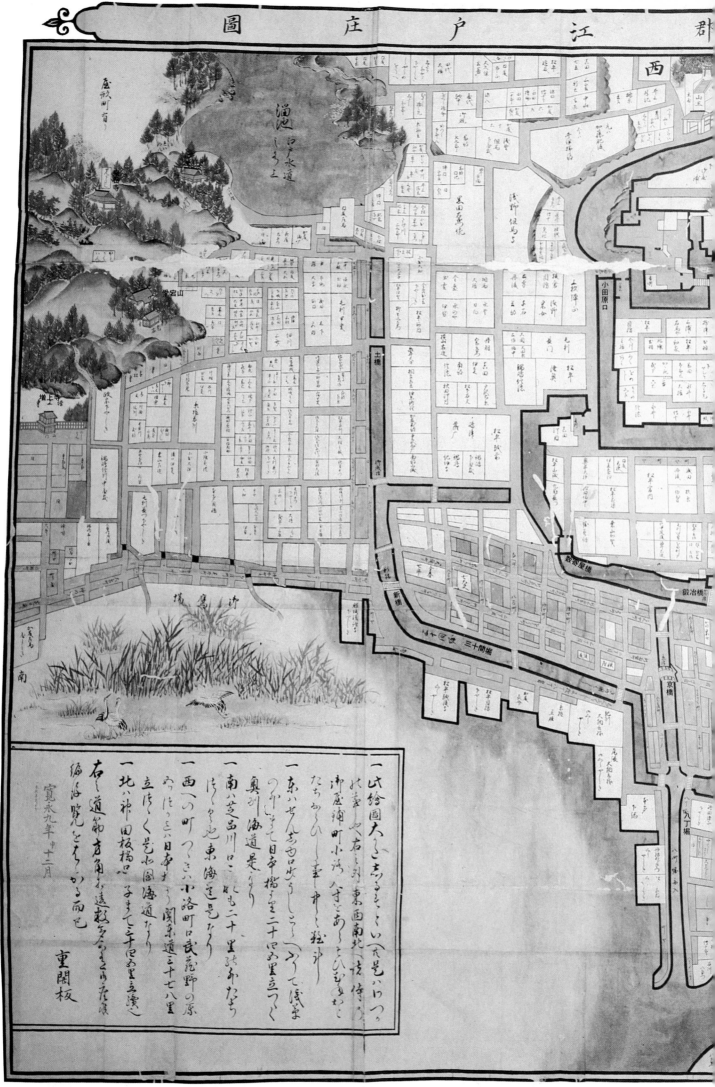

Edo in 1632 This is one of few maps that show Edo before the Great Fire of 1657. Samurai dwellings surround the Castle, while the common people

武　川　豊　嶋

古地図が描く江戸の町——

「武州豊嶋郡江戸庄図」(寛永九＝一六三二年板行)

明暦の大火(明暦三＝一六五七年)以前の江戸が描かれている。城郭の構造と、城をとりまく武家地と町人地の様子がよくわかる。〔東京都立中央図書館蔵〕

live near the sea.

地図でよむ東京百科
Thematic Tokyo

解　説＝石　井　　　實
　　　　大　塚　昌　利
　　　　河　邊　　　宏
　　　　小　森　隆　吉
　　　　澤　田　裕　之
　　　　白　井　和　雄
　　　　中　川　浩　一
　　　　中　村　和　郎
　　　　萩　原　八　郎
　　　　久　田　雅　夫
　　　　正　井　泰　夫
英語解説＝Paul SNOWDEN

◀ *雑司が谷付近を走る都電とサンシャイン60　Zoshigaya and Sunshine City*

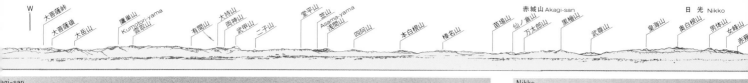

W｜ 大菩薩峠
大菩薩嶺
大岳山
Kumotori-yama 雲取山
鷹巣山
有間山
大持山
両神山
甲武山
二子山
堂平山
笠山
Asama-yama 浅間山
四阿山
本白根山
榛名山
苗場山
仙ノ倉山 万太郎山
黒檜山
武尊山
赤城山 Akagi-san
皇海山
奥白根山
男体山
女峰山
赤薙
日光 Nikko

agi-san

赤城・黒檜山

Nikko

男体山　大真名子

outhern Japan Alps

本社ヶ丸　赤石岳　　　　惠沢岳　　　扇山　　　　滝子山

Kumotori-yam

鷹巣山　　霊取山

kone
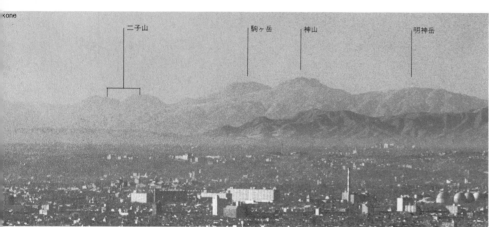
二子山　　　　駒ヶ岳　神山　　　　明神岳

Tanzawa

丹沢・大山

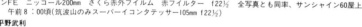
東京タワー　　　　　　房総半島

写真データ：ニコンFE　ニッコール200mm　さくら赤外フイルム　赤フイルター　f22½　全写真とも同率、サンシャイン60屋上にて
昭和55年1月1日　午前8：00頃（筑波山のみスーパーイコンタテッサー105mm f22½）
写真・イラスト：平野武利

E｜

Tokyo's Mountain Panorama
東京の山岳パノラマ

　山好きの東京人は，都心からでもたくさんの高い山が見えることを誇りにしている。事実，世界の首都で，かつ巨大都市だけに限ってみると，この点で東京のユニークさが際だっている。晴れた日の超高層ビルからの360度の展望は，すべての人を魅了してしまう。江戸っ子は，西の富士山と東の筑波山を，まさに自分たちの山

としていた。両者のシンボリックなイメージは，現代の東京人以上だったようだ。
　高度経済成長期には，大気汚染のため東京の山岳パノラマは何かぼやけたものになってしまった。明治10(1877)年には，本郷から富士山が年に100日ほど見えたらしい（アメリカ人ピーター・V.フィダー）。昭和13(1938)年，小日向台町から88日は見えた（正井暉雄）。それが昭和42〜43年の1年間の幡ヶ谷での観測によると39日になってしまった（清水教高）。しかし最近は70日以上に回復している。約100km西方の富士

山は，その秀麗な姿と際だった高さ（3776m）のため，誰でもすぐわかる。3000m級の南アルプスも，超高層ビルからは見えるし，2000m級の日光連山も案外近く見える。望遠鏡を使えば，ときには浅間の噴煙を見ることもできよう。
　関東山地の緑におおわれた山々は，西から西北にかけての山並をつくっている。丹沢や奥多摩の山々は，ときには驚くほど近く見える。大山や武甲山のピラミッド状の姿が印象的だ。西南には箱根や伊豆の連山が続く。関東平野の東北にある筑波山（876m）は，周囲が低いため，

その双峰がきわめて印象的だ。南の方には房総・三浦両半島の丘陵がひろがっている。運がよければ、これも東京都に属する伊豆大島の三原山が見えるかもしれない。また、ときにはこれらの山から東京を見てみよう。よく澄んだ日なら、奥多摩や筑波山から東京の超高層ビルが肉眼でも見える。山は近いのである。　　（正井泰夫）

Of all the world's giant cities, only Tokyo provides such a panorama, and Edo/Tokyo people have always loved the view. Fuji, 100km to the west, and Tsukuba, with its twin peaks 70km to the northeast, were the particular favourites of Edo people. But industrialization has polluted the air, and the number of days on which Mt. Fuji could be seen from central Tokyo has fallen from about 100 in 1877 (Peter V. Vider), to 88 in 1938 (Masai Teruo), to a low of 39 in 1967～68 (Shimizu Noritaka). The cleaner air now makes Fuji visible more than 70 days a year. While Edo people could view the mountains from street level, their successors have to climb to the tops of tall buildings, which actually provides the benefit of an even better view of even more mountains. On a good day the Southern Japan Alps, the Nikko range and even smoke from the crater of Mt. Asama can be seen. With luck, the volcano of the Izu-Oshima Island is just visible, while the mountains of Oku-Tama can appear uncannily near. And from Oku-Tama and Tsukuba Tokyo's tall buildings can be seen with the naked eye.

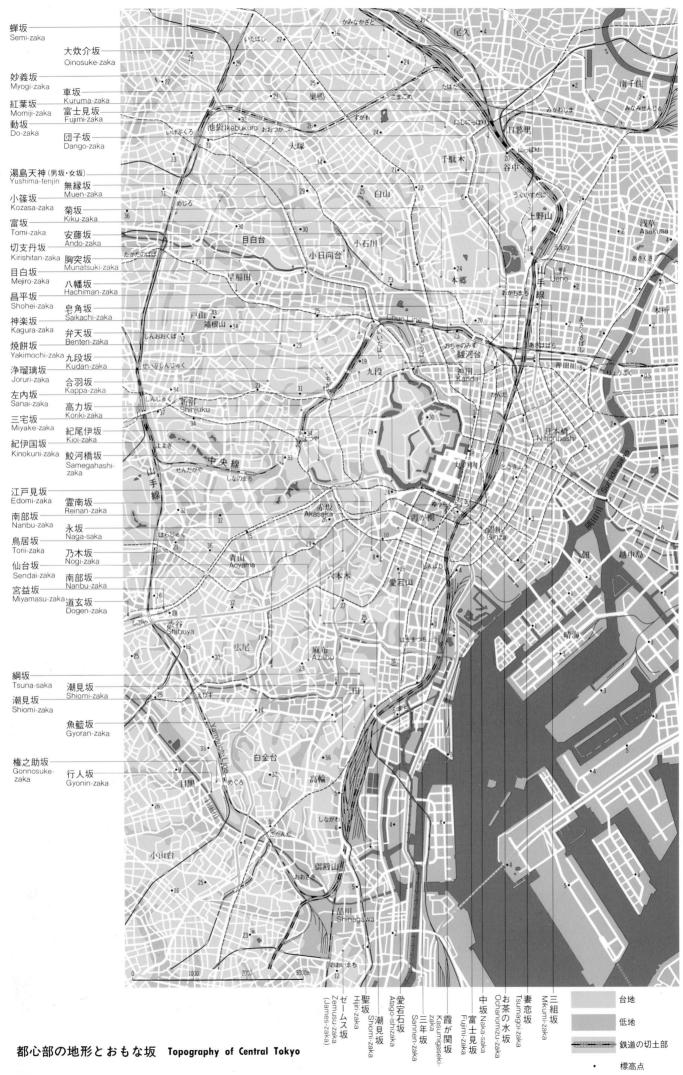

都心部の地形とおもな坂　Topography of Central Tokyo

Up Hill and Down Dale—the Yamanote

坂の町 東京

東京都は，山地・丘陵・洪積台地・沖積低地と，太平洋上の島々からなる。西側の関東山地には，東京都最高峰の雲取山2018mをはじめ，けわしい山地がひろがっている。都市化の進んでいるのは台地と低地であるが，最近は丘陵にも住宅や大学が続々と建てられている。

江戸時代以来の古い市街地は，武蔵野台地の東端の山手台地と，隅田川河口付近から東京湾岸にかけての低地に発達した。即ち山手と下町である。古くからの日本の街の大半は，東京の下町のように低地に立地していた。しかし，江戸・東京では，樹枝状に入りくんだ谷できざまれた山手台地にも，街が大きくひろがった。そのため，東京はよく坂の多い町といわれる。

坂の町東京。何百という坂があり，私たちの日常生活とも密接にからんでいる。昔は急な坂道を下駄で歩いたり，荷車を押したり，人力車で行くのは大変だった。最近は坂の勾配を緩やかにしたところが多く，浅い谷では，うっかりすると気がつかない。

台地の堀割—御茶ノ水駅付近　Ochanomizu

台地は下町の低地や谷底よりも20～30mも高いところが多い。そのため，下から見上げて，飛鳥山・上野山・愛宕山・御殿山のように山と呼ぶことがある。また，小日向台・目白台・駿河台・白金台など，台のつく地名も多い。

山手線を一周すると，この台地地形がよくわかる。低地の東京駅，崖下の上野駅，台地上の池袋・新宿駅，谷間の渋谷・五反田駅など，誰でもすぐわかる。S字型に走る中央線には，四

湯島の三組坂　Mikumi-zaka.

谷トンネルや自然の谷を利用した外堀沿いの景色が展開する。

山手の谷は，南・南西斜面に急崖をつくりがちだ。神田川を横切る山手線，目黒川を渡る東横線や目蒲線の車窓から，この急斜面と反対側の緩斜面のコントラストがよく見える。地下鉄でさえ，高架や橋になったりする。複雑な地形は，東京の地理的基礎なのだ。　（正井泰夫）

Old Edo was mostly at sea-level, but soon spread inland, to the Musashino plain's eastern edge—the Yamanote. *Yama* means "mountain, hill" and *te* means "hand" or, as in this case, "direction." These higher parts of Tokyo stretch towards the centre like fingers, so that a trip round the Yamanote Line involves alternately cutting through these fingers, and then running along embankments to cross the valleys between. While Shinjuku Station stands on high ground, Shibuya is in a valley so steep and deep that even the subway cannot stay underground. The number of addresses ending with *-yama*, or *-dai* (high ground), or *-saka* (slope) is a simple illustration of the city's topographical character. In modern times, development has covered what used to be the rural, agricultural plains of the province of Musashi. Even the hills and mountains beyond are now being built upon.

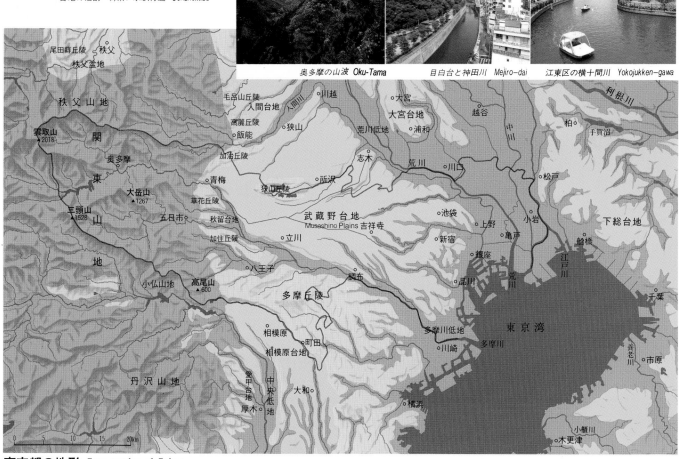

奥多摩の山波　Oku-Tama.　　目白台と神田川　Mejiro-dai.　　江東区の横十間川　Yokojukken-gawa.

東京都の地形　Topography of Tokyo

低地　　台地　　丘陵　　山地

明治20(1887)年頃のおもな水路と橋
Tokyo's Lost Waterways and Bridges
吾妻橋
北十間川
おかちまち
厩橋
本所
市兵衛河岸
飯田橋
神楽河岸
飯田河岸
三崎河岸
紅梅河岸
神田川
いいだばし
すいどうばし
浅草米蔵
あさくさばし
大横川
昌平河岸
あきはばら
浅草茅町河岸
りょうごく
堀留
駿河台
おちゃのみず
佐久間河岸
和泉橋
柳原河岸
俎橋
小出河岸
岩井河岸
浅草橋
両国橋
元柳河岸
尾上河岸
神田
Kanda
田安門
いちがや
番町
一ツ橋
かんだ
竪川
東堀留河岸
西堀留河岸
鎌倉河岸
平川門
小舟河岸
神田橋
米河岸
浜町河岸
新大橋
常盤橋
東万河岸
魚河岸
大手門
よつや
道三堀
裏河岸
呉服橋
日本橋
Nihonbashi
蓄薇河岸
小名木川
麹町
半蔵門
西河岸
木更津河岸
鎧河岸
隅田川
行徳河岸
坂下門
とうきょう
茅場河岸
永久河岸
桜田門
北新堀河岸
楓河岸
日本橋川
仙台堀川
鍛冶橋
京橋
本材木河岸
亀島河岸
永代橋
南新河岸
赤坂
Akasaka
ゆうらくちょう
京橋川
八丁堀
深川
Fukagawa
越前堀河岸
外堀
銀座
Ginza
南桜河岸
数寄屋橋
西豊玉河岸
東豊玉河岸
新富河岸
大横川
新橋
屋形河岸
佃島
しんばし
芝口河岸
築地
南新河岸
汐留川
小田原河岸
新橋
Shinbashi
浜御殿
芝
方丈河岸
はままつちょう
赤羽河岸
新門前河岸
新堀河岸
北金杉河岸
南金杉河岸
古川
0
500
1000
1500m
たまち

当時の海岸線
当時の水路
現在の水路
江戸の河岸

Disappearing Waterways

失われた水域

東京区部の東半は，典型的な沖積低地だ。沖積低地はもともと洪水が起こりやすく，土壌は湿度が高い。第二次大戦後も，何度も台風洪水に見舞われたことを覚えている人も多いだろう。荒川下流を中心に，広い範囲にわたって０メートル地帯が見られ，護岸工事が進んでいる。

ここは東京の下町である。かつてあれほどあった水路は，今は数少なくなった。だが，それでも，隅田川河口付近の古くからの水路のほかに，近代にできた埋立地の間を走るたくさんの水路が，この地域を特徴づけている。

縄文時代前期（約6000年前），武蔵野台地と下総台地の間は海だった。古代においても，海と低湿地が続いていたが，徳川家康が江戸の地を本拠と定め，街づくりを始めたころでも，江戸城の目の前は日比谷入江とよばれる海だった。今の銀座辺りは江戸前島という低湿地で，佃島も隅田川河口の小さな中洲にすぎなかった。

幕府は海と低湿地の埋立てに力を入れた。当時，台地上は水が不足するので住みにくく，低地や埋立地のほうが住みやすかったのだ。しかし，下町は洪水になりやすく，土壌も湿っぽい。そこで，たくさんの水路や濠が掘られ，川や海と一体となった水路網ができた。港や河岸や木場もつくられた。

明治になって，それまでの水路は，近代的港湾や鉄道に重要性を少しずつ奪われた。東京湾岸の埋立てが進められ，これは大正・昭和へと

昭和28年当時の新橋側から見た数寄屋橋付近（朝日新聞社提供）*Yuraku-cho and Sukiyabashi, 1953*

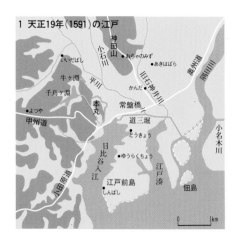

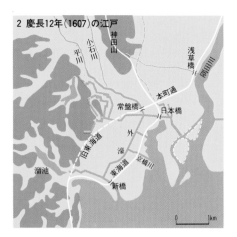

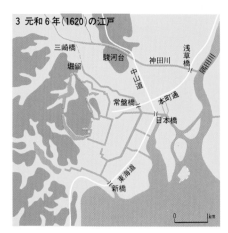

東京湾の埋立の変遷
Reclaimed Land Around Tokyo Bay

	明治21年～大正2年
	大正3年～昭和20年
	昭和21年～昭和61年

4 寛永16年(1639)の江戸

江戸時代の陸地の変遷
The Progress of Land Reclamation
参考資料：鈴木理生著『江戸の川・東京の川』

お台場海浜公園　Odaiba Park, Minato-ku

『江戸図屛風』の小網町付近　Unloading rice for Edo

引き継がれた。

　第二次大戦後も，これらの水路はよく使われていた。だが高度経済成長後，自動車が急に増え，たくさんの水路が埋立てられた。舟の行き交った水路は，自動車の道路になったのである。しかし今，水路をアメニティとして残そうという動きも活発である。巨大な東京湾の埋立ても進み，港・空港・工場・住宅・公園が並び，世界最大の港湾をつくっている。東京は港湾都市なのだ。　　　　　　　　　　　　　（正井泰夫）

Situated on a typical coastal floodplain, parts of Tokyo are no higher than sea level; drainage is poor. In living memory typhoons have brought disastrous floods, and only now are there proper defences. There are fewer waterways than there used to be, but some canals remain near the sea. In the Jomon Period, about 6,000 years ago, most of this area actually was sea. Even in the early Edo Period, the sea came right up to Hibiya Bay in front of Edo Castle. Ginza was marshy sandbar. But water supplies were difficult in the hillier areas; people preferred to live in the lower parts, and the shogunate encouraged land reclamation. A network of canals and moats connected the rivers and the sea. Recently, these waterways have lost their significance; now their routes can be traced beneath railways and major roads. This explains place-names like Sukiyabashi, ending in -hashi or -bashi (bridge), where there is no longer any water to cross. There are moves to conserve those few waterways that remain.

19

隅田川の歴史ガイド　Historic Sites along the Sumida

待乳山聖天　Matsuchiyama Shoden

三社祭　Sanja Matsuri Festival

早慶レガッタ　Waseda-Keio Regatta

芭蕉庵跡　Site of Basho-an

吉良邸跡　Site of Kira Residence

隅田川　The Sumida

隅田川に架かる橋　Bridges over the Sumida

千住大橋（長さ92.5m　幅24.2m）
構造　鋼アーチ
竣工年　昭和2年

白鬚橋（長さ167.6m　幅24.1m）
構造　鋼アーチ
竣工年　昭和6年

桜橋（長さ169.5m　幅・入口6m, 中央12m, 最大19.6m）
構造　三径間連続X形曲線箱桁
竣工年　昭和60年

言問橋（長さ238.6m　幅22.0m）
構造　ゲルバー式鋼鈑桁
竣工年　昭和3年

吾妻橋（長さ150.0m　幅20.0m）
構造　鋼アーチ
竣工年　昭和6年

駒形橋（長さ149.6m　幅22.0m）
構造　鋼アーチ
竣工年　昭和2年

厩橋（長さ152.2m　幅22.0m）
構造　鋼アーチ
竣工年　昭和4年

蔵前橋（長さ158.2m　幅22.0m）
構造　鋼アーチ
竣工年　昭和2年

両国橋（長さ164.5m　幅24.0m）
構造　ゲルバー式鋼鈑桁
竣工年　昭和7年

新大橋（長さ170.0m　幅24.0m）
構造　斜張橋
竣工年　昭和51年

清洲橋（長さ186.2m　幅22.0m）
構造　鋼吊橋
竣工年　昭和3年

隅田川大橋（長さ385.8m　幅16.0m）
構造　三径間連続鋼床鈑箱桁
竣工年　昭和54年

永代橋（長さ185.2m　幅22.0m）
構造　鋼アーチ
竣工年　大正15年

佃大橋（長さ220.0m　幅25.0m）
構造　鋼鈑桁
竣工年　昭和39年

勝鬨橋（長さ246.0m　幅22.0m）
構造　鋼鈑桁, 鋼アーチ, トラニオン跳下鋼鈑桁
竣工年　昭和15年

The Sumida——Tokyo's River
東京の川 隅田川

隅田川花火大会 Fireworks on the Sumida

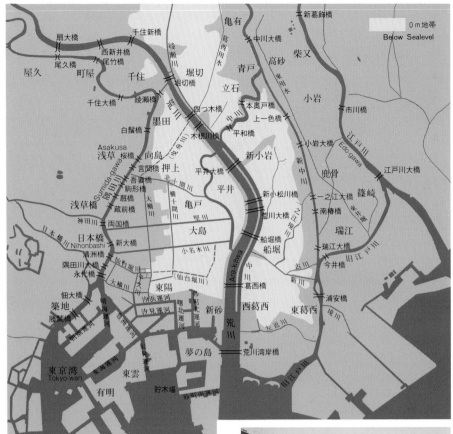

江東地区のおもな水路と橋
Major Waterways and Bridges

隅田川の水上バス Sumida River-Bus

東京を代表する川は，何といっても隅田川だろう。江戸の街の発達とともに，隅田川は庶民にも武士にも愛された。浅草や両国の情緒も，隅田川なしに語ることはできない。

もともと隅田川は，奥武蔵に発する入間川の下流だったが，寛永年間（1624～44）に熊谷付近で荒川本流の付替えが行われ，以後，荒川の最下流部ということになった。隅田川の芸術的に曲流した流れは美しいが，しばしば洪水に見舞われた。明治43（1910）年の大洪水ののち荒川放水路がつくられ，これが荒川の本流となり，隅田川は荒川の分流となった。放水路の完成で隅田川の洪水は大幅に減った。

隅田川は橋の多い川として有名だ。これらの橋をよく見ると，それぞれ個性があっておもしろい。形に特徴があるだけでなく，名前もなかなか優雅である。いま見られる橋はすべて大正以後のもので，残念ながら江戸時代のものはない。木造だったので鉄橋に替えられたのである。

隅田川に最初にかけられたのは，千住大橋だった（文禄3＝1594年）。明暦の大火（明暦3＝1657年）ののち，隅田川の東岸の低地を開発することになったが，そのためまず両国橋がつく

られた（万治2＝1659年）。当時は隅田川が武蔵国と下総国の両国の境だったので両国橋とよばれたのである。その後，新大橋（元禄6＝1693年），永代橋（元禄11年），大川橋（吾妻橋。安永3＝1774年）がつくられた。

隅田川沿岸は大川端ともよばれる。北斎や広重などは好んで大川端の風景を絵にしたものだ。家並は低かったが，黒い瓦の屋根が続き，ところどころに寺の大屋根や料亭の粋な建物が見られ，富士や筑波も姿を見せていた。花見，月見，雪見も名物だったが，何といっても夏の納涼，それも花火は有名で，一時中断した時期はあったが現在まで続いている。

現在の隅田川は，水質はひところよりもよくなったが，周辺の平凡な建物，不粋な防潮堤や高速道路のために，テムズ川やセーヌ川のような美しい景観とはいえない。水上バスでのミニ舟旅をもっと情緒あるものにしたいものだ。

（正井泰夫）

Beloved of common people and samurai alike, the Sumida has played an important part in the lives of the people of Edo/Tokyo — and used to indeed in their deaths, through frequent floods in the wake of typhoons. Until the mid-17th century it formed the lower reaches of the Irumagawa, but then massive redirection works linked it up with the Arakawa. Further flood control measures after the great floods of 1910 demoted it from the Arakawa's main outlet to the sea, to a mere branch outlet. Many bridges span the Sumida, the earliest being Senju Ohashi (1594). But all the old Edo wooden structures have long since gone, along with the views of Fuji and Tsukuba over squat black roofs as depicted by Hokusai and Hiroshige. Modern flood control has taken away a lot of the romance, but even though the Sumida may not compete with the Thames or the Seine for splendour, it remains close to the hearts of real Tokyoites. Recent efforts to clean up its badly polluted waters have shown encouraging results.

井上探景画「浅草金竜山之図」雪月花之内雪 Snow at Asakusa

Yamanote and Shitamachi — the Contrast
山手と下町

山手の住宅地渋谷区南平台 Nanpeidai, Shibuya-ku

　山手と下町。古くからの東京を象徴的に二分してきたこの両地域は、実にさまざまな面でみごとなコントラストを示し、東京のおもしろさを増してくれる。

　山手は台地と複雑な谷が織りなす変化に富んだ地形だ。江戸時代には、この特徴をよくとらえて、城や大名屋敷が見晴らしのよい所につくられたことは有名である。現在はそれにも増して、台地の利用は特徴的である。

　国際化時代の今日、首都東京には世界中の大公使館が集まっている。そのほとんどが台地の上か坂に面して建っており、しかも南半に集中していることはみごとなくらいである。山手線の外側へも進出しているが、すべてが南西方向なのもおもしろい。大公使館の集中は、この地域の高級住宅地イメージの形成に役立ち、ニューファッションともつながっている。山手の北半は、どちらかといえば古くからの大学の多いところである。とくに国立大学が目立つ。これら大学のほとんども台地上だ。

　下町は、華やかな江戸文化へつながる地域である。その中心は山手台地と隅田川の間で、古くから商業活動が活発だった。伝統ある老舗は何といっても下町に多い。銀座・神田・上野・浅草方面は有名である。山手の中の谷にも、たとえば麻布十番のような下町的雰囲気にあふれるところがあちこちにある。下町の新聞社と山手のテレビ会社のコントラストも

佃島　Tsukuda-jima

アメリカ大使館 The United States Embassy

東京港

荒川自然公園
けいせいまちや
しんみかわしま
せんじゅおおはし
みかわしま
みなみせんじゅ
都立駒込病院
たばた
にっぽり
羽二重団子
尾花(うなぎ)
ごめ
にしにっぽり
笹乃雪(豆腐)
東洋大学
日本医科大学
附属病院
谷中霊園
下谷病院
吉原
うぐいすだに
寛永寺
隅田川
東京芸術大学
国立博物館
言問団子
都美術館
科学博物館
ASAKUSA
長命寺桜もち
呑喜(おでん)
上野動物園
浅草ビューホテル
浅草寺
東大農学部
西洋美術館
上野学園大学
大黒家(天ぷら)
梅園(お菓子)
東京大学
東京文化会館
浅草演芸ホール
あさくさ
梅林堂(紅梅焼)
UENO
(天ぷら)中清
東大病院
下町風俗資料館
やげん堀中島
(そば)蓮玉庵
永寿病院
(七味唐辛子)
常盤堂(雷おこし)
央大学
工学部
酒悦(福神漬)
(そば)並木藪蕎麦
本牧亭
鈴木演芸場
こうらくえん
海老屋(佃煮)
藤むら(羊かん)
おかちまち
(どじょう)駒形どぜう
阿野栄泉(もなか)
石川後楽園
後楽園球場
東京日立病院
すいどうばし
順天堂大学
順天堂医院
三井記念病院
本医大
東京医科歯科大学
矢野屋(甘酒)
鮒佐(佃煮)
同愛記念病院
一病院
附属病院
神田川(うなぎ)
あさくさばし
日本大
おちゃのみず
日大駿河台病院
あきはばら
旧安田庭園
デルグランドパレス
KANDA
(うなぎ)
新国技館
明治大学
やぶそば
亀清楼
Ryōgoku
専修大学
あんこうい川源
(懐石料理)
共立女子大学
べったら市
中川屋
両国
東京電機大学
かんだ
(猪鍋)ももんじや
ぼうずしゃも(しゃも)
北の丸公園
Kanda
鳥安(合鴨)
イルランド
毎日新聞社
SHITAMACHI
読売新聞社
砂場(そば)
明治座
(かつお節)
サンケイ
弁松(弁当)
東御苑
新聞社
山本海苔店
神茂(はんぺん)
志乃だ寿司
皇居
(海苔)
八木長(かつお節)
伊せ喜(どじょう)
バレスホテル
栄太楼(あめ)
NIHONBASHI
perial Palace
どうさつ
山本山(海苔)
皇居外苑
Tokyo
日本橋
TCAT
Sumida-gawa
清澄庭園
都庁
山形屋海苔店(海苔)
海花亭(お菓子)
警視庁
ゆうらくちょう
桃六(だんご)
Yūrakuchō
日比谷公園
清水きんつば屋
交通会館
ボン放送
松崎(せんべい)
富岡八幡宮
帝国ホテル
木村屋(パン)
木場
すし幸
GINZA
谷シティ
八百善(江戸料理)
新橋第一ホテル
銀座東急
歌舞伎座
聖路加国際病院
天安(佃煮)
(佃煮)玉木屋
ホテル
聖路加看護大学
東京商船大学
橋善
新橋演舞場
佃源田中屋(佃煮)
しんばし
国立がんセンタ
築地本願寺
港屋(お茶)
Shinbashi
朝日新聞社
慈恵医大病院
中央卸売市場
東京慈恵会医科大学
HIBA
京
カリスホテル
浜離宮庭園
上寿共立薬科大学
世界貿易センター
旧芝離宮庭園
ガスの科学館
はままつちょう
Hamamatsuchō
竹芝桟橋
東京国際
ア・ニューギ
東芝ビル
貿易センター
芝浦工業大学

東京港

台場公園
有明テニスの森公園

京水産大学

十三号地公園
船の科学館

東京フェリーターミナル

0　500　1000　1500　2000m

神田祭 *Kanda Matsuri Festival*

おもしろい。

　古くからのホテルは下町に多かったが，しだいに麻布や赤坂に進出，最近は新宿や池袋，渋谷などにも続々と大型ホテルが建つようになった。劇場の分布の変化も似たようなものである。今まで下町特有のように思われていたものが，どんどん山手に見られるようになった。山手的なものはあまり下町へ行かないが，それでも今まで山手的と思われていたマンションなどは，下町にも増えだした。どうも山手と下町の文化的な違いは少しずつ減っているらしい。　　　（正井泰夫）

京橋にある江戸歌舞伎発祥の碑 *Plaque to early Edo Kabuki*

The Yamanote was first built on by *daimyo* who wanted their residences to command high ground. Now, embassies occupy similar sites — nearly all in the south, and most inside the Yamanote Line. In the north, there is a concentration of universities. The Shitamachi, or "Low City," between the Yamanote and the Sumida, is the old Edo, still commercially active, with many long-established firms. Apart from the well-known areas of Ginza, Kanda, Ueno, Asakusa, the Shitamachi atmosphere survives in those low valleys between the Yamanote hills, as for example in Azabu-juban. Modern contrasts: newspaper offices in Shitamachi, TV in Yamanote; old-established department stores (originally *gofuku-ten*: kimono shops) in Shitamachi, newer department stores (founded as such) in Yamanote. Hotels used to be all in the Shitamachi, but now new ones have come to the Yamanote, reflecting a general westward trend. It is rare for the Shitamachi to adopt Yamanote institutions, although now uniform modern apartment houses going up in the Shitamachi are gradually eroding a clearly visible contrast.

台地 High ground

低地 Low ground

● 大使館 Embassies

◆ 老舗・劇場 Long-established firms, theatres

■ 大学・病院 Universities, hospitals

歌川芳藤画「江都名所之内猿若街之図」。浅草猿若町の俯瞰図。中村座（いちばん左）を筆頭に江戸三座が並ぶ。遠景に浅草寺と吉原も描かれている（浅草文庫蔵）　A bird's-eye view of Saruwaka-

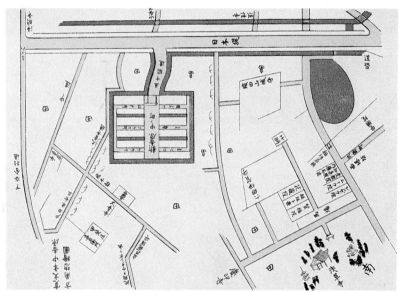

寛文年中（1661〜73）の吉原を示す方角図（「新吉原史考」より）　Yoshiwara soon after its move to Asakusa

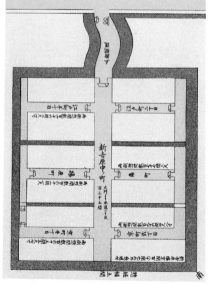

吉原の詳細図（「新吉原史考」より）　Detail of Yoshiwara

Edo Entertainments—Night and Day
遊廓吉原と芝居街猿若町

「夜ルと昼朝とへ落る日千両」——江戸川柳である。夜ルは遊廓吉原，昼は芝居街，朝は日本橋の魚河岸を意味している。それらの土地には，1日に千両の大金が落ちたというしだい。この句から，遊廓・芝居街・魚河岸の繁盛と，泰平の世を謳歌する大江戸のにぎわいが推察されるであろう。

遊廓は遊女と遊客であやなす遊興の街である。遊里・花街・色里などとも呼ぶ。幕府は江戸の遊廓として，吉原1ヵ所を公認した。江戸中期

以降，吉原のほかにも深川・根津などに色里が誕生したが，それらは幕府未公認のもので，岡場所と呼ばれた。また品川・新宿・千住・板橋の四宿は，幕府の許可を得て遊女を抱えていた。四宿を遊廓という人もいる。しかし四宿は江戸郊外の宿場町であって，江戸の市中ではない。しかも遊女は宿場女郎・飯盛女と呼ばれ，吉原の遊女よりも格が落ちた。吉原は江戸時代を通じて，江戸唯一の幕府公認遊廓としての地位を堅持し，そこに吉原の優位性，遊廓としての繁

栄があった。

そもそも吉原は，庄司甚内改め甚右衛門なる人物が出願して，元和3（1617）年　幕府の許可を受け，葺屋町の東側，今の中央区日本橋人形町付近に，2町（約220m）四方の土地を給されて創設した。そこは海辺で，葭茅の茂る土地だったので，葭原と命名。後に同音嘉字の吉原に改めた。明暦3（1657）年　幕府の厳命で，吉原は浅草日本堤に移された。旧地を元吉原，新地を正式には新吉原と呼ぶ。

江戸大歌舞伎は，中村座・市村座・森田座で興行し，江戸三座といわれた。初め中村・市村両座は堺町と葺屋町に，森田座は木挽町にあった。天保13（1842）年から翌14年にかけて，水

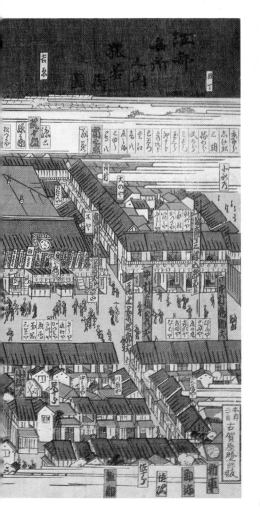

「助六」。吉原三浦屋の大格子の前で，江戸っ子の心意気を見せる団十郎の助六と，敵役の幸四郎の意休 The Kabuki classic Sukeroku

「勧進帳」の福助の弁慶と海老蔵の義経 The Kabuki classic Kanjincho
舞台写真：吉田千秋

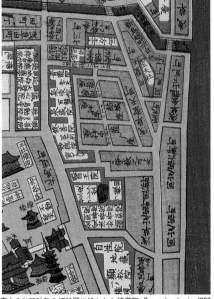

嘉永 6 (1853) 年の切絵図に描かれた猿若町 Saruwaka-cho in 1853

上は喜多川歌麿画「居続之座舗 」（十返舎一九著「吉原青楼年中行事」下之巻より）。右は井上探景画「新吉原の景」（台東区立図書館蔵）
Above : The morning after a night at Yoshiwara
Right : The Main Gate to Yoshiwara in the Meiji Era

野忠邦による天保の改革の一環として，それが浅草猿若町に移された。移転時には，森田座に代わって川原崎座が興行していた。猿若町には，人形操り座の大薩摩座・結城座も移転した。芝居小屋ばかりでなく，役者・囃子方・芝居茶屋らの芝居関係者も猿若町に移住させられた。こうして天保から幕末まで，浅草猿若町は江戸の芝居街を形成し，にぎわいを呈したのである。
　遊廓と芝居街にただよう情緒・景観は，小説・川柳・浮世絵などに描かれ，また髪型や衣装などの流行をも生み，それらは江戸中へ伝播した。吉原と猿若町が「江戸の文化・風俗発祥の地」とさえいわれたのも，そこに由来している。
（小森隆吉）

Night entertainment meant Yoshiwara, the only quarters licensed for prostitution in Edo. Prostitution also flourished at the four *shukuba* (post stations) of Shinagawa, Shinjuku, Itabashi and Senju, but they lay outside the city limits. The first Yoshiwara, licensed in 1617 near what is now Ningyo-cho, took its name from the reeds (*yoshi*) growing there. The *kanji* character was soon changed for the present, more propitious meaning, "Field of Luck." As Edo grew, Yoshiwara was moved out to the edge of the city, beyond Asakusa, in 1656. There it remains, a far cry from its heyday,

when whole families visited its daytime festivals, and its night-time activities inspired *ukiyoe* prints.

Kabuki has gone up in the world. Now performed at grand, luxurious theatres such as the Kabukiza and the National Theatre, in Edo it entertained the common people. There were three main troupes, first near Ningyo-cho, and from 1842 in Saruwaka-cho near Asakusa Kannon. Edo and early Meiji literature, art and fashion were deeply influenced by both Yoshiwara and Saruwaka-cho.

幕末の江戸の町　正井泰夫『大江戸新地図』による
Castle Town Edo

一対残っている中山道の志村一里塚
Milestone on Nakasendo at Shimura

奥州・千葉街道の出口の浅草見附の碑
Asakusa-mitsuke : fork for roads N. and E.

東海道の高輪大木戸跡に残る石垣
Original Tokaido roadside at Takanawa

武家地
町人地
寺院地
神社地

0　　　1000　　　2000　　　3000m

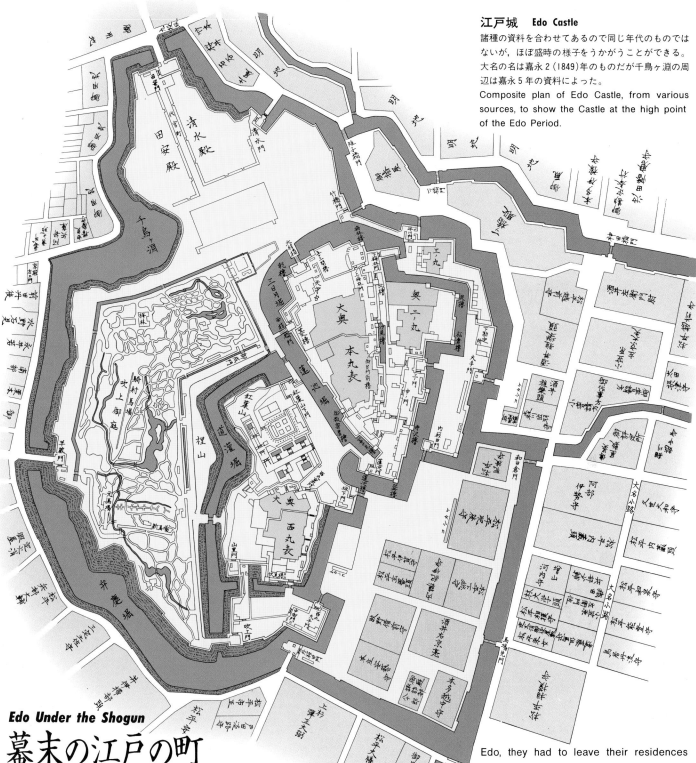

江戸城　Edo Castle

諸種の資料を合わせてあるので同じ年代のものではないが，ほぼ盛時の様子をうかがうことができる。大名の名は嘉永2（1849）年のものだが千鳥ヶ淵の周辺は嘉永5年の資料によった。

Composite plan of Edo Castle, from various sources, to show the Castle at the high point of the Edo Period.

Edo Under the Shogun
幕末の江戸の町

江戸は幕末には，少なくとも130万人の大人口をかかえ，町は江戸城あるいは日本橋を核として，半径6km以上にもひろがっていた。江戸で目立つのは，何といっても武家地の広さで，市街地の約60％が武家地という，まさに侍の町が出現していた。武家地の中心は江戸城である。190haという広大な城は，この大都市の最大のランドマークで，内堀や外堀に囲まれた姿は，江戸が城下町であることをはっきりと示す。

上屋敷は，大名の正式の住居とその藩の仕事の場で譜代大名の上屋敷は丸の内から霞が関にかけてみごとに集中していた。下屋敷は，市街地の外縁部に散在したが，中屋敷は上・下両屋敷の中間に多く，大名屋敷は城を核とした同心円構造を示していたのである。

一般の武家地は城北地区に多かったが，町人の住む町屋は東側の低地に圧倒的に集中していた。とくに神田から新橋にかけての日本橋を核とする町屋には，江戸町人の半分近くが集まって活況を呈していた。町屋はまた，隅田川沿いの浅草や深川，それに街道沿いにものび，山手の谷間にも散在していた。

神社は境内が狭くて目立たないが数は多く，氏神さまを入れると，1000をはるかにこえた。寺は大きいものが目につく。寺のほとんどは外堀の外側にあるが，これは明暦の大火で，寺の大屋根の火消しに手間どった教訓を生かして，中心部から遠ざけたためという。　（正井泰夫）

The Shogun controlled the *daimyo* by making them spend half the time in Edo, away from their own fiefs. Even when not in Edo, they had to leave their residences occupied by family members and samurai retainers, as hostages to ensure good behaviour. Surrounding the 190ha of Edo Castle were the *kamiyashiki* (upper residences) of the *daimyo,* who also kept *nakayashiki* and *shimoyashiki* (middle and lower residences) in the suburbs for recreation. The ordinary samurai orders lived mostly to the north of the Castle, on the Yamanote. The common people occupied the lower land of the Shitamachi. They also spread out along the main roads. Temples were mostly far from the castle, because they were regarded as a fire hazard. Shrines, over 1,000 of them, were generally small, many enshrining an *ujigami* or guardian god only for that neighbourhood.

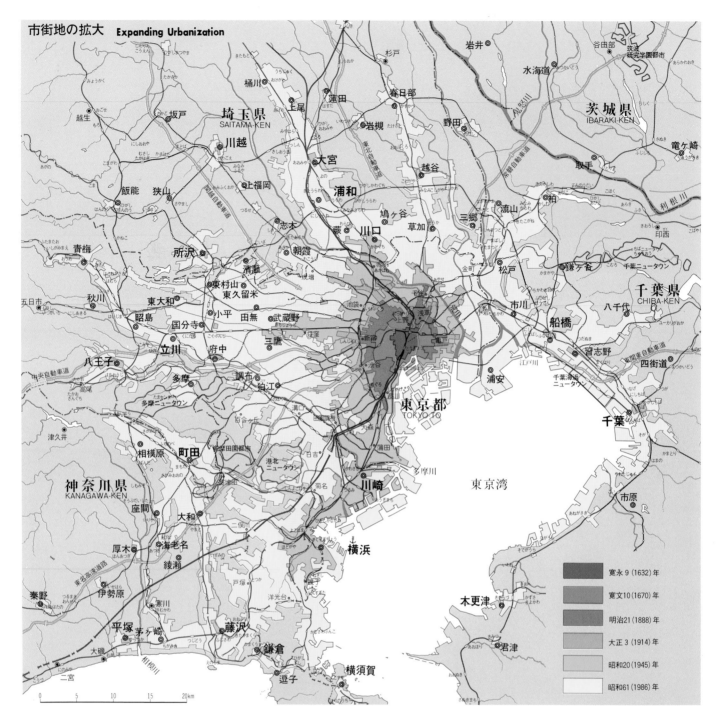

市街地の拡大 Expanding Urbanization

（地図上の地名）

岩井　水海道　谷田部　筑波研究学園都市
杉戸　春日部　野田　茨城県 IBARAKI-KEN　竜ケ崎
桶川　蓮田　岩槻　越谷　取手　印西
越生　坂戸　埼玉県 SAITAMA-KEN　川越　上尾　松戸　柏　千葉ニュータウン
飯能　狭山　上福岡　大宮　流山　鎌ケ谷
所沢　志木　蕨　川口　三郷　市川　船橋　八千代　四街道
青梅　東村山　朝霞　草加　金町　習志野
秋川　東大和　清瀬　鳩ヶ谷　浦和　東関東自動車道
五日市　昭島　東久留米　小平　田無　武蔵野　池袋　浅草　浦安　千葉海浜ニュータウン
八王子　国分寺　三鷹　荻窪　新宿　千葉　CHIBA-KEN
立川　府中　調布　東京都　TOKYO TO
多摩　狛江　溝口　蒲田　東京湾
多摩ニュータウン　港北ニュータウン　多摩川
津久井　百合ヶ丘　田園調布　川崎
相模原　町田　新百合ヶ丘　日吉
神奈川県 KANAGAWA-KEN　菊名　市原
座間　大和　横浜
厚木　海老名　保土ヶ谷　木更津
綾瀬　戸塚　横浜　君津
秦野　伊勢原　寒川　洋光台　横須賀
平塚　茅ヶ崎　藤沢　鎌倉　逗子
大磯　二宮

	寛永 9 (1632) 年
	寛文10 (1670) 年
	明治21 (1888) 年
	大正 3 (1914) 年
	昭和20 (1945) 年
	昭和61 (1986) 年

0　5　10　15　20km

The Expanding City
ひろがる東京

　無限にひろがっているような気がする大東京も，昔はもちろん狭かった。江戸時代初期，徳川家康・秀忠に続き家光の代になって，江戸は京・大阪にひけをとらない町となった。しかしまだ，今から見れば小さなものだった。17世紀の終りになると，京・大阪を圧した大都市となったが，その後は人口流入抑制策がとられたため，都市的拡大のスピードは大きく落ちた。

　明治の東京は，最盛期の徳川時代後期の大江戸の市街地と大きさはあまり変わらない。明治初期の一時期は逆に縮小したが，世の中の落ち着きとともに拡大しはじめる。馬車鉄道や蒸気鉄道も都市化に貢献した。20世紀の初期，市電や電車が入ってきた。時代は大正となり，市街地の拡大が進んだ。当時の人にとっては急速な

拡大だったが，今の私たちからみると，ずいぶんとゆっくりしたものだった。

　第一次大戦後の経済発展，そして旧市街に大惨事をもたらした関東大震災は，折からの田園都市運動を勇気づけ，電鉄沿線に郊外住宅地が次々と建設された。東京・横浜間では工業化が進み，京浜工業地帯が出現した。第二次大戦が激しくなると，海岸から離れた内陸部にも大工場がつくられた。昭和20(1945)年の終戦直前，東京・横浜・川崎などが空襲によって全滅に近い被害を受けた。

　戦後の40年間の市街地の拡大は，まったくものすごい勢いだ。戦前，まだいくらでも畑や林が見られた世田谷・練馬・江戸川区などは，もうあらかた市街地となった。それだけではない。鉄道沿線に延々と市街地がのびた。主要5方向の国鉄沿線がとくに目立つが，最近は私鉄沿線の都市化もおそろしく急速だ。つい20年ほど前までは，ほぼ完全なグリーンベルトだった多摩丘陵も，今では多摩ニュータウンや多摩田園都

市が巨大な姿を現している。筑波研究学園都市のように，60kmの彼方にも大規模なニュータウンが姿を現している。
　　　　　　　　　　　　　　　　（正井泰夫）

筑波学園都市 Tsukuba Science City

Edo became Japan's administrative centre with Tokugawa Ieyasu in 1603, but not until the time of the third Shogun, Iemitsu, did it catch up with Kyoto, the Imperial capital, or

世界の大都市の市街地比較　Built-up Areas Compared (人口は市街地人口 Population figures for Built-up Areas)

0　　10　　20　　30km

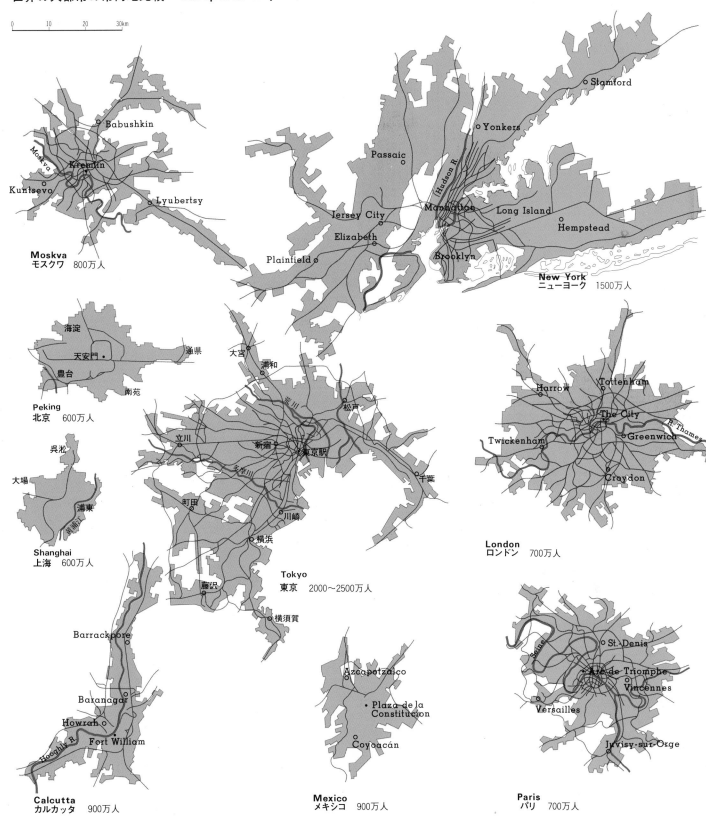

Moskva
モスクワ　800万人

Babushkin
Moskva
Kremlin
Kuntsevo
Lyubertsy

Passaic
Yonkers
Stamford
Jersey City
Manhattan
Long Island
Elizabeth
Hempstead
Plainfield
Brooklyn
Hudson R.
New York
ニューヨーク　1500万人

海淀
天安門
豊台
通県
南苑
Peking
北京　600万人

呉淞
大場
浦東
黄浦江
Shanghai
上海　600万人

大宮
浦和
荒川
松戸
立川
多摩川
新宿
東京駅
千葉
町田
川崎
横浜
藤沢
横須賀
Tokyo
東京　2000～2500万人

Harrow
Tottenham
Twickenham
The City
Greenwich
R. Thames
Croydon
London
ロンドン　700万人

Barrackpore
Baranagar
Howrah
Hooghly R.
Fort William
Calcutta
カルカッタ　900万人

Azcapotzalco
Plaza de la Constitución
Coyoacán
Mexico
メキシコ　900万人

Seine
St. Denis
Arc de Triomphe
Vincennes
Versailles
Juvisy-sur-Orge
Paris
パリ　700万人

Osaka, the most important industrial and trading city. By modern standards, growth was not very quick, it was a "tiny" city and the political troubles at the end of the Edo Period actually brought a sharp decline in population. From the late 19th century, modern transport innovations encouraged the city's outward spread; the Great Earthquake also spurred on the garden-city movement. Places like Den'en-Chofu date from this time. World War Ⅱ forced a lot of industry inland away from the coastal

Keihin (Tokyo - Yokohama) industrial zone, but even so it could not escape the savage bombings. Since the war, almost all traces of agriculture in areas such as Setagaya-ku, Nerima-ku, Edogawa-ku, have been wiped out; there has been marked residential development along the five major JNR lines, and now along the private lines, too. Mountains come much nearer to Tokyo than to most of the world's big cities, and they form a natural green belt for the metropolis.

多摩丘陵の新しい市街地　New town in Tama hills

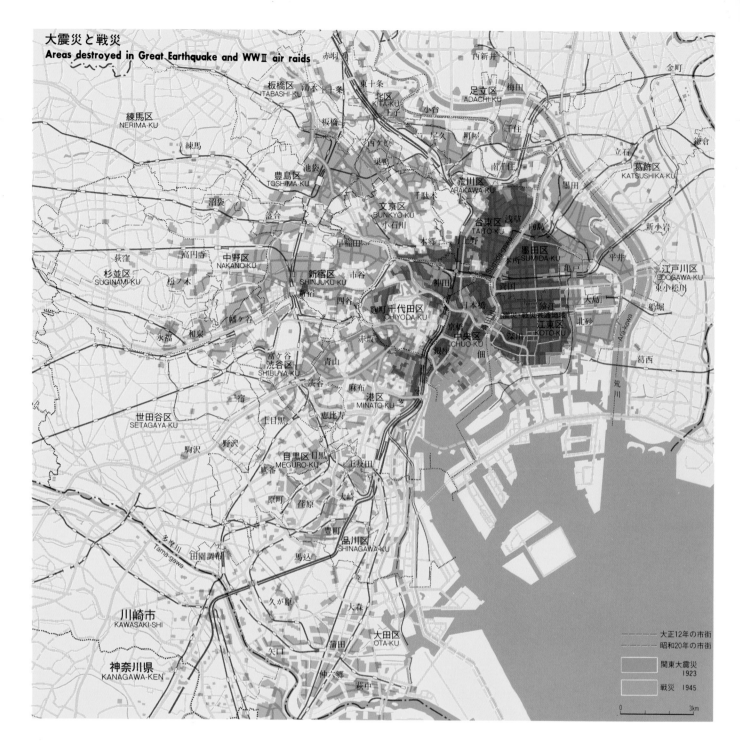

大震災と戦災
Areas destroyed in Great Earthquake and WWⅡ air raids

凡例:
------ 大正12年の市街
------ 昭和20年の市街

関東大震災 1923

戦災 1945

0　　　　3km

City of Great Fires——Earthquake and War

市街の壊滅
大震災と戦災

　火事は江戸の花といわれた。明暦の大火（明暦3＝1657年）だけでなく何度も大火に見舞われ，小さな火事は年中行事だった。だが，大震災と戦災は東京の花などといっていられるようなものではなかった。その被害はあまりに大きかったのである。

　関東大震災は大正12（1923）年9月1日に起きた。昼食の炊事時だったこともあり，薪や炭火が折からの強風（秒速12.3m）にあおられ，大惨事をひき起こした。地震のマグニチュードは7.9といわれ，それも近くの相模湾に震源があったので，東京では最大振幅が14〜20cmにも達する巨大地震だった。東京・横浜一帯で12万8266の家が全壊し，12万6233の家が半壊した。焼失

家屋は44万7128にもおよび，死者9万9331人，行方不明4万3476人という空前の被害がでた。東京だけを見ると被害は主として下町に集中し，死者・行方不明者が10万人という大惨事であった。

　震災の被害にかんがみ，以後は道幅をひろげたり，不燃建築をふやすなど，地震・火災対策の努力もなされた。浅草にあった12階建の凌雲閣（展望レストラン）が倒壊したので，それ以後最近まで高さ31m以上の建築は原則として禁

関東大震災直後の銀座四丁目付近　Ginza after the Great Earthquake

止された。いわゆる高さ制限である。

　第二次大戦の末期，東京は何度にもわたって空襲を受けた。なかでも，昭和20（1945）年3月10日未明の大空襲はすさまじく，関東大震災以上の広大な範囲が焼失した。4月から5月にかけても大空襲があり，震災では被害が比較的少なかった山手もほぼ全滅した。木造建物を引き倒してつくった防火帯もあまり役に立たなかった。都は75〜85万戸の家屋を失ったが，その

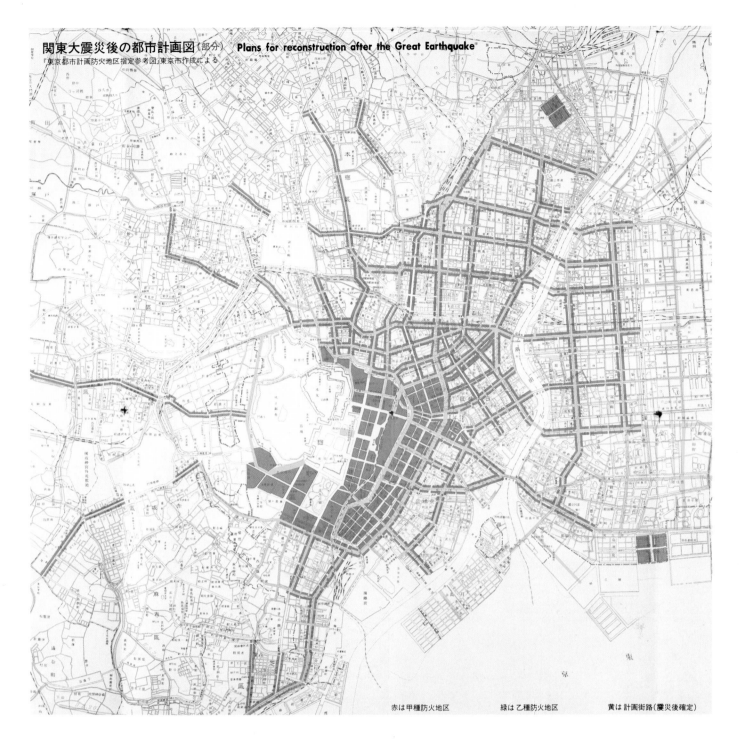

関東大震災後の都市計画図（部分） **Plans for reconstruction after the Great Earthquake**
『東京都市計画防火地区指定参考図』東京市作成による

赤は甲種防火地区　　　　緑は乙種防火地区　　　　黄は計画街路（震災後確定）

3月10日の空襲で焼けた下町。右の川は隅田川。その左は浅草寺 *Shitamachi after the air raids of Mar.10, 1945.*

ほとんどは区部であり，区部の建物の大半を失ったとみてよい。死者は9万5000人ほどであった。終戦時の都の人口は349万，区部人口は278万に減り，戦前のピークの半分以下になってしまった。東京は歴史都市だというが，2度の大災害と不燃化・近代化のための建物改造で，古い情緒のある町並はごくわずかのところに限られてしまった。

(正井泰夫)

写真提供：毎日新聞社　都市計画図提供：今井金吾

Fires used to be called *Edo no hana* (Flowers of Edo), but beautiful as they may have been, many of them, such as the Great Fire of 1657, caused great loss of life. Nobody thought of calling the fires of 1923 or 1945 "*Tokyo no hana.*" The great Kanto Earthquake of September 1st, 1923, had a magnitude of 7.9. Its epicentre in Sagami Bay was disastrously near, and the ground shook by up to 20cm. It struck at 11:58 a.m., when many were cooking: this is what caused so many fires. In the resulting firestorms, Tokyo-Yokohama had 99,331 dead and 43,476 more missing. 128,266 houses were totally destroyed; altogether, 447,128 buildings were lost. The vast majority of victims were in the Shitamachi, either side of the Sumida. Afterwards, roads were widened, firebreaks improved, building restrictions tightened. Then came the War. The raids of March 10th, 1945 were the worst. Tokyo lost most of its buildings; 95,000 died in a matter of weeks. It might have been more if the population had not already shrunk to less than half its prewar peak. A new Tokyo of quake-proof, fireproof buildings has risen from the ashes, and little remains of what the city used to be.

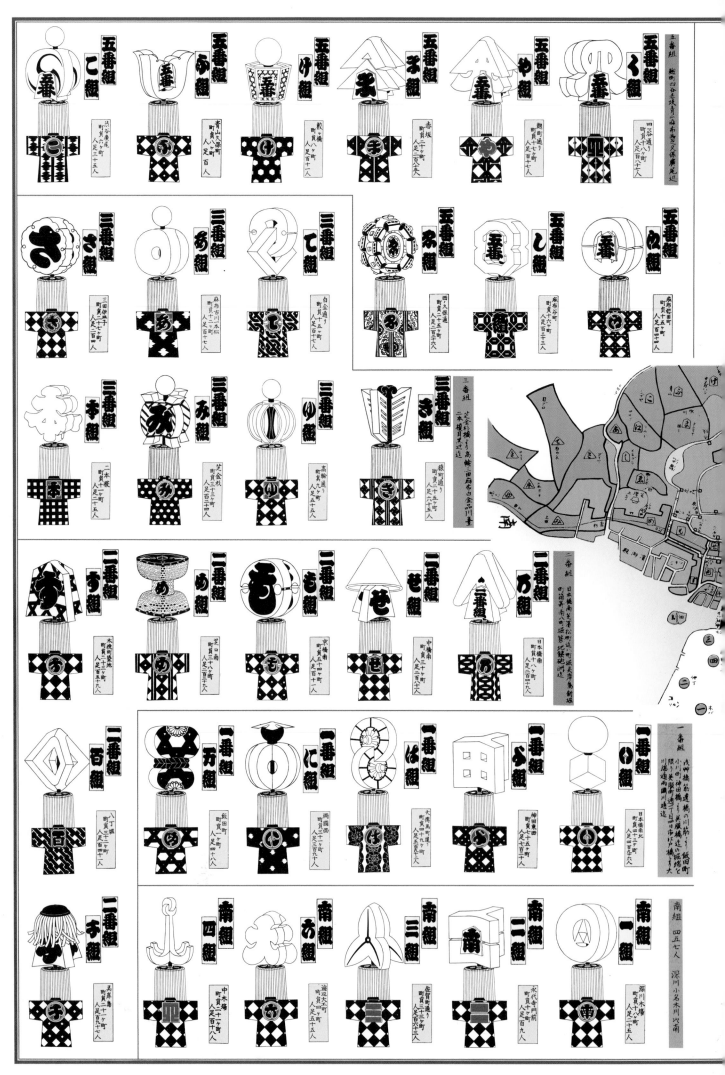

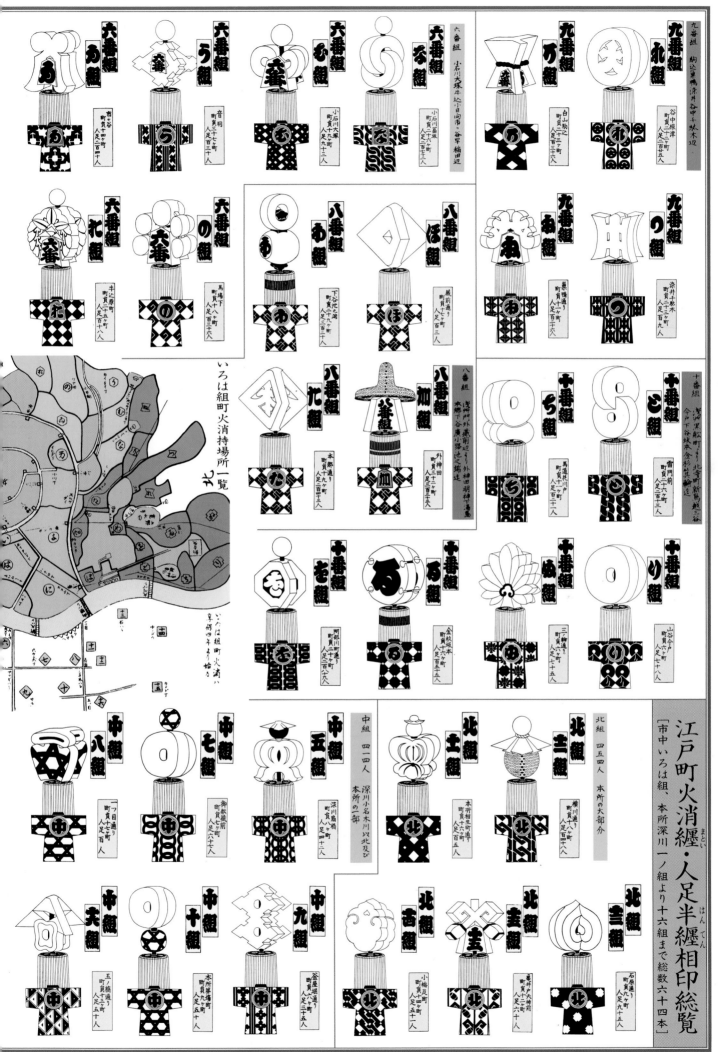

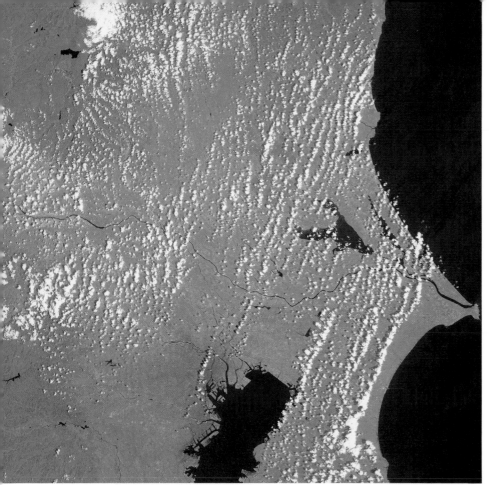

1984年8月16日午前10時頃の関東平野の雲（ランドサット画像）　LANDSAT：10:00a.m., Aug.16,1984

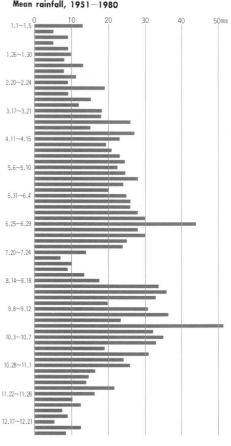

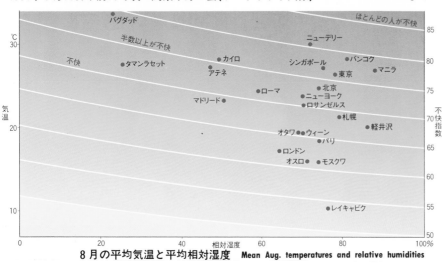

8月の平均気温と平均相対湿度　**Mean Aug. temperatures and relative humidities**

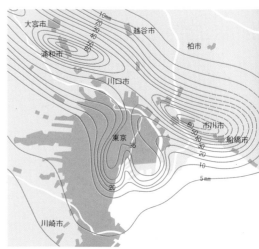

雷雨の雨量分布（1967.6.7）　**Rainfall from thunderstorms**
小元敬男『農業気象』による

Summer and Winter in Tokyo
東京の夏と冬

新宿超高層ビル街の稲妻　Thunderstorm over Shinjuku

東京の夏は暑い。気温が高いばかりでなく，べとつくような蒸し暑さを感じる。8月の平均気温と平均湿度を「不快指数」にして表すと77となり，大勢の人が不快と感じる値である。この点で，東京の夏はまさに東南アジア的である。

不快さは風があると和らげられる。小笠原高気圧から吹き出す南寄りの風は，林立する高層ビルに弱められるが，それでも日中には東京湾からの海風が加わって，少しはしのぎやすくなる。しかし，夜の蒸し暑さは寝苦しさをつのらせる。昔はさほどではなかったが，最近では8月の最低気温が高くなる傾向を示している。

夏の天候は安定し晴天が続く。空には積雲が等間隔に風の向きに従って整列する（左上図）。ただ，時とすると雄大な入道雲が発達して，すさまじい稲妻と雷鳴が都心部の人々を驚かせる。梅雨前線や低気圧の雨と違って雷雨は局地的で，後楽園球場では野球の試合を中止させるほどの強さであっても，郊外の人々はそれに気づかな

いということもある。

冬は，本州の脊梁山脈を越えてきた北西モンスーンが，肌を刺すように冷たい「空っ風」となって，落葉したケヤキやイチョウの梢の間を通り抜けていく。この風が勢いよく吹いている間は，日本の太平洋側の各地は，太陽の光がさんさんと降り注ぐ毎日である。アルプスから北のヨーロッパ各地の冬は，緯度が高いというばかりでなく，どこも雲が多くて，1月の日照時間は数十時間しかない。地中海沿岸はさすがに長くなるが，東京はそれよりもさらに長い日照時間を楽しむことができる。

東京の冬は天気がよいかわり，緯度の割に気温が低い。東京と同じくらいの緯度にある地中海沿岸は10℃をこえるのに，東京の1月の平均気温は，同緯度の内陸高地にあるテヘラン（標高1191m）より約1℃高いだけの4.7℃である。

しかし近年は，冬の気温もかなり高くなってきた。とくに最低気温の上昇は著しい。これを

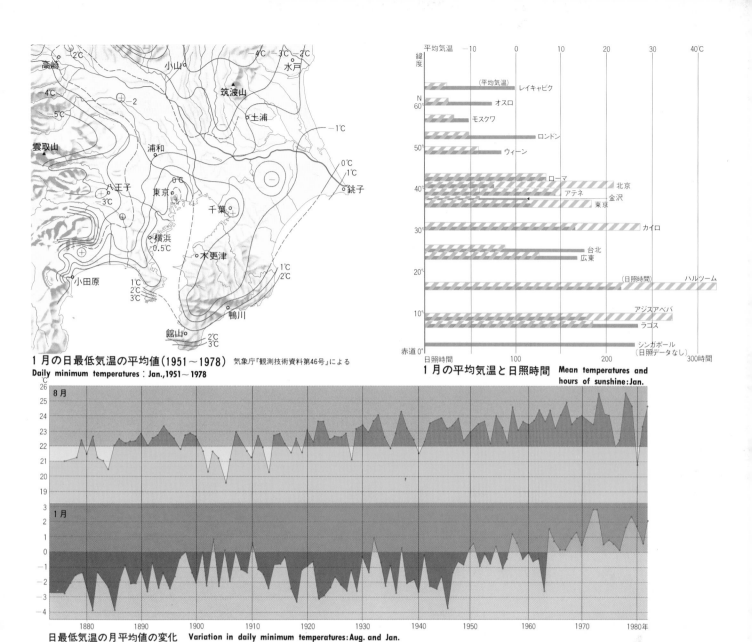

1月の日最低気温の平均値（1951〜1978） 気象庁『観測技術資料第46号』による
Daily minimum temperatures : Jan.,1951〜1978

1月の平均気温と日照時間　Mean temperatures and hours of sunshine : Jan.

日最低気温の月平均値の変化　Variation in daily minimum temperatures : Aug. and Jan.

青山墓地の春夏秋冬　Four seasons at Aoyama Cemetery （撮影：石井　實）

数十年のサイクルで変動しているとみることもできるし，昭和25（1950）年ころないしは同39（1964）年ころを境として，平均気温が不連続的に変化したとみることもできよう。気温上昇の原因はまだよくわかっていない。地球的な規模で暖かくなったというよりは，東京だけがその周辺に比べてきわだって高温になっているのである。1月の最低気温の分布図をみれば，都心部が郊外より約2〜5℃も暖かいことがわかる。「ヒートアイランド」とよばれる現象である。

暖かくなった東京にも，思わぬ大雪が毎年1度や2度は降る。東京に雪が降るのは冬のさなかではない。もう春の足音が聞こえてくるような，2月の後半から3月にかけてである。真冬にはまだはるか南方にあった前線帯が，そのころになると近づいてきて，低気圧が本州の南岸をかすめて通るからである。　（中村和郎）

Tokyo in summer is like Washington, or the cities of S.E. Asia: the combination of heat and humidity makes movement unpleasant, and this feeling of sluggishness is aggravated by sleepless nights. Air-conditioning provides relief, but walking in and out between cool, dry oases and the seemingly solid wall of saturated heat is not good for the health. This season of mugginess begins in June with what is called the rainy season (*tsuyu* or *baiu*). It ends in September, when it is quite common for Tokyo to be assailed by typhoons. The heavy rain which used to be a curse is now a blessing for the metropolitan water supply. Winter is fresh and dry. There are frequent views of Mt. Fuji, especially in silhouette against the sunset. When industry stops for the New Year festivities, skies become even clearer, perhaps as clear as they were in Edo, when snow-capped Fuji was a common sight. Winter morning temperatures in modern Tokyo can be 2—5℃ higher than in the surrounding suburbs, because of its coastal location and the heat island effect experienced by many large cities. Snow clouds dump their contents on the Japan Sea coast and the mountains, so that while those areas are snow-bound, Tokyo has little snow. What little comes is generally late, around February, and the city is taken by surprise. A fall of 20cm is enough to paralyse transport and make front page news.

太平洋

黒潮

伊豆諸島
Izu Islands

新島 Nii-jima

式根島 Shikine-jima

父島の二見港 Chichi-jima, main harbour

小笠原のミツカドバイブウニ
Ogasawara sea urchin

小笠原群島

西之島

聟島列島

父島列島
父島

母島列島
母島

小笠原諸島
Ogasawara Islands

火山列島
(硫黄列島)

北硫黄島

硫黄島
Io-jima

南硫黄島

北回帰線

おもな航路と航空路		所要時間〔最短〕	定期便数
東京	大 島	4時間20分	毎日1往復
熱海	大 島	1時間10分	毎日2往復
羽田	大 島	40分	毎日2往復
東京	新 島	6時間	毎日1往復
調布〔不定期〕	新 島	45分	毎日3往復
東京	三宅島	6時間	毎日1往復
羽田	三宅島	50分	毎日2往復
東京	八丈島	10時間	毎日1往復
羽田	八丈島	45分	毎日6往復
東京	父 島	28時間30分	月5～6往復

沖ノ鳥島 Okinotori-shima
(日本の南端20°25′N) Japan's southern limit
(東京都)

Tokyo's Islands — The Subtropics and Volcanoes

火山と亜熱帯の島々

相模湾から南へ点々と連なる島々は，伊豆諸島・小笠原諸島・火山列島と，日本の南端を限る沖ノ鳥島，同じく東端の南鳥島で，いずれも東京都に属している。

冬のモンスーンは強い西風となって伊豆諸島に吹きつけ，八丈島や鳥島は本土の太平洋岸と違ってかなり雲が多い。しかし火山列島以南では，さしものモンスーンも影をひそめ，夏と冬

の気温差も，昼と夜の気温差もきわめて小さい，わが国唯一の海洋性熱帯気候地域である。そして，八丈島あたりから小笠原諸島までが亜熱帯的気候である。

黒潮は御蔵島と八丈島の間を約3ノット（時速約5.6km）の速さで流れている。そのため，九州や沖縄方面から黒潮に運ばれてきた植物が根づいたりもする。時とすると，人間さえも黒潮に乗って漂着することがあった。しかし，海洋のまっただなかにある小笠原諸島などには，固有の生物が多い。

伊豆諸島・小笠原諸島は，千島列島・東北日本・南西諸島と並んで，日本列島を構成する弧状列島の一つである。島列の東方約200kmのところには，伊豆・小笠原海溝（最深9810m）が平行して走っている。大きくみると島列は2本あり，海溝寄りにある小笠原諸島は一時代前の海底噴火でできた島であるが，今は陸上と海の侵食にさらされている。もう1列は伊豆大島からベヨネース列岩を経て火山列島にいたる，富士火山帯に属する島々である。御蔵島は有史以前に活動した古い火山であるが，大島・三宅島・八丈島・青ヶ島にはカルデラをもつ成層火山があり，歴史時代に噴火をくり返している。昭和58（1983）年に三宅島の雄山が噴火して，阿古地区の約400戸が溶岩に埋まったことは記憶に新しい。ベヨネース列岩や火山列島の近海でも，海底噴火が起こって新島が生まれたりしている。この島列はさながら火山の博物館の観がある。

亜熱帯にある小笠原諸島では，サンゴ礁が観光資源の一つになっている。ここは地形が急峻なためか，潮流が強すぎるためか，サンゴ礁分布の北限にあたっている。

伊豆諸島には縄文時代の昔から人が住みつき，古代にはもう本土の支配が及んでいた。近世まで配流地とされ，本土から送られた数多くの流人のなかには，島の文化に貢献する者もあった。鳥島は文字どおりアホウドリのすむ島である。小笠原諸島も長いあいだ無人島であったが，19世紀に入ってから欧米人およびハワイ系の人々が父島に移住し，開拓にあたった。

平坦地が少なく，地表水にも恵まれていないので，水田が開かれたのは八丈島だけで，他は天水を利用した畑作農業で生活を支えてきた。四面環海でありながら，海岸は絶壁で良港が得

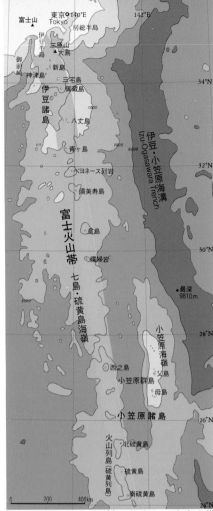

父島のガジュマル　Banyan Tree on Chichi-jima

八丈島の玉石垣　Wall of sea-worn boulders, Hachijo-jima

三宅島の溶岩原　Miyake-jima lava fields

伊豆諸島・小笠原諸島と富士火山帯
Fuji Volcanic Zone

八丈島のフリージア畑　Freesias on Hachijo-jima

父島の海岸風景　Chichi-jima coastline

られず，漁業もふるわなかった。大島のツバキ油，新島の抗火石，御蔵島のツゲ材，八丈島の黄八丈などは特産品として知られる。最近は，温暖な気候を利用した早期出荷のキヌサヤエンドウや，花卉の栽培も行われている。

　現在では，本土と伊豆諸島の主要な島々とは，毎日船と飛行機で連絡しており，また父島には週１回ではあるが，船で29時間で行くことができる。火山と亜熱帯の風物を特色とする国立公園として，訪れる人々も年々増加している　　　　　（中村和郎）

A long string of islands stretches from just off the Izu Peninsula to just south of the Tropic of Cancer, and they too are part of Tokyo-to. But even the Ogasawara (Bonin) Islands (discovered by the Japanese 1593) are only half way to the nation's, and also Tokyo's, eastern and southern limits. The Ogasawara islands have distinctive flora and fauna of their own. They are inside the northern

(日本の東端153°59′E) Japan's eastern limit
南鳥島
〔東京都〕

limits for coral reefs, which provides a sight-seeing attraction, and they enjoy a tropical maritime climate, with little difference between temperatures in summer and winter, night and day. The first settlers here trace their ancestry back to early 19th century Caucasian mariners, and have Japanized English names. There were fierce battles on Iojima (Sulphur Island) during World War II. Running east of all the islands is the Izu-Ogasawara Trench, 9810m at its deepest point. The earth's crust is still very unstable here, and there is frequent seismic and volcanic activity, especially in the Izu Islands.

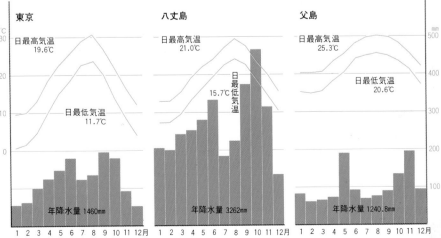

	東京	八丈島	父島
日最高気温	19.6℃	21.0℃	25.3℃
日最低気温	11.7℃	15.7℃	20.6℃
年降水量	1460mm	3262mm	1240.8mm

日最高気温・日最低気温と降水量　Daily maximum and minimum temperatures, and rainfall

ホンシュウジカ（夏毛）。雲取山。8月下旬。雲取山では
シカはそれほど珍しい動物ではない。カモシカもいる。
Honshu-jika—Japanese deer

七ツ石山の頂上から見た雲取山。東京都の最高地点をなす山。頂上の山荘には1年中登山者が訪れる　（撮影：渡辺千昭）
Kumotori-yama, 2018m

第二次大戦後しばらくは炭焼きも盛んであったが，今で
はこの1戸だけが自家用程度に焼いている。奥多摩町奥
Charcoal-burning

ニホンザル。檜原村。12月。首都圏には数多くの群れが見
られるが，都内では日原谷と南秋川の2カ所に数群がいる
Nihon-zaru—Japanese monkey

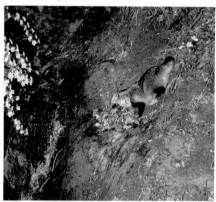

ホンドタヌキ。檜原村。3月下旬。山奥より人家に近い
所に多く，東京では西の13市4町1村で観察されている
Tanuki—raccoon dog

11月15日狩猟が解禁になる。人々は鉄砲を持って早朝集
合する。そして1日山を回りイノシシを1頭捕獲した
The open season for wild boar begins(Nov.15)

清冽な水が流れる沢ぞいに，細長くワサビ田が伸びる。
開花期を除けばいつでも収穫できる（奥多摩町奥）
Wasabi—Japanese horseradish

Oku-Tama──Tokyo's Wild Life
野生動物のすむ奥多摩

奥多摩の自然

　高層ビルと高速道路の町東京に，ゼロメート
ル地帯のあることは知っていても，同時に2000
m級の山も抱えているといわれたら耳を疑う人
があるかもしれない。しかし都心から西におよ
そ100km，山梨県と埼玉県との境をなす奥多摩
には，1500mをこす山がいくつもあり，なかで
も雲取山は2018mもある。この辺一帯はかつて
江戸市民100万の飲水を支えた多摩川の源流を
なすところだが，今でも豊かな自然が息づき，
生息する野生動物も豊富である。

　大型哺乳動物では，ツキノワグマ，アナグマ，
イノシシ，ニホンカモシカ，ホンシュウジカ，
ニホンザル，キツネ，タヌキ，テン，ハクビシ
ンなどがおり，優に40種をこす。鳥類も400種
以上が観察されている。しかし人間に狩られる
ツキノワグマは年を追うごとに減少するばかり
で，その保護策が急がれている。　（久田雅夫）

1000mの山村の暮らし

　関東山地に抱かれた，東京都でいちばんの高
地である標高1000mの山村にも，暮らしを営む
人々がいる。日当りのよい急傾斜地の畑に，コ
ンニャク，ソバ，ジャガイモ，野菜が栽培され
ている。かつてあったコムギは姿を消した。沢
水のかかりのよいところには，小規模のワサビ
田が広く分布している。遠いワサビ田までは3
～4時間もかかるが，これは季節を問わない貴
重な現金収入源となっている。

　ほとんどの人々はわずかな農業のほかに，お
もに冬のあいだ町や村の公共土木工事に従事し
たり，青梅などに通勤したりしている。また青
梅や立川の町に移っていった家でも，雨戸を閉
ざし鍵をかけておき，休日にここに戻って，畑
仕事を行っており，挙家離村というのはまだ少
ない。これは比較的近いところに働き場所を得
られるからで，東京という大都市に近い山村の

ツキノワグマ。雲取山の1000m付近に現れた仔グマ。親
グマも近くにいるにちがいない（撮影：新井信太郎）
Tsukinowa-guma — Japanese bear cub

峰の集落から奥の集落を見る。どちらも標高1000mほどの東京の山村である。左上の雪の峰は鷹巣山の山頂
The highest inhabited areas of Tokyo-to — 1000m

コンニャク掘り。10月はコンニャク掘りの時期である。
急な斜面の畑に這うようにして掘り出す（奥多摩町奥）
Farming Konnyaku — devil's tongue

写　真：（動物）久田雅夫
　　　　（生活）石井　實
イラスト：（地図）石丸哲也

正月に門口に立てる「おっ
かど棒」（奥多摩町雲風呂）

Traditional New Year decorations

昔ながらに飾る、正月のま
ゆ玉飾り（奥多摩町下り）

村祭りの獅子舞。町に住む子どもや孫たちがやってくる。
また村を離れた昔の仲間も姿をみせる（奥多摩町峰）
Lion dance at an autumn festival

ホンドテン（冬毛）。檜原村。2月。テンは八王子あたりの
山林にも出没する。毛は夏の間は黒っぽい茶色になる
Ten — Japanese sable

奥多摩町立小河内小学校の3人の新入生。入学式のあと
先生の紙芝居に見入っているところ（昭和58年4月）
A class of 3 at a village school

特色であろう。シメジの栽培，メンヨウやイノ
シシの飼育なども始まり，このような環境のな
かでいかに生活を営むか，さまざまな模索を続
けている。　　　　　　　　　　　　（石井　實）

There are even Tokyo people who do not realize that Tokyo stretches 100km inland, and has several mountains over 1500m. The highest of them is Kumotori-yama (2018m), just where the boundaries of Yamanashi-ken, Saitama-ken and Tokyo-to meet. The inhabitants of Oku-Tama ("Deep Tama") are perhaps outnumbered by the wild life; there are over 400 species of birds and more than 40 of mammals, of which the biggest are deer, wild boar, bears and monkeys.

Bears are in danger of extinction, whereas some wild boar are now raised in captivity for food and as tourist attractions. Besides tourism, local industries include farming of speciality vegetables: *konnyaku*, *wasabi* etc., and forestry.

Wasabi is grown whenever there is good spring water; the value of this crop makes it worth a 3—4 hour climb to collect.

In winter, people from high up in the valleys have to add to their incomes by coming down to work in urban centres such as Tachikawa and Ome, on the Ome-kaido road from Shinjuku. If these sources of extra work were not so close, Oku-Tama would probably already have suffered much more severe depopulation, such as has affected more distant rural villages.

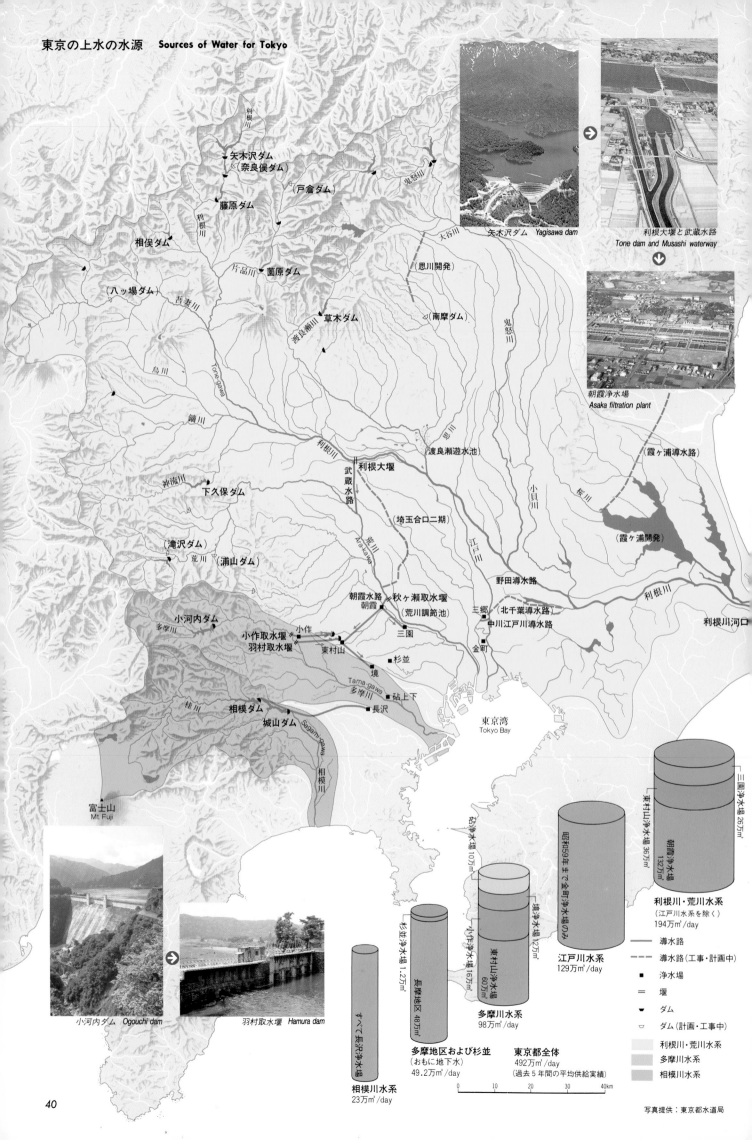

東京の上水の水源　Sources of Water for Tokyo

矢木沢ダム　Yagisawa dam

利根大堰と武蔵水路
Tone dam and Musashi waterway

朝霞浄水場
Asaka filtration plant

小河内ダム　Ogouchi dam

羽村取水堰　Hamura dam

東京湾
Tokyo Bay

富士山
Mt. Fuji

利根川河口

利根川

矢木沢ダム
（奈良俣ダム）

藤原ダム

（戸倉ダム）

相俣ダム

薗原ダム

片品川

（八ッ場ダム）

吾妻川

草木ダム

渡良瀬川

（南摩ダム）

（思川開発）

大谷川

鬼怒川

小貝川

桜川

（霞ヶ浦導水路）

（霞ヶ浦開発）

烏川

Tone-gawa

鏑川

神流川

下久保ダム

滝沢ダム

（浦山ダム）

荒川

Ara-kawa

利根川

武蔵水路

利根大堰

渡良瀬遊水池

（埼玉合口二期）

思川

江戸川

野田導水路

（北千葉導水路）

中川江戸川導水路

三郷

金町

多摩川

小河内ダム

小作取水堰

羽村取水堰

小作

東村山

秋ヶ瀬取水堰

（荒川調節池）

朝霞水路
朝霞

三園

杉並

境

Tama-gawa

多摩川

砧上下

長沢

桂川

相模ダム

城山ダム

Sagami-gawa

相模川

凡例
導水路
導水路（工事・計画中）
浄水場
堰
ダム
ダム（計画・工事中）
利根川・荒川水系
多摩川水系
相模川水系

利根川・荒川水系
（江戸川水系を除く）
194万㎥/day

三園浄水場 26万㎥
東村山浄水場 36万㎥
朝霞浄水場 132万㎥

江戸川水系
129万㎥/day

昭和59年まで金町浄水場のみ

多摩川水系
98万㎥/day

東村山浄水場 60万㎥
小作浄水場 16万㎥
境浄水場 12万㎥

多摩地区および杉並
（おもに地下水）
49.2万㎥/day

杉並浄水場 1.2万㎥
長沢地区 48万㎥
砧浄水場 10万㎥

相模川水系
23万㎥/day

すべて長沢浄水場

東京都全体
492万㎥/day
（過去5年間の平均供給実績）

0　10　20　30　40km

写真提供：東京都水道局

40

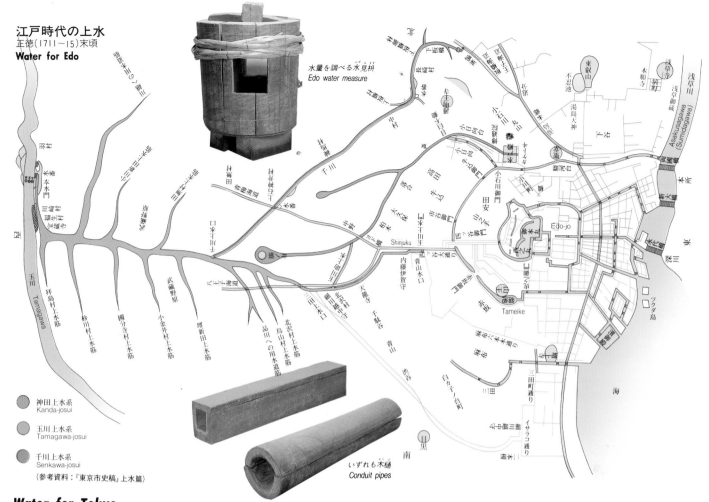

神田上水系
Kanda-josui

玉川上水系
Tamagawa-josui

千川上水系
Senkawa-josui

(参考資料：『東京市史稿』上水篇)

いずれも木樋
Conduit pipes

Water for Tokyo
東京の水
上水道の今昔

　現在，東京都では檜原村と島嶼部を除いて上水道が普及しており，三鷹市，武蔵野市など5市町のほかはすべて都水道局が管理している。その水源は関東地方に広く流域をもつ利根川・荒川水系に大きく依存しているが，これは東京の都市成長によって生じた慢性的水不足を解消すべく，水道事業を拡張してきた結果といえる。

　もともと江戸時代には，神田上水や玉川上水で知られるように神田川と多摩川，そして井戸からの地下水が江戸住民の飲み水の主な水源であった。明治以降の近代水道は明治31(1898)年，多摩川からの水を淀橋浄水場から神田・日本橋地区に通水し，昭和20(1945)年 ごろまでには現在の東京の水道の原形ができた。

　ところが第二次大戦後，日本経済の発展とともに東京の水需要も急速に増加し，東京オリンピックが開かれた昭和39(1964)年 には著しい水不足を経験した。そのため，翌年には利根川からの導水が確立し，その上流には，以後，矢木沢ダム（昭和42年），下久保ダム（同43年），草木ダム（同51年）などが建設され，東京への安定給水が図られるようになった。今後，利根川・荒川水系の高度利用はさらに進むであろう。

　このように水源を各地に求めている結果，東京西郊の多摩川の清流のすぐ近くでも，蛇口をひねれば遠く利根川からの水が多摩川の水とブレンドされて流れ出るし，世田谷区や大田区の一部住民は長沢浄水場からの水を使っているので，富士の高嶺の雪解け水も飲んでいることに

なる。

　ところで蛇口から出た水は次の瞬間には下水へと早変りする。生活排水や雨水は地形を考慮に入れた地域区分（処理区）に従って排除される。利根大堰や羽村取水堰などで取水され，東京の住民に利用されることになった水は，上水→下水→下水処理水と名前を変えて，最終的には東京湾へ流れ出るのである。　　（萩原八郎）

Edo was served by well water, and by water channelled in *josui* (aqueducts) from the Kandagawa and Tamagawa rivers. The broken lines along the streets on the 1886 1:5,000 maps show the extent of water conduits in the Meiji Era. After 1898, Tamagawa water was piped to the Yodo-bashi filtration plant at Shinjuku and thence into the city. But rapid postwar development saw an even more rapid rise in the demand for water, both domestic and industrial, so that there were severe water shortages by the time of the Olympics in 1964. Now, much of Tokyo's water comes from dams in Gunma-ken and other parts of the Tonegawa-Arakawa basin, via filtration plants in the outer suburbs. But some residents of Setagaya-ku and Ota-ku may receive water that began as the snows on Mt. Fuji. After use, effluent is treated and flows into what would after all have been its final destination, Tokyo Bay.

東京の下水処理区と下水処理場
Modern Sewage Disposal

■ 下水処理場
□ 下水処理場
（建設中・計画中）

41

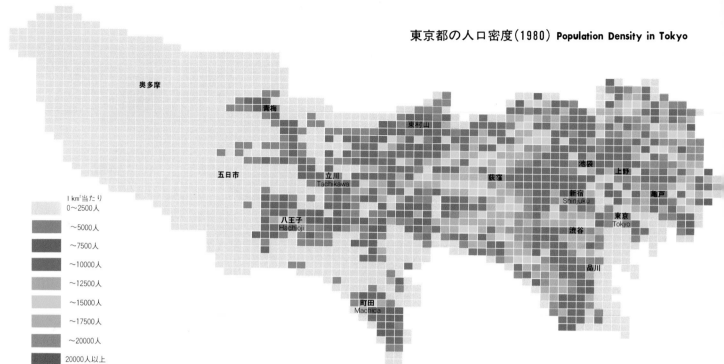

奥多摩　青梅　東村山　五日市　立川 Tachikawa　池袋　上野　荻窪　新宿 Shinjuku　亀戸　八王子 Hachioji　東京 Tokyo　渋谷　品川　町田 Machida

1 km²当たり
0〜2500人
〜5000人
〜7500人
〜10000人
〜12500人
〜15000人
〜17500人
〜20000人
20000人以上

Population Changes
人口のうつりかわり

　東京（江戸）は，江戸時代には徳川将軍の城下町として繁栄し，人口100万をこえる世界的な大都市であった。だが明治維新という社会体制の変化がこの大都市に与えた影響は大きく，明治初年の東京の人口は最盛期の約半分の60〜70万人という規模にまで縮小してしまった。しかし新生日本の首都と位置づけられた東京は，まもなく昔の繁栄を取り戻し，近代都市としていっそう発展の道を歩みはじめた。人口もしだいに増加し，早くも明治16（1883）年には100万人の大台を回復し，明治末には260万人に達するという勢いであった。

　大正から昭和の戦前にかけての東京は，首都という機能に加えて工業都市としての性格を併せもつようになり，昭和15（1940）年ごろには700万人前後の人口を有する大都市となった。

　このような人口の増加に伴い，東京の市街地は徐々に郊外にひろがっていったが，とくに関東大震災（大正12＝1923年）後，それまで中心部に住んでいた人々の郊外への移転が増えて，市街地の拡大がいっそう進行した。他方，都心部では千代田区や中央区の一部にオフィス街が出現し，居住人口は減少するようになった。

　第二次大戦の末期と戦後の2〜3年間の東京の人口は，戦争中の疎開と戦災とによって大正の初めごろの規模にほぼ等しい300万人前後にまで落ち込んだ。しかし戦後まもなく立ち直り，昭和30年代の前半には戦前の最盛期の人口規模をこえ，昭和40（1965）年には890万（東京特別区部の人口）に達した。また戦前すでに見られた都心人口の空洞化は，戦後さらに程度と地域を拡大させて進行した。そのために，初めは都心部の区でのみ見られた人口減少がしだいに周辺の区にもひろがり，昭和40年以降は区部全体の人口が減少するようになった。同55年以降，区部人口は再び増加に転ずるが，都心部の人口減少は依然として続いている。　　　　（河邊　宏）

Edo's population was halved, to 600-700,000, in the upheavals of the Meiji Restoration; the new position as capital brought a recovery to a million by 1883. By the end of the Meiji Era Tokyo had 2.6 million inhabitants. Millions were attracted from the depressed countryside by both industry and early Showa militarization, so that by 1940 the figure was 7 million. The War forced more than half to seek refuge in the country, but the 7 million mark was passed again in the late 1950s. The trend to live in the suburbs was prompted by the Great Earthquake, and the simultaneous expansion of a rapid transport metwork. Now incommon with many of the world's cities, Tokyo suffers from the "doughnut effect": central areas given over to offices have a lower residential population than peripheral areas.

Edo's Population
江戸の人口

　18世紀半ばの江戸は130〜140万の人口を擁していたと推定されている。1801年のロンドンの人口が85万とされているから，江戸が当時世界一の大都市であったことは間違いないところである。この130万人の内訳をみると，武家地の人口が50〜70万，寺社地の人口が5〜6万，町人地の人口が約60万で，町人人口が大半を占める大阪や京都と違って，江戸は半数が武士階級で占められていた。

　また，この100万以上の人口の住んだ地域は，昭和7（1932）年に東京市域の拡張が行われる以前の区域にほぼ相当すると考えられるが，そのなかで武家地が全体の60％を占め，20％が寺社地であったとされている。全人口の半分を占める町人の住む地域はわずか20％にすぎず，その人口密度は1km当り6万7000人をこえていたという計算例もあるほどの過密ぶりであった。

東京都の人口の変化 Tokyo's Population

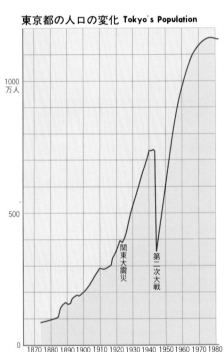

1000万人
500
関東大震災
第二次大戦
1870 1880 1890 1900 1910 1920 1930 1940 1950 1960 1970 1980

Edo already in the mid-eighteenth century is supposed to have had 1.3-1.4 million inhabitants; as London even in 1801 had a mere 850,000, Edo was probably the world's largest city.

Its composition was unique, too: the Shogun, the *daimyo* and people in their service accounted for 500-700,000, religious orders for 50-60,000, and ordinary townspeople for the remaining 600,000 — about half of the total. Of these groups, the first occupied 60% of the land inside the old boundaries, and shrines and temples took up a further 20%. Thus, the common people of Edo had only 20% of the city's space, in incredibly overcrowded conditions. Population density topped 67,000/km², as compared with the highest density recorded between the World Wars: parts of east of Ueno with 50,000/km² in 1935.

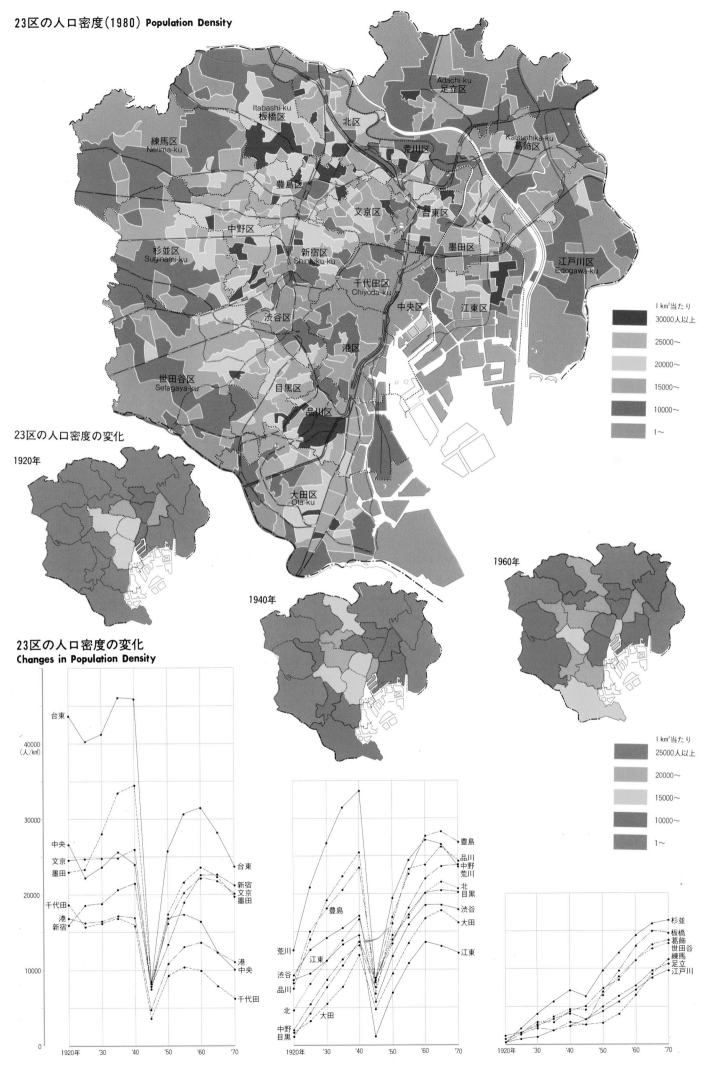

23区の人口密度(1980) Population Density

Adachi-ku 足立区
Itabashi-ku 板橋区
練馬区 Nerima-ku
北区
荒川区
Katsushika-ku 葛飾区
豊島区
文京区
台東区
中野区
墨田区
江戸川区 Edogawa-ku
杉並区 Suginami-ku
新宿区 Shinjuku-ku
千代田区 Chiyoda-ku
中央区
江東区
渋谷区
港区
世田谷区 Setagaya-ku
目黒区
品川区
大田区 Ota-ku

1 km²当たり
30000人以上
25000～
20000～
15000～
10000～
1～

23区の人口密度の変化

1920年

1960年

1940年

23区の人口密度の変化
Changes in Population Density

台東

40000
(人/km²)

中央
文京
墨田

千代田

港
新宿

30000

20000

10000

0

1920年 '30 '40 '50 '60 '70

台東
新宿
文京
墨田
港
中央
千代田

豊島
荒川
江東
渋谷
品川
北
中野
目黒
大田

豊島
品川
中野
荒川
北
目黒
渋谷
大田
江東

1920年 '30 '40 '50 '60 '70

1 km²当たり
25000人以上
20000～
15000～
10000～
1～

杉並
板橋
葛飾
世田谷
練馬
足立
江戸川

1920年 '30 '40 '50 '60 '70

43

首都圏各市町村から23区への通勤・通学者（1980）
Tokyo's Commuters

群馬県
GUNMA-KEN

栃木県
TOCHIGI-KEN

茨城県
IBARAKI-KEN

埼玉県
SAITAMA-KEN

東京都
TOKYO-TO

山梨県
YAMANASHI-KEN

神奈川県
KANAGAWA-KEN

千葉県
CHIBA-KEN

静岡県
SHIZUOKA-KEN

沼田市

前橋市
Maebashi-shi

伊勢崎市

高崎市
Takasaki-shi

桐生市

足利市

太田市

佐野市

館林市

羽生市

熊谷市

秩父市

奥多摩町

東松山市

川越市

飯能市
Hanno-shi

青梅市
Ome-shi

所沢市

大宮市

宇都宮市
Utsunomiya-shi

鹿沼市

栃木市

小山市
Oyama-shi

真岡市

下館市

結城市

下妻市

岩井市

野田市

水海道市

柏市

取手市

土浦市
Tsuchiura-shi

石岡市

笠間市

水戸市
Mito-shi

牛久市

竜ヶ崎市

成田市
Narita-shi

佐倉市

千葉市
Chiba-shi

市原市
Ichihara-shi

東金市

茂原市

八王子市
Hachioji-shi

大月市
Otsuki-shi

都留市

町田市

厚木市

秦野市
Hadano-shi

藤沢市
Fujisawa-shi

横須賀市
Yokosuka-shi

御殿場市

小田原市
Odawara-shi

熱海市
Atami-shi

沼津市
Numazu-shi

木更津市
Kisarazu-shi

君津市

富津市

鴨川市

勝浦市
Katsuura-shi

館山市
Tateyama-shi

23区

23区内への市町村別通勤・通学者数

50000人以上

～50000人

～10000人

～5000人

100～1000人

23区内への通勤・通学者率（通勤・通学者／常住人口）

20%以上

15～20%

10～15%

1.5～10%

1.5%以下

0   10   20   30km

44

北区の赤羽台団地 Apartment complex, Kita-ku

八王子市の住宅街 Residential area, Hachioji

佐原市

銚子市
Choshi-shi

旭市

都心のおもな駅の年間乗車人数（1983）Tokyo's Most-Used Stations

国　鉄	1000人
1 新宿	229949
2 池袋	167458
3 渋谷	125703
4 東京	120747
5 新橋	72616
6 高田馬場	63343
7 北千住	60552
8 上野	56636
9 品川	55192
10 有楽町	49758

私　鉄	1000人
1 池袋（西武）	108516
2 池袋（東上線）	99539
3 新宿（京王線）	97229
4 新宿（小田急）	88623
5 北千住（東武）	77651
6 渋谷（東横線）	71844
7 渋谷（井の頭線）	63278
8 渋谷（新玉川線）	61021
9 高田馬場（西武）	48171
10 町田（小田急）	41675

地下鉄	1000人
1 綾瀬（千代田線）	78098
2 北千住（日比谷線）	62149
3 池袋（丸の内線）	58705
4 新宿（丸の内線）	54844
5 北千住（千代田線）	49268
6 渋谷（銀座線）	46030
7 新橋（銀座線）	37770
8 池袋（有楽町線）	36969
9 高田馬場（東西線）	33591
10 渋谷（半蔵門線）	32854

白抜き数字は私鉄駅
図中の数値の単位は:百万人

── 私鉄
── 地下鉄

Commuting Patterns

都心へ向かう通勤者

　われわれが東京の人口を考えるときには，東京に住んでいる人の数（夜の人口）を考えるのが普通であって，昼間に東京にいる人の数（昼の人口）を考えることはあまりない。しかし東京や大阪などの大都市やその周辺の住宅都市では，夜の人口と昼の人口とは大きく異なり，東京や大阪では昼の人口のほうが，住宅都市では夜の人口のほうが多い。たとえば昭和55（1980）年の国勢調査による東京特別区部の常住人口（夜の人口）は834万人であるが，昼の人口は1061万人である。

　夜の人口と昼の人口のこのような差は，いうまでもなく多くの人が区部内の会社や学校に通ってくるためである。区部以外のところに住んでいて区部内の会社や学校に通っている15歳以上の人は，昭和55年に264万人に達している。一方，区部内に住んでいてそれ以外のところの会社や学校に通っている人の数は38万人だから，区部は差引き227万人の入超で，それだけ昼の人口が夜の人口より多いのである。

　このような人の流れは，働く場所と住む場所とが離れているサラリーマン階級が増えだした明治の終りごろからみられたが，関東大震災（大正12＝1923年）後に郊外の住宅地化が進むとともに顕著になっていった。

　戦後，東京が政治・経済・文化などあらゆる面で日本の中心としての地位を固めるとともに，国際的な中心地の一つとして日本全国から大量の人口を吸収したが，その一部は郊外の住宅地へ流入し，また中心部居住者の郊外への転居も進行した。その結果，東京大都市圏とよばれる，行政上の東京をはるかにこえた大きな地域が形成されるに至った。昭和55（1980）年現在，この東京大都市圏は，東京駅を中心として半径50〜70kmのところにひろがり，そこに住む人口は2800万人に達している。そのうち約2000万人が区部の外に住む人で，さらにそのなかの264万人が区部に通勤・通学しているのである。要するに通勤・通学による人の流れは，大都市圏の形成とその拡大によって量と移動距離を増したもので，最近では，通勤時間が1時間半以上の人もそれほど珍しくなくなってきている。

（河邊　宏）

朝の新宿駅中央線上りホーム Rush hour at Shinjuku

職場に急ぐ人々 Commuters arrive for work

If the population of a city is the number of people who actually live there, then the wards of Tokyo in 1980 had a population of 8,340,000. But their daytime population reached 10,610,000, with 2,640,000 more people travelling in to work or study, and only 380,000 out in the opposite direction. Within a radius of 50km from Tokyo Station live 28 million people, and of those who do not live in the wards of Tokyo, well over 10% commute there every day. Commuting times of 90 minutes or more each way are not at all uncommon.

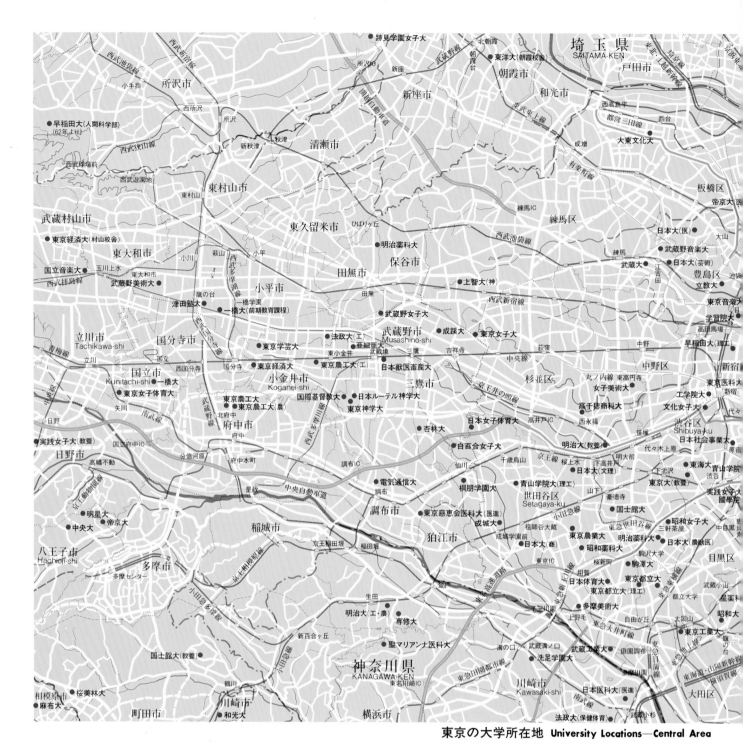

埼玉県 SAITAMA-KEN

跡見学園女子大
東洋大（朝霞校舎）
所沢市　朝霞市　和光市　戸田市
早稲田大（人間科学部）（62年より）
小手指
西武池袋線　西武新宿線
所沢IC　新座　新座市
西所沢　新秋津　清瀬市　大東文化大
東村山市　東久留米市　ひばりケ丘　練馬区
武蔵村山市　明治薬科大　西武池袋線　板橋区　帝京大
東京経済大（村山校舎）　田無市　保谷市　日本大（医）
東大和市　小川　萩山　小平　上智大（神）　武蔵野音楽大
国立音楽大　武蔵野美術大　田無　西武新宿線　日本大（芸術）
津田塾大　一橋学園　武蔵野女子大　武蔵大　豊島区　立教大
一橋大（前期教育課程）　武蔵野市 Musashino-shi　東京音楽大
立川市 Tachikawa-shi　国分寺市　法政大（工）　成蹊大　東京女子大　学習院大
国立市 Kunitachi-shi　一橋大　東京学芸大　亜細亜大　早稲田大（理工）
東京女子体育大　東京経済大　東京農工大（工）　日本獣医畜産大　中野区　新宿
小金井市 Koganei-shi　三鷹市　杉並区　東京医科大
東京農工大　国際基督教大　日本ルーテル神学大　女子美術大　工学院大
武蔵　府中市　東京農工大（農）　東京神学大　高千穂商科大　文化女子大
実践女子大（教養）　府中　日本女子体育大　明治大（教養）　渋谷区 Shibuya-ku　日本社会事業大
日野市　国立府中IC　杏林大　白百合女子大　青山学院大（理工）　東海大　青山学院大
明星大　電気通信大　桐朋学園大　世田谷区 Setagaya-ku　国士館大　実践女子大　國學院
中央大　調布市　東京慈恵会医科大（医進）　東京農業大　昭和女子大
八王子市 Hachioji-shi　稲城市　狛江市　成城大　日本大（商）　明治薬科大　日本大（農獣医）
多摩市　明治大（工・農）　専修大　昭和薬科大　駒沢大学
聖マリアンナ医科大　日本大（理工）　日本体育大　東京都立大　多摩美術大
国士館大（教養）　神奈川県 KANAGAWA-KEN　東京都立大（理工）　昭和大
桜美林大　川崎市 Kawasaki-shi　武蔵工業大　洗足学園大　東京工業大
麻布大　町田市　和光大　横浜市　日本医科大（医進）　法政大（保健体育）　大田区

東京の大学所在地　University Locations—Central Area

A City of Universities
大学都市 東京

東京は巨大な大学都市だ。100をこす大学があり，短大も80を上回る。学生数でみても，大学生60万人，短大生7万5000人でもちろん全国47の都道府県のうち第1位である。その大半が私立だが，国公立も少なくない。

第二次大戦前の教育制度（旧制）の下では，大学，高等学校，高等専門学校，高等師範学校などはそれほど多くなかった。昭和8（1933）年の分布図をみると，あまりの少なさにびっくりするくらいだ。大学だけにしぼると極端に少ない。これらの高等教育機関は圧倒的に区部に集中していた。

戦後の昭和24（1949）年以後，新制大学が急速に増える。それまでの高校，高専，高師はもとより，師範学校や女子大学校なども，それぞれの伝統の下に新制大学として発足した。その

多摩丘陵の大学（中央大学）Chuo University's new site

ほかにも，新しい時代の大波の中でたくさんの大学が創立された。そして東京大都市圏の拡大につれて，大学の分布も外へとひろがった。

現在の東京大都市圏には，大学が約150，短大は130以上もある。都内だけでなく，神奈川・埼玉・千葉・茨城の各県，いわゆる首都圏全体にわたって大学が散らばっている。学生数は大学

が80万人を大幅にこえ，短大は10万人以上，合わせて約100万人という大きな数に達する。この数は全国の学生数の45%にも達しており，まさに世界最大の大学都市ということができる。

東京の都心からみて，大学は西の方に圧倒的に多く，東の方には少ない。明治・大正時代には山手線内の城北地区に多かったが，その後，城南地区から区部南西部に，さらに中央線沿いに西へひろがった。最近は八王子方面から神奈川県東半分にかけて，たくさんの大学ができた。埼玉・千葉両県にも首都圏の大学が増えてきている。筑波研究学園都市は，東京の大学や研究所が遠心的に拡大したものだ。最近の目立つ傾向の一つは，区部と周辺部の緑の中の両方にキャンパスをもつ大学が増えてきたことだ。

（正井泰夫）

There are over 100 *daigaku* (universities) in Tokyo, plus more than 80 *tanki-daigaku* (2-year junior colleges). The surrounding prefectures which are now part of the

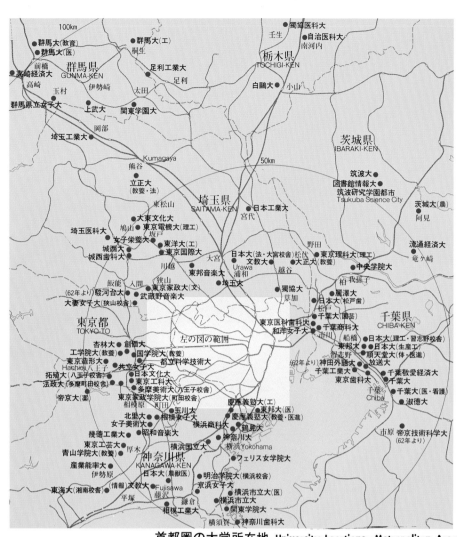

首都圏の大学所在地 University Locations—Metropolitan Area

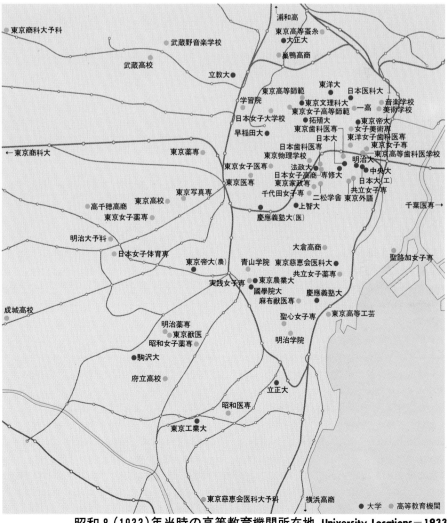

昭和 8（1933）年当時の高等教育機関所在地 University Locations—1933

● 大学　● 高等教育機関

greater metropolitan area have 50 more of each. This means over 800,000 *daigaku* students and over 100,000 at *tanki-daigaku* — about a million altogether, or 45% of the national total. Compared with the 1933 map, this is a massive increase, for which there are two main reasons: the postwar education boom has seen the foundation of many new institutions, and in educational reforms instigated by the Occupation many earlier Higher Schools, Higher Technical Schools and Higher Normal Schools were "promoted" to *daigaku*. The first universities of the Meiji Era were concentrated in areas north of the Palace such as Kanda. Many have now moved out in whole or in part to larger campuses: Hachioji is host to a score of universities, and Tsukuba Science City has become a major centre for higher research.

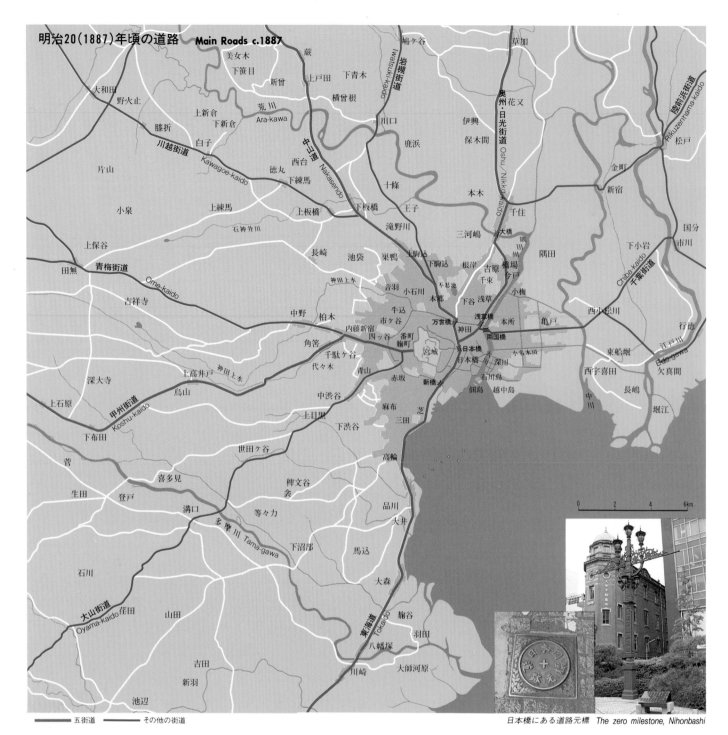

明治20(1887)年頃の道路　**Main Roads c.1887**

美女木　嶋ケ谷　草加　陸前浜街道 Rikuzenhama-kaido
下笹目　蔵　上戸田　下青木　岩槻街道 Iwatsuki-Kaido　奥州花又　奥州・日光街道 Oshu/Nikko-Kaido
大和田　野火止　新曾　横曾根　伊興　松戸
上新倉　荒川 Ara-kawa　川口　保木間　金町
膝折　下新倉　鹿浜　本木　新宿
川越街道 Kawagoe-kaido　白子　西台　徳丸　川島　中山道 Nakasendo　十條　千住　下小岩　国分 市川
片山　下練馬　王子　三河嶋　隅田　隅田川　大橋
小泉　上練馬　上板橋　下板橋　滝野川　根岸　吉原　千束　小梅
上保谷　石神井川　長崎　池袋　巣鴨　上駒込　下谷　浅草　本所　亀戸　西小松川
青梅街道 Ome-kaido　田無　神田上水　音羽　小石川　不忍池　千束　浅草橋　本所　千葉街道 Chiba-kaido
吉祥寺　中野　柏木　牛込　市ケ谷　本郷　下谷　東船堀　行徳
深大寺　上高井戸　神田上水　内藤新宿　四ツ谷　番町　万世橋　神田　宮城　日本橋　江戸川 Edo-gawa
上石原　烏山　甲州街道 Koshu-kaido　千駄ケ谷　麹町　新橋　日本橋　深川　西宇喜田　長嶋
下布田　代々木　角筈　青山　赤坂　石川島　越中島　堀江
菅　中渋谷　土目黒　麻布　芝　佃島
生田　世田ケ谷　下渋谷　三田
登戸　溝口　等々力　碑文谷　高輪　中川
喜多見　奥沢　品川
石川　多摩川 Tama-gawa　下沼部　大井　0　2　4　6km
大山街道 Oyama-kaido　荏田　山田　馬込
吉田　新羽　大森
池辺　鯏谷　菊谷　羽田
東海道 Tokaido　八幡塚
川崎　大師河原

━━━ 五街道　━━━ その他の街道

日本橋にある道路元標　*The zero milestone, Nihonbashi*

Transport in Edo
街道の起点 日本橋

江戸城外堀に起源をもつ人工河川の日本橋川は，高架構造の首都高速道路が開通してからは，道路の下を流れるという奇観を呈してきた。

関ケ原の合戦に勝利して天下の覇権を握った徳川家康が，城下町江戸の造成工事を諸国の大名に賦課したため，江戸城前面の洲が埋め立てられて下町の市街地が成立する。切り開かれあるいは埋め残されて生まれた人工河川のなかで，後に日本橋川とよばれる水路の両岸が物資集散をつかさどる江戸湊の中枢に位置づけられた。

並行して陸路の整備も行われ，諸国に通じる街道が開かれるなかから，五街道を根幹とする道路網がつくりだされていく。下町の市街地を南北に貫くメーンストリートが，江戸湊を構成する人工河川と交差する地点には，橋が架けられた。その位置が，慶長9（1604）年に諸街道

の起点と定められたために，「日本橋」の名が生じたと説明されている。

日本橋はたびたび架けかえられてきた。老朽が主たる理由だが，ときには江戸名物といわれる大火の犠牲になっての焼失も，動機に数えられている。現存する石造の橋は明治44（1911）年の架設である。そのおり，橋の中央に華麗な装飾を施した「道路元標」が建てられた。橋の四隅を示す方柱には，獅子と麒麟が陣どり，模様には街道を象徴する松と榎をあしらっている。聖人が出現すると姿を現すという麒麟に翼をつけ，獅子と組み合わせた背景には，日露戦争に勝利して世界の強国，「極東のイギリス」になったと喜ぶ当時の世相が介在していよう。

日本橋は，今日でも東海道，奥州街道の伝統を継承する国道1号線，4号線の起点である。昭和38（1963）年，東京オリンピックの年に首都高速道路が建設され，日本橋は橋上に橋を重ねる姿になった。「道路元標」の標柱は川岸の北西角に移されている。　　　　　　（中川浩一）

Land reclamation redirected, and even created, the courses of rivers, and it was the south bank of one of these rivers that emerged as the distribution centre for goods and materials shipped to Edo. The Gokaido (five major roads to the provinces) naturally radiated from this area of brisk commerce, and an important bridge was built there. As early as 1604, the bridge came to be known as Nihonbashi (Japan Bridge) from its position as starting point for the Gokaido. The bridge, often rebuilt, remains, still with its old function as focus for the roads of Japan. On these roads, most people walked: only the great were permitted the luxury of a *kago* (palanquin). At last in 1870 the *jinrikisha* (rickshaw) appeared, to solve the new Japan's demand for speedier transport. Rickshaws operated until the early 1930s.

山手線。駒込付近

玉川電車。玉川付近

京浜線。新橋駅付近

中央線。四ツ谷駅。

王子電車。小台渡付近

▲大正初期の電車 Early Taisho trains

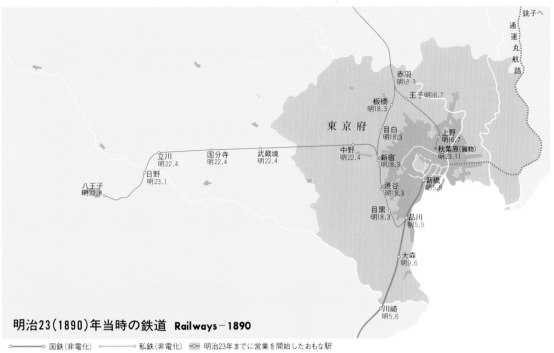

明治23(1890)年当時の鉄道 Railways-1890

── 国鉄(非電化)　──○── 私鉄(非電化)　●囲 明治23年までに営業を開始したおもな駅

明治43(1910)年当時の鉄道 Railways-1910

── 国鉄(電化)　── 国鉄(非電化)　──○── 私鉄(電化)　──○── 私鉄(非電化)　●囲 明治24年～43年に営業を開始したおもな駅

大正9(1920)年当時の鉄道 Railways-1920

── 国鉄(電化)　── 国鉄(非電化)　── 私鉄(電化)　── 私鉄(非電化)　●囲 明治44年～大正9年に営業を開始したおもな駅

『奥の細道』は千住に始まる

元禄二(一六八九)年三月二十七日は、俳人芭蕉が『奥の細道』の旅に出かけた日と記録されている。江東区深川の杉山杉風の別邸採茶庵(平野一丁目海辺橋付近)が、その出発点であった。第一歩と書いても、千住までは隅田川をさかのぼる舟行であった。「千住といふ所にて船をあがれば前途三千里のおもひ胸にふさがりて幻のちまたに別離の泪をそそぐ」と初日の想いが記されている。

千住は、日光街道・奥州街道に沿う宿場町であるが、寛文年間(一六六一～七三)には、旅籠一軒につき二人ずつの飯盛女をおくことが許され、遊興の巷もかねてこの地まで送り、英気を養う手合いにこと欠かなかったのが江戸の常だといわれている。

49

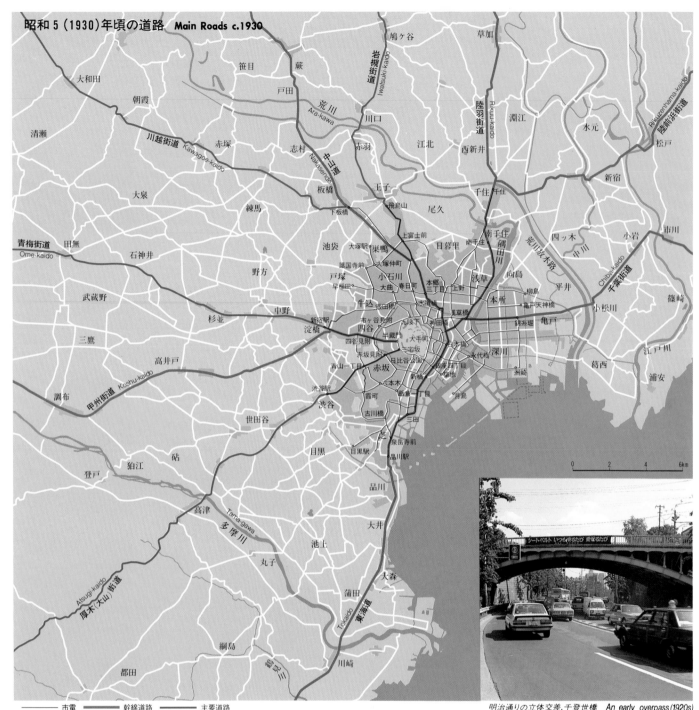

昭和5（1930）年頃の道路　Main Roads c.1930

―――― 市電　━━━━ 幹線道路　――――― 主要道路

明治通りの立体交差, 千登世橋　An early overpass (1920s)

The First Public Transport
都市交通の発達

大正7〜8年ごろの市電　Streetcars, c.1918

　都市の住民にとって，鉄道が不可欠の生活手段となったのは，関東大震災（大正12＝1923年）以降である。鉄道それ自体は，明治5（1872）年9月12日から，新橋―横浜間で運行され，しだいに路線網を拡充した。とはいえそれらは，東京と国内各地を結ぶための手段であり，都市の住民にとっては日常の生活とは無縁の存在でしかなかった。

　明治15（1882）年，新橋を起点にして日本橋を渡り，上野に通じる鉄道馬車が開業した。道路上に線路を敷設し，通行人や荷車，馬車と路面を共用するために，安全確保の必要から高い速度は出せないが，身近に利用できるために，鉄道馬車はいちはやく都市の生活にとけこんだ。

　鉄道馬車の動力を近代化させ，路面電車の方式への転換が図られたのは，明治36（1903）年で，新規に事業を行う会社も加わって，わずかの期間に東京の市街地内部には，密度の濃い路面電車網が形づくられた。明治44年，市街地内部の路面電車については，公営化が実施されて

いる。

　明治37（1904）年，飯田町と中野を両端にして，高速電車の運転が始まった。蒸気機関車が客車や貨車を牽引する線路を共用する方式の高速電車は，スピードがあり，大量輸送に適していたが，その役割は市街地周辺と市街地内部との連絡に用いるのが，当初の方式であった。

　乗合自動車（バス）が，市街地内部で営業活動を始めたのは，大正8（1919）年と記録されているが，公営化は不徹底で，路面電車と競合し，トラブルの種にもなった史実がある。

　東京の都市交通は，関東大震災が契機となって大転換を経験する。既成市街地での職住分離が進行し，新市街（郊外住宅地）が形成され，しかも急速に拡大するなかで，高速電車が必要不可欠の存在になっていく。路面電車が都市交通の主役を勤めた期間は，30年に満たなかった。第二次大戦が終わる時点で，高速電車線網は，基本的には完成していたといえるだろう。

（中川浩一）

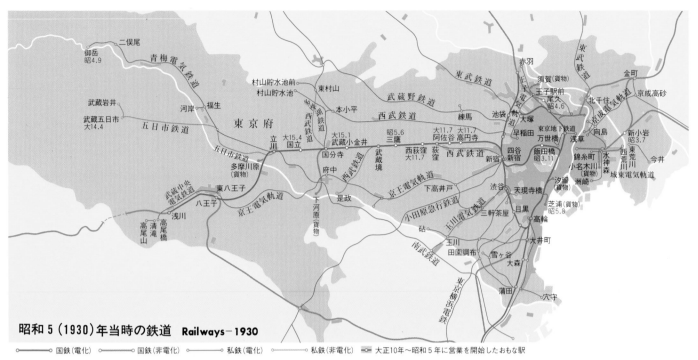

昭和5（1930）年当時の鉄道　**Railways–1930**

○— 国鉄（電化）　○— 国鉄（非電化）　○— 私鉄（電化）　○— 私鉄（非電化）　□■ 大正10年～昭和5年に営業を開始したおもな駅

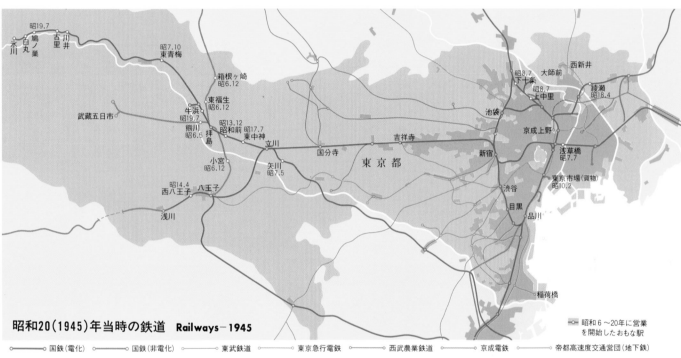

昭和20（1945）年当時の鉄道　**Railways–1945**

○— 国鉄（電化）　○— 国鉄（非電化）　○— 東武鉄道　○— 東京急行電鉄　○— 西武農業鉄道　○— 京成電鉄　○— 帝都高速度交通営団（地下鉄）

□■ 昭和6～20年に営業を開始したおもな駅

The first railway opened to the public on October 14, 1872, and within a short time Tokyo was connected by rail with most of Japan's major cities. But this had little effect at first on travel within the capital. Horse-drawn trams were introduced in 1882, from Shinbashi to Ueno via Nihonbashi; electric streetcars took over from 1903. After coming under municipal man- agement eight years later, they soon ran over a wide and complex network of inner city routes. But competition from buses (from 1919) and suburban trains meant that their days were already numbered. The forerunner of modern suburban trains was the line from Iidamachi to Nakano opened in 1904: electric trains ran on lines also used by steam trains. After the Great Earthquake, many people moved to new residential areas further from the city cen- tre, and the suburban lines expanded to serve them, so that the present network was more or less complete by the begin- ning of World War II.

大正中期の乗合自動車　*Early city bus*

新橋駅頭を行く馬車鉄道　*Horse tram at Shinbashi sta.*

のんびりしていた省線電車

「十分にいちどくらいの悠長な間隔で、ガラガラにすいた電車が走って来る。『ひィがしなかのオ。ひィがしなかのオ』二度ばかり間のびした声を張りあげると、駅員はたちまちどこかへ消える声も世ものんきなものだった。

そのうえ、駅前の街なみも簡素であった。『子供の足でも一、二、三分のあっけなさで、街は尽きてしまう。』あたりには、和風建築の一部にとってつけた形の洋風区画をもつ文化住宅が点在した。

昭和初年、関東大震災を契機に住宅地化が始まったころの東京西郊を、犬養道子は『花々と星々と』（中央公論社刊）で感慨深く回想している。

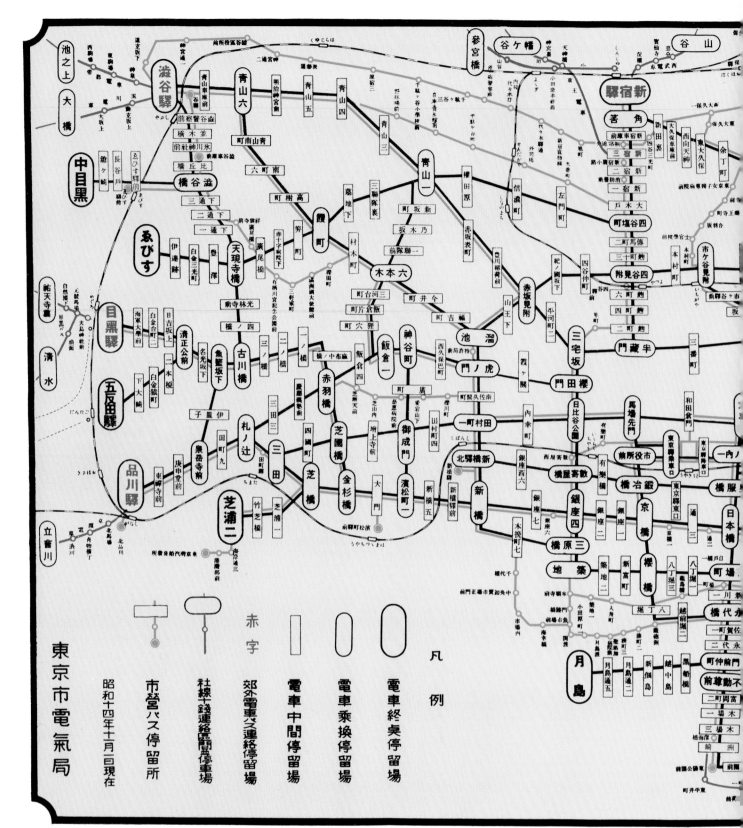

昭和30年の数寄屋橋風景 (毎日新聞社提供) Sukiyabashi, 1955

Streetcar and Bus Routes, 1939

昭和14年 市電・バス路線図

大正10年当時の市電の乗換え切符
Streetcar ticket, c.1921

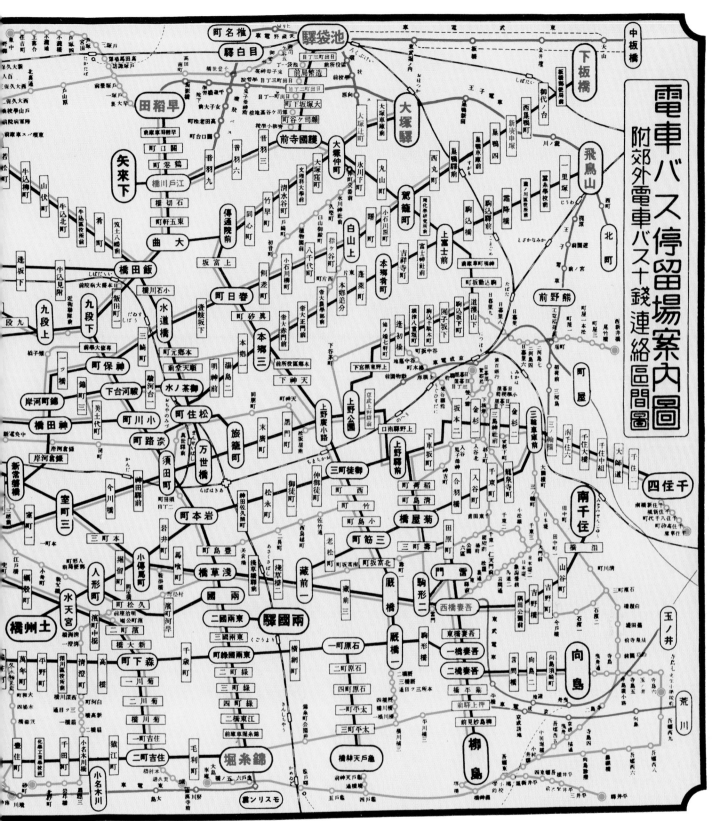

電車バス停留場案内圖　附郊外電車バス十錢連絡區間圖

番号	区間（起点）	経由	区間（終点）
①	品川驛	浅草橋	雷門
②	三田	上野浅草	向島
③	四谷塩町	天現寺橋	東京驛
④	五反田驛	飯倉一	築地
⑤	目黒驛	霞町	三原橋
⑥	ゑびす	飯倉一	天現寺橋
⑦	四谷塩町	銀座築地	濱松町
⑧	澁谷驛	九段	須田町
⑨	澁谷驛	日比谷	両國
⑩	新宿	銀座築地	築地
⑪	新宿	日比谷	両國驛
⑫	角筈	飯田橋	新橋
⑬	早稲田	神保町	新橋驛
⑭	早稲田	上野保町	日比谷
⑮	大塚驛	上野	鹿島橋
⑯	大塚驛	神田	新橋
⑰	下板橋	廣小路	鹿島橋
⑱	飛鳥山	春日町	日比谷
⑲	矢來下	蔵前	須田町
⑳	池袋驛	上野	月島
㉑	千住	廣小路	日本橋
㉒	三ノ輪	森下町	日本橋
㉓	南千住	廣小路	市役所
㉔	柳島	門前仲町	市役所
㉕	柳島		札ノ辻
㉗	亀戸	森下町	永代橋
㉘	錦糸堀	須田町	金杉橋
㉙	錦糸堀	赤坂見附	芝浦
㉚	錦糸堀	芝園橋	芝浦二橋
㉛	飯田橋	水天宮	永代橋
㉜	中目黒驛	赤坂見附	金杉橋
㉝	澁谷驛	天現寺橋	金浦二橋
㉞	芝浦	天現寺橋	芝浦二橋

大正10年ころの市電回数券
Streetcar coupon ticket, c.1921

国道　　　主要道路　　　環状道路　　　有料道路

現在の道路　Tokyo's Main Roads

Transport Now
道路と地下鉄の発達

昭和30年代半ばに始まった日本経済の高度成長は、東京の都市交通に大変革を起こさせた。都市中心部での機能が拡充するなかで、路面交通が飽和点をこえたことへの対応が、自動車専用道路、地下鉄道網の整備となって具体化する。

当初は市街地内の道路混雑への打開策であった首都高速道路は、国土計画とのかかわりから整備が進められてきた東名・中央・東北・関越・東関東などの高速自動車道との連絡が図られるなかで、国内幹線道路網の結節組織としての機能を合わせ持つ存在へと転化していった。

地下鉄道は当初、市街地内部での交通対策として位置づけられていたけれども、昭和30年代に入ると住宅地域の拡大現象に対応する手段となり、外縁部への路線延長が図られた。拡充する地下鉄道網を既存の高速電車路線網に結びつ

け、相互に車両を直通運転する方式が成功裡に実施されると、都心部と外縁部の結びつきは、より密接になっていく。相互乗入れ方式が都市圏拡大に対応する有力手段であるという認識は、国際的な同意を得ており、パリでも効果的な都市圏交通対策となっている。

今日、東京都市圏は高密度に張りめぐらされた高速電車路線網、地下鉄道網を保有する。だが、それらが多元的な運営組織のもとにおかれているために、便利ではあるけれども合理的・経済的とはいいがたい状況が認められる。新宿、渋谷、池袋などのターミナルで、ウィークデーの朝夕にひきおこされるラッシュアワー現象が、その典型といえるだろう。複数の企業に属する路線を乗り継ぐために生じる割高な運賃負担も、都市圏内での交通統制が大きな成果をあげてきたロンドン、パリなどに比べると、一段と目につくマイナス部分である。一元的な都市交通運営の実現が東京圏での施策にはとくに必要と思われる。　　　　（中川浩一）

The postwar boom put more pressure on the transport system. The network of overhead expressways was hastily constructed from the late 1950s to take through traffic and long-distance traffic off the ordinary streets, but few imagined the meteoric rise in numbers of motor vehicles of the 1970s and 1980s. For rapid passenger transport, the subways were extended. Prewar, only the Ginza line had existed, but postwar conditions meant that subways should not only solve inner city problems, but also provide much needed direct transport for commuters from the more distant suburbs. Now several subway lines are directly linked with suburban lines. Nevertheless, anyone using such terminuses as Shinjuku, Shibuya or Ikebukuro at rush hour is bound to wish more could be done.

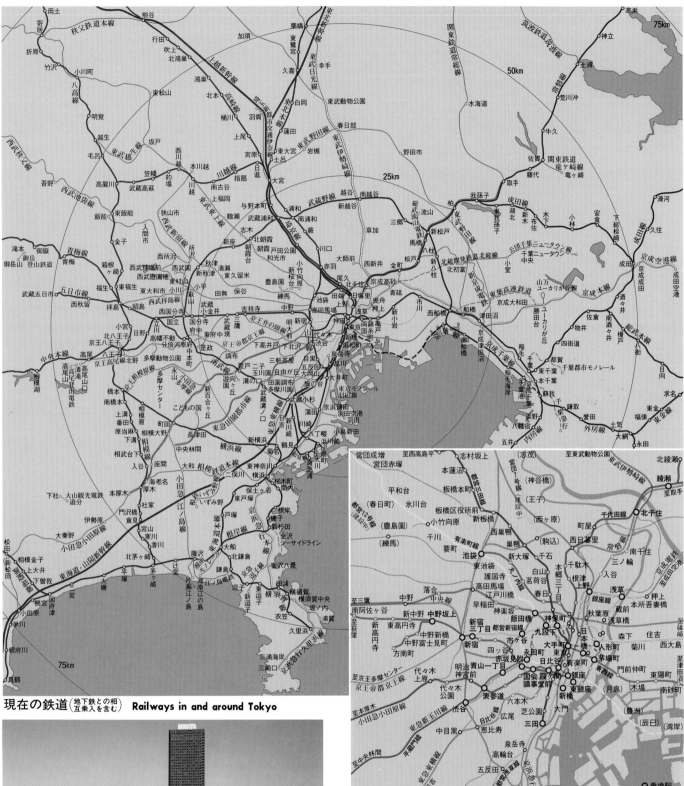

現在の鉄道（地下鉄との相互乗入を含む） **Railways in and around Tokyo**

都心部の地下鉄 **Subways**

浜松町と羽田空港を結ぶモノレール Hamamatsu-cho—Haneda monorail

左から地下鉄銀座線，有楽町線 Subway cars, from left : Ginza line, Yurakucho line

高速4号線永福料金所 Expressway toll booths

夏に弱い地下鉄電車

営団・都営の両地下鉄が、国鉄・私鉄と相互乗入れを大規模に行って以来、東京圏の通勤通学はぐんと便利になった。けれども夏になると、車内は蒸風呂状態になる。地下鉄の車両には冷房がついていない。国鉄・私鉄の電車も、地下に入ると冷房のスイッチを切ってしまう。地下駅の冷房化はまだ不十分、世の中は万事上々吉にはなりにくい。ままならぬものである。

市町村別農業粗生産額(1980) Agriculture-Types of Produce and Relative Shares

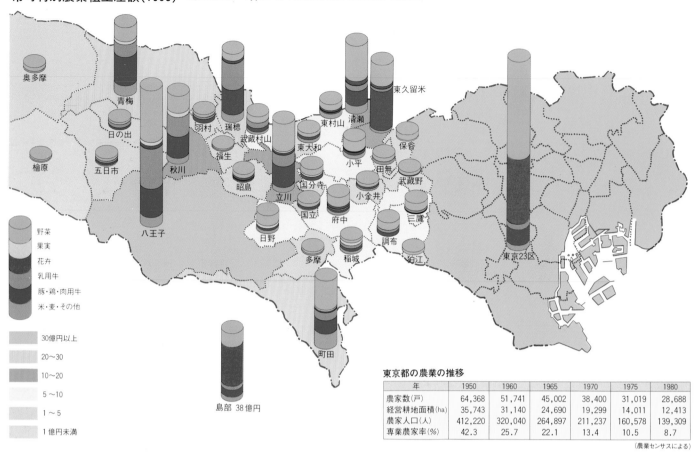

凡例（柱の色分け）:
- 野菜
- 果実
- 花卉
- 乳用牛
- 豚・鶏・肉用牛
- 米・麦・その他

（地図の網掛け凡例）:
- 30億円以上
- 20〜30
- 10〜20
- 5〜10
- 1〜5
- 1億円未満

島部 38億円

地図中の地名:
奥多摩、青梅、日の出、羽村、瑞穂、武蔵村山、福生、東大和、清瀬、東村山、保谷、東久留米、檜原、五日市、秋川、昭島、国分寺、立川、小平、田無、武蔵野、国立、小金井、府中、三鷹、日野、調布、多摩、稲城、狛江、町田、東京23区

東京都の農業の推移

年	1950	1960	1965	1970	1975	1980
農家数(戸)	64,368	51,741	45,002	38,400	31,019	28,688
経営耕地面積(ha)	35,743	31,140	24,690	19,299	14,011	12,413
農家人口(人)	412,220	320,040	264,897	211,237	160,578	139,309
専業農家率(%)	42.3	25.7	22.1	13.4	10.5	8.7

（農業センサスによる）

東京中央卸売市場の野菜・果実の入荷圏(1億円以上, 1984年) Sources of Tokyo's Fruit and Vegetables

図中の数値の単位：億円　（　）は果実

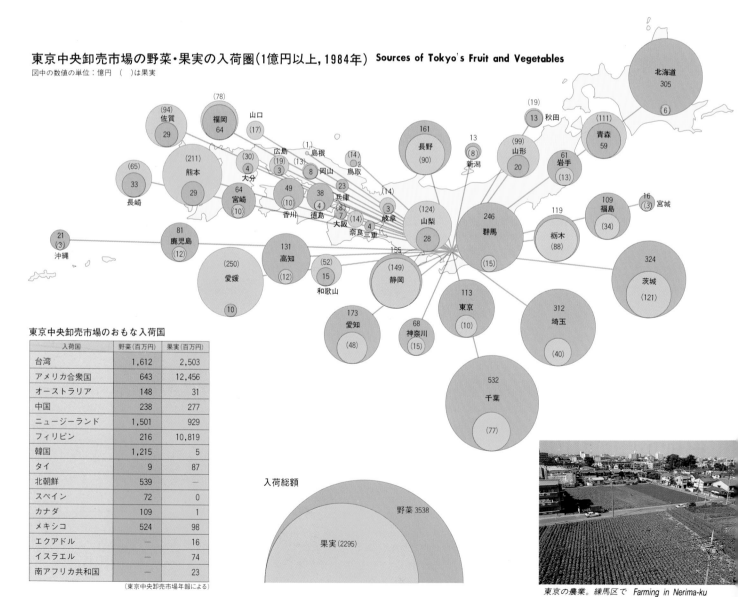

地図中の数値（都道府県、野菜／（果実））:
北海道 305 (6)、青森 59 (111)、秋田 13 (19)、山形 20 (99)、岩手 61 (13)、宮城 16 (3)、福島 109 (34)、栃木 119 (88)、群馬 246 (15)、茨城 324 (121)、埼玉 312 (40)、東京 113 (10)、千葉 532 (77)、神奈川 68 (15)、山梨 28 (124)、長野 161 (90)、新潟 13 (8)、静岡 149 (155)、愛知 173 (48)、岐阜 3 (14)、三重 4、奈良 (14)、大阪 7、和歌山 15 (52)、兵庫 23 (8)、鳥取 14 (2)、岡山 8 (13)、広島 19 (3)、島根 (1)、山口 (17)、香川 49 (10)、徳島 38 (4)、高知 131 (12)、愛媛 (250) (10)、福岡 64 (78)、佐賀 29 (94)、大分 4 (30)、熊本 29 (211)、長崎 33 (65)、宮崎 (64) (10)、鹿児島 81 (12)、沖縄 21 (3)

東京中央卸売市場のおもな入荷国

入荷国	野菜(百万円)	果実(百万円)
台湾	1,612	2,503
アメリカ合衆国	643	12,456
オーストラリア	148	31
中国	238	277
ニュージーランド	1,501	929
フィリピン	216	10,819
韓国	1,215	5
タイ	9	87
北朝鮮	539	—
スペイン	72	0
カナダ	109	1
メキシコ	524	98
エクアドル	—	16
イスラエル	—	74
南アフリカ共和国	—	23

（東京中央卸売市場年報による）

入荷総額
野菜 3538
果実 (2295)

東京の農業。練馬区で Farming in Nerima-ku

56

江戸時代末の江戸近郊の特産物　Edo Local Produce
（地図は現在の東京）

西新井　草花　金町

王子　野菜苗　クワイ　草花　青戸

板橋　タデ　セリ　エンドウマメ

練馬　染井　植木　シュンギク　京菜　草花　草花　堀切

ダイコン　ツケナ　日暮里　千葉県

ニンジン　ウド　池袋　ミョウガ　ナス　シン　ナス　小岩　サツマイモ

草花　小石川　ショウガ　ミツバ　レンコン　草花　市川　コンニャクイモ

トウガラシ　浅草　向島　鉢花　ヘチマ

中野　レンコン　両国　平井

植木　花木　草花　亀戸　冬菜　小松川　船橋

新宿　市谷　野菜苗　神奈川県

草花　日本橋　ナス　ウリ　アオイモ　船堀

上高井戸　深川　キュウリ　トウノイモ

渋谷　草花

麻布

世田谷　目黒　草花

瀬田

ネキ　品川

大井

神奈川県

草花　蒲田　スイカ

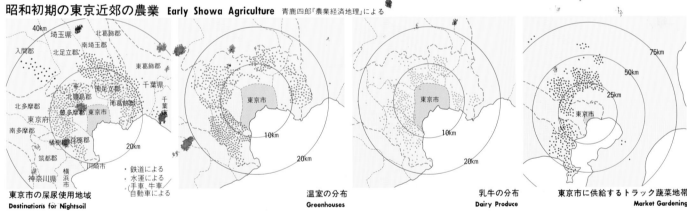

昭和初期の東京近郊の農業　Early Showa Agriculture　青鹿四郎『農業経済地理』による

東京市の屎尿使用地域
Destinations for Nightsoil
・鉄道による
・水運による
・手車、牛車、自動車による

温室の分布
Greenhouses

乳牛の分布
Dairy Produce

東京市に供給するトラック蔬菜地帯
Market Gardening

Tokyo and Agriculture
野菜生産の東京農業

東京の近郊には江戸時代から野菜や花のような鮮度が尊ばれる農産物や、植木のような目方の重いものの生産が発達してきた。肥沃な土壌と水運の便に恵まれた荒川や江戸川水系の沖積地がひろがる東郊から北東郊にかけての地域には、鮮度の落ちやすい軟弱葉菜類の生産が発達した。それに対し厚いローム層に覆われた平坦地がひろがる西郊の武蔵野台地東部では、根菜類の生産が盛んであった。沢庵漬用として著名な練馬大根はその代表的なものであった。また堀切や青戸の花菖蒲、入谷や鹿骨の朝顔・ホオズキ、大久保・駒込・巣鴨の植木や花木なども有名であった。

関東大震災（大正12＝1923年）後の市街地の外縁部への拡大は、江戸期に近郊農村であった地域を市街地化するとともに、輸送手段の発達とあいまって、近郊農業地帯をさらに外方へ押しひろげた。都心から半径4～12kmの地域では、花卉や野菜の温室園芸や乳牛の飼育のような集約的農業が、さらにその外縁の都心から半径50kmまでの圏域には露地野菜の生産が発達した。当時の近郊露地野菜生産圏は、東京からの糞尿の供給圏にほぼ一致していた。

高度経済成長期における爆発的な発展のもとで、東京の農業は大きな変貌をとげた。農業は他産業部門や遠隔地農産物との競合の激化によって縮小の一途をたどってきたが、農産物市場への近接という有利な立地条件を活用した自立経営農家がなお多数残存している。その大部分は、土地生産性の高い軟弱野菜や温室花卉、キャベツ・植木のような手間がかからない作物などを基幹作物としたものである。（澤田裕之）

The wide expanse of land west of the old borders of Edo was not suitable for growing rice. It had to be irrigated by water drawn from the Tamagawa, and was used for vegetables, considered inferior to rice. However, it was naturally fertile, and was further enriched by nightsoil from the city. Certain areas had their own specialities. Nerima has kept its reputation for *daikon*, although only small patches of land there are still used for crops; the annual markets for morning glories and other plants at temples and shrines inside the city recall earlier reputations for growing flowers. With modern urban development pushing agriculture further and further out, these old areas can no longer supply the capital's needs, but improvements in greenhouse cultivation and long-distance transport mean that Tokyo suffers from no lack of fresh vegetables, fruit or flowers at any time of the year.

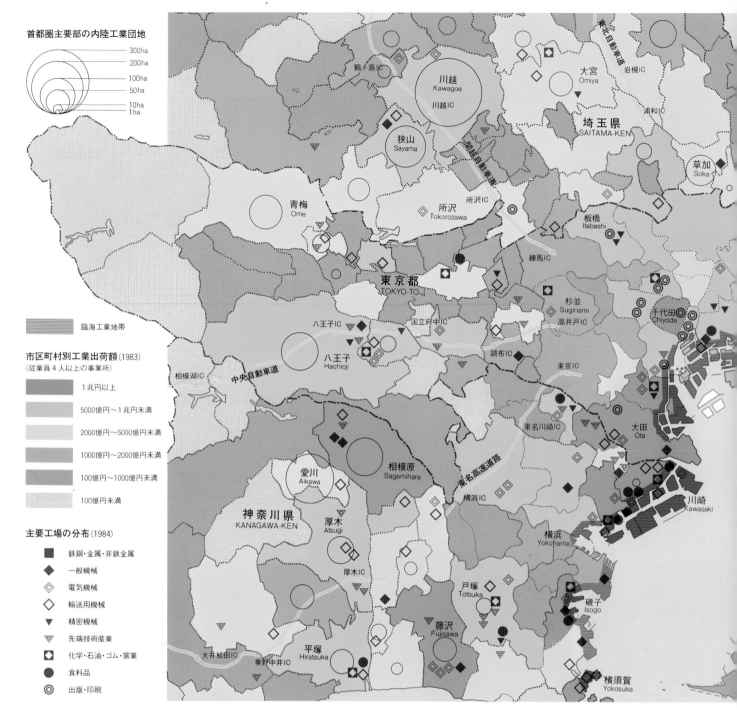

首都圏主要部の内陸工業団地

- 300ha
- 200ha
- 100ha
- 50ha
- 10ha
- 1ha

臨海工業地帯

市区町村別工業出荷額（1983）
（従業員4人以上の事業所）

- 1兆円以上
- 5000億円～1兆円未満
- 2000億円～5000億円未満
- 1000億円～2000億円未満
- 100億円～1000億円未満
- 100億円未満

主要工場の分布（1984）

- ■ 鉄鋼・金属・非鉄金属
- ◆ 一般機械
- ◈ 電気機械
- ◇ 輸送用機械
- ▼ 精密機械
- ▽ 先端技術産業
- ◧ 化学・石油・ゴム・窯業
- ● 食料品
- ◎ 出版・印刷

Industrial Tokyo

巨大工業都市 東京

草加の内陸工業団地　Soka Industrial Estate

業種別工業出荷額割合（1983）　**Industrial Products and Relative Values**

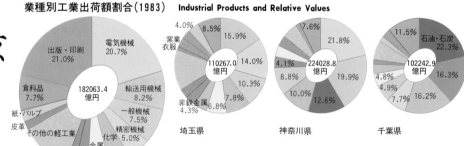

東京都

182063.4億円
- 電気機械 20.7%
- 輸送用機械 8.2%
- 一般機械 7.5%
- 精密機械 5.0%
- 化学
- その他の重化学工業
- 鉄鋼
- 金属
- その他の軽工業
- 皮革
- 紙・パルプ
- 食料品 7.7%
- 出版・印刷 21.0%

埼玉県

110267.0億円
- 4.0%
- 8.5%
- 15.9%
- 14.0%
- 10.3%
- 7.8%
- 6.8%
- 非鉄金属 4.3%
- 窯業 衣服

神奈川県

224028.8億円
- 7.6%
- 21.8%
- 19.9%
- 12.6%
- 10.0%
- 8.8%
- 4.1%

千葉県

102242.9億円
- 石油・石炭 22.3%
- 11.5%
- 16.3%
- 16.2%
- 7.7%
- 4.9%
- 4.8%

東京都の工業は事業所数では全国第1位であるが出荷額では第4位である。しかし、隣接3県を合わせた首都圏は全国の26.3%を占め、わが国最大の工業地域を形成している。

東京には、江戸時代に発生した在来工業が下町を中心に発達していた。明治期には官営工場が立地する一方、洋式工業が発達し、以後工業化が進んだ。昭和15（1940）年には、大阪府を抜いて全国一の工業県となった。しかし高度経済成長期以降、工場の流出、地方の工業化によりその地位は下がり、同47（1972）年には全国第2位、同50（1975）年には第4位となった。

東京の工業は城南地域と城東・城北地域にきわめて高い集積を示しており、都心部を中心とする地域も高い。東京湾に面しては臨海工業地帯が形成され、それは川崎市・横浜市や千葉市・市原市へ延び、京浜・京葉臨海工業地帯を形成した。城南・城東・城北地域の外周部でも工業化が進み、川崎市・横浜市の内陸部や千葉県西

野田 Noda　谷和原IC　柏IC　柏 Kashiwa　松戸 Matsudo　白井 Shiroi　千葉県 CHIBA-KEN　八千代 Yachiyo　船橋 Funabashi　湾岸市川IC　東関東自動車道　湾岸習志野IC　千葉北IC　宮野木Jct　湾岸千葉IC　千葉 Chiba　市原 Ichihara　木更津 Kisarazu

0　5　10　15km

東京周辺の工業　Industrial Areas, Values, Products

秩父銘仙　捺染　建具　絹織物　菓子・せんべい　清酒　桐たんす　羽子板　玩具　醬油　人形　鯉のぼり　だるま　納豆　人形　皮製品　川口鋳物　草加せんべい　雛人形　ゆかた　漬物　釣竿　清酒　石地蔵　建具　石灰石　飯能大島紬　狭山茶　清酒　竹細工　所沢織物　人形　青梅織物　村山大島紬　東京手描友禅　東京染小紋　東京銀器　味噌　多摩織　江戸更紗　江戸更紗　江戸小紋　清酒　東京手描友禅　八王子織物　菓子　竹細工　清酒　半原撚糸　餅　家具　シューマイ　スカーフ　芝山漆器　ハム　菓子　土天神　鎌倉彫　竹製品

下町のおもな地場産業と伝統工芸

江戸ゆかた（江戸川・足立区）　江戸指物（台東・足立区）
メリヤス・ニット（墨田区）　東京額縁（台東・荒川区）
東京くみひも（千代田・台東区）　江戸衣裳人形（台東・江戸川区）
紙器（荒川区）　江戸木目込人形（台東・江戸川区）
皮製品（台東区）　江戸かんざし（台東・荒川区）
東京仏壇（足立・台東区）　べっこう細工（台東・文京区）
家具（荒川区）　江戸象牙（台東・荒川区）
桐簞笥（千代田区）　銀器（台東・荒川区）
江戸簾（千代田・台東区）　東京打刃物（台東区）
江戸筆（荒川区）　琺瑯製品（墨田・江東区）
籐工芸（千代田区）　佃煮（中央区）
江戸漆器（台東・千代田区）

東京とその周辺の地場産業と伝統工芸　Traditional Crafts and Local Products

東京銀器　Tokyo silverware　　江戸木目込人形　Edo wooden doll

東京銀器の製造　Silversmith at work　　村山大島紬　Murayama kimono

川崎の臨海工業地帯　Coastal industrial zone, Kawasaki

部・埼玉県南部地域などに工業が集積した。

高度経済成長期以降，内陸部の工業化も著しく進んだ。八王子市をはじめとして東京西部が工業化し，首都圏外縁部にも多くの工場が進出した。工業団地も建設され，こうして東京の工業地域は拡大し，臨海型・内陸型からなる一大工業地帯が成立した。

東京の最大の工業は出版・印刷工業で，全体の21％，全国の46.4％を占めるに至っている。皮革品・精密機械工業も全国1位で，雑貨工業も多い。首都圏域では電気機械・輸送用機械工業の発達が著しく，化学・食料品・石油・一般機械工業の比率も高い。コンピュータをはじめとする先端技術型産業や，研究所が多いのも首都圏の特色である。

地場産業・伝統工芸も豊富で，なかでも東京の下町は江戸木目込人形，銀器など伝統産業が盛んである。東京都西部や，埼玉県・神奈川県にも繊維製品や加工食品・木製品・人形などの伝統品が多い。　　　　（大塚昌利）

Edo's industry was concentrated in the Shitamachi; expansion really began with the Meiji government's sponsorship of rapid industrialization and westernization.

Tokyo-to overtook Osaka-fu as Japan's no. 1 for production in 1940, but since the 1970s has fallen back to no. 4, although it is still in top position for the total number of factories. The fall has been partly the result of the outward expansion of the coastal industrial zones: indeed, if Tokyo is considered together with the Keihin (Tokyo—Yokohama) and Keiyo (Tokyo—Chiba) coastal zones, and the rest of the three surrounding prefectures, the whole area accounts for over a quarter of Japan's total production, in first place by a large margin. The biggest of Tokyo's industries is printing and publishing; that and the leather and precision industries are national leaders. Research and production in high technology also occupy a significant position. Traditional crafts of doll-making and silverware survive and thrive in the Shitamachi.

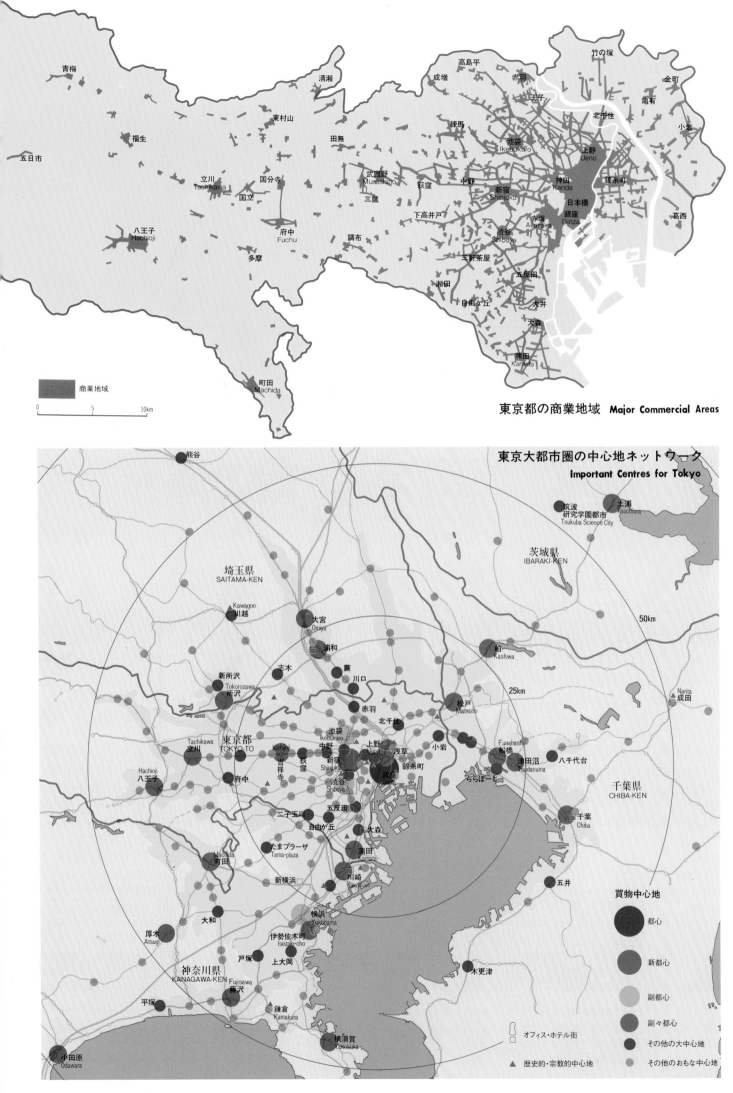

東京都の商業地域　**Major Commercial Areas**

商業地域

0　　　5　　　10km

東京大都市圏の中心地ネットワーク
Important Centres for Tokyo

埼玉県
SAITAMA-KEN

茨城県
IBARAKI-KEN

東京都
TOKYO-TO

千葉県
CHIBA-KEN

神奈川県
KANAGAWA-KEN

買物中心地

都心

新都心

副都心

副々都心

その他の大中心地

その他のおもな中心地

オフィス・ホテル街

歴史的・宗教的中心地

50km

25km

熊谷

筑波研究学園都市
Tsukuba Science City

土浦
Tsuchura

柏
Kashiwa

川越
Kawagoe

大宮
Omiya

浦和

蕨

川口

新所沢
所沢
Tokorozawa

志木

赤羽

北千住

松戸
Matsudo

Narita
成田

立川
Tachikawa

池袋
Ikebukuro

上野
Ueno

浅草

小岩

船橋
Funabashi

八王子
Hachioji

中野

荻窪

新宿
Shinjuku

錦糸町

津田沼
Tsudanuma

八千代台

吉祥寺
Kichijoji

渋谷
Shibuya

銀座
Ginza

ららぽーと

府中

五反田

二子玉川

自由が丘

大森

蒲田
Kamata

千葉
Chiba

町田
Machida

たまプラーザ
Tama-plaza

新横浜

川崎
Kawasaki

五井

大和

厚木
Atsugi

横浜
Yokohama

伊勢佐木町
Isezaki-cho

戸塚

上大岡

木更津

藤沢
Fujisawa

鎌倉
Kamakura

平塚

横須賀
Yokosuka

小田原
Odawara

60

Tokyo's Destinations— Where People Go in Tokyo

東京大都市圏の中心地ネットワーク

銀座大通りを新橋方面から見る *Ginza*

新宿通りを新宿駅東口前から見る *Shinjuku-dori*

武蔵小山が誇るアーケード街 *Musashi-Koyama arcade*

中央沿線でのユニークな町吉祥寺 *Shoppers at Kichijoji*

横浜駅西口ショッピングセンター *Yokohama-Nishiguchi*

大東京圏には実にさまざまな中心地がある。買物中心地，オフィス街，歴史的・宗教的中心地があり，大小もさまざまである。それらが東京駅から半径60kmをこす大東京の広い範囲に，あたかも星座のように分布している。

銀座から日本橋にかけて，東京の中心商店街が続く。江戸時代には日本橋が中心だったが，明治以後しだいに銀座通りに移り，最近は西銀座を含む広い銀座が栄えている。この地域一帯には中央官庁や大会社の本社も集まり，巨大な都心をつくっている。上野も都心に組み込まれたようだ。

山手環状線上の新宿・渋谷・池袋は副都心として知られる。昭和初期には上野，浅草をはじめ神楽坂や麻布十番などが副都心的な座を占めていたが，しだいに新宿と渋谷に追いこされた。当時はまだ小さな中心地にすぎなかった池袋の，戦後の急成長はめざましい。新宿にはオフィスも急増して，新都心と呼ばれるようになった。

東京の地理的拡大は周辺の県に及ぶ。まず国鉄の主要線沿いに大きな中心地が現れた。東海道本線沿いがとくに目立ち，なかでも横浜の発展はすばらしい。次いで中央本線沿いにさらに東北本線（京浜東北線），総武線，常磐線沿いのセクターの順に中心地の発達がみられた。

大東京圏の中心地ネットワークは，都心から半径30km前後に横浜，町田，立川，大宮，柏，千葉といった大きな中心地をもつ。40km圏の藤沢や八王子も目立つが，厚木，所沢なども急成長している。50〜60km圏には平塚，熊谷，成田，土浦，木更津がある。これらと違うケースで，鉄道のない筑波研究学園都市に日本では唯一の自動車依存型都市が現れ，その中心にショッピングセンターが出現した。　　　　（正井泰夫）

It could be said that Tokyo has no single centre, but several, depending on the objective: work or play, worldly or religious. What most regard as the central street for shopping runs from Ginza, the centre of westernized Meiji Tokyo, to Nihonbashi, the centre of Edo. Nearby are to be found Tokyo's financial and commercial centre, and the two stations which make up the focus of Japan's transport network: Tokyo and Ueno. But with the Metropolitan Office moving to Shinjuku, Shinjuku has achieved promotion from sub-centre to "new centre," one step ahead of the other sub-centres, Shibuya and Ikebukuro. The Taisho sub-centres of Kagurazaka and Azabu-juban were superseded, and now places such as Kichijoji and Machida further out on the major rail routes are rising to challenge Shibuya and Ikebukuro.

問屋街 **Wholesale Specialities**

Supplying Tokyo's Shops

卸売集中地区

外国人にも人気のある電気機器の秋葉原 *Akihabara*

巨大都市東京は，日本最大の商業都市である。私たちの日常の消費生活は，おもに小売店によって支えられているが，この無数に存在する小売店は，これもまたきわめてたくさんの卸売業者によって支えられている。その最大の集中地区が，下町の要ともいうべき上野・浅草・秋葉原・神田・人形町・両国に囲まれた地区で，特異な景観を呈している。

この卸売集中地区は，派手なたたずまいを見せてくれない。むしろ，きわめて地味な景観だ。だが，よく見ると，そこではさまざまな業種ごとに同業者が集まって，私たちの消費生活の土台となっていてくれることがわかる。稲荷町の神仏具，御徒町（アメ屋横町）の食料品，浅草橋の人形・玩具，小伝馬町から人形町へかけての呉服，神田一帯の衣料品，横山町の洋品雑貨などがある。秋葉原の電気機器の問屋の集中はすさまじく，小売をしてくれるせいもあって，外国人を含む多くの人で一日中ごったがえしている。

Tokyo's myriads of retail outlets, from tiny corner shops to giant department stores, are supplied by a smaller number of specialist wholesalers. who tend to concentrate in certain districts according to the goods they deal in. These are mostly Shitamachi districts, such as Asakusa, Kanda, Nihonbashi and Akihabara.

61

地図でよむ市街の変遷 I
Tokyo Close Up I

解説＝清水靖夫

現代の地図			明治の地図
解説			江戸の切絵図

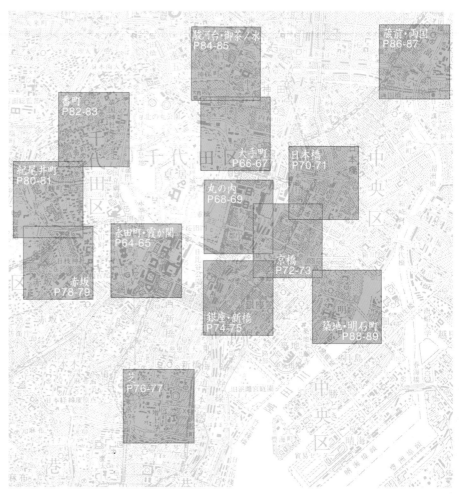

駿河台・御茶ノ水
P84-85

蔵前・両国
P86-87

番町
P82-83

大手町
P66-67

日本橋
P70-71

紀尾井町
P80-81

丸の内
P68-69

永田町・霞が関
P64-65

京橋
P72-73

赤坂
P78-79

銀座・新橋
P74-75

築地・明石町
P88-89

芝
P76-77

おもな地図記号と凡例

現代の地図

記号	名称	記号	名称
	おもな建物	✕	警察署, 派出所
	市街地, その他	Y	消防署
	緑地, 公園など	〒	郵便局
	グランド, 庭園, 墓地など	8	銀行
	水域	田	病院
	有料道路	开	神社
	おもな道路	卍	寺院
	庭園路など	✛	キリスト教会
	鉄道	⊥	墓地
	鉄道と駅の地下部	⌂	記念碑
	区界	Ⓒ	テニスコートなど
	区の町界	Ⓖ	グランド
	丁目界	駐	駐車場

明治の地図

記号	名称	記号	名称
	市街地		家屋 (木製)
	緑地, 田畑など		家屋 (煉瓦製)
	練兵場, 庭園など	✕	派出所
	水域		郵便局
	道路		銀行
	区界		病院
田	田	冊	神祠
畑	畑	卍	仏宇
桑畑	桑畑	✛	西教堂
茶畑	茶畑	⊥	墓
草地	草地		碑
竹林	竹林	#	井
雑樹	雑樹	✧	常燈

江戸切絵図提供：江東区立深川図書館

◀ 銀座のビル街に残る稲荷神社
A small shrine among the buildings of Ginza

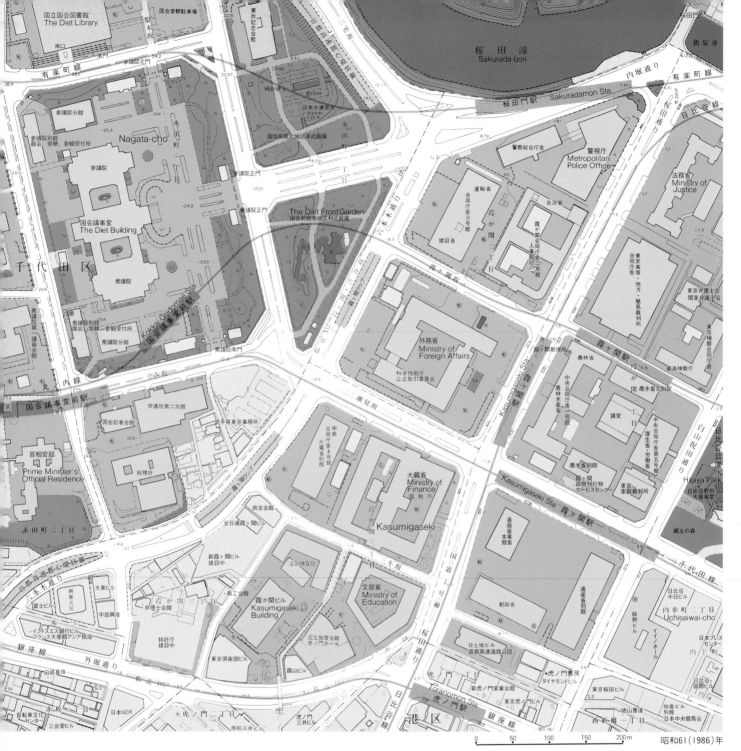

NAGATA-CHO   KASUMIGASEKI
永田町・霞が関

山手台地が東京湾岸の低地にのぞむところで，北は皇居の内堀，南は溜池の谷にあたる。霞が関の語源については種々あるが，江戸期以前荏原郡の東境にあった奥州街道の関名というのがもっともらしい。永田町は日枝神社の門前・武家地を永田馬場と俗称したのにはじまるという。

虎ノ門は江戸三十六見附の一つ虎ノ御門で，明治図には枡形が残っている。明治図にはまだ溜池が湿地と小河流で残っている。慶長11(1606)

国会議事堂　The Diet Building

年築造の溜池は江戸初期の上水道の役割を果たし，余った水は堰堤の上をあふれて流れ出し，堀に落ちていた。その水音から赤坂のドンドンと呼ばれていた。明治10（1877）年ごろ堰堤上部の土を2尺（60cm）ばかり削ったために水量が減り，干上がって地図のようになったという。土砂の流入や周囲の埋立ての影響もあったことだろう。

「霞が関」の異名をもつ官庁街のなかで，外務省は松平美濃守屋敷跡に明治2（1869）年設置された官庁街の草分けである。永田町は陸軍の町でもあった。井伊家の上屋敷跡が陸軍省の参謀本部となり，参謀本部は「永田町」と俗称された。陸地測量部もここに置かれた。現在，憲政記念公園の中に水準原点（陸地の高さの基準点，東京湾平均海面上24.4140m）があるのもそのためである。この辺りはまた外国公使館や華族・貴族の町でもあった。明治4年に置かれた陸軍練兵場は同25年廃止され，同36年日比谷公園となった。これはわが国初の西欧風の公園であった

が，大衆運動のメッカともなった。

国会議事堂は国産の花崗岩を使用，17年をかけて昭和11（1936）年竣工し，内幸町の仮設議事堂から移ってきた。周囲には首相官邸をはじめ議員宿舎などが並ぶ。国会図書館は昭和36年竣工し，赤坂離宮から移った。工部大学校跡には震災後文部省が移り，教育会館には往時の石垣が残る。

霞が関官庁街　Kasumigaseki

Many changes have taken place here over the last century. The name Toranomon (Tiger Gate) is ancient; the square gate is still to be seen on the Meiji map.

陸軍省
参謀本部
揚場公使館
自由町田永
永田町二丁目
青寿邸
外櫻田町
教導団砲兵営
教導団工兵営
教導歩兵団営
有栖川宮邸
霞ヶ関一丁目
外務省
陸軍練兵場
大久保邸
大水邸
鍋島邸
相川栖宮邸
佐野邸
百川宮邸
鍋島邸
裏霞ヶ関
御国公使館
御国公使館
霞ヶ関二丁目
麹町区
水田町二丁目
町田水
Tame-ike
溜池
工部大学校
Torano-mon
虎ノ門
赤坂区
新橋
公町
麹町一丁目
相馬邸
伊達邸

0 50 100 150 200m 明治16(1883)年

As its name implies, Tameike (Reservoir) used to supply Edo with water, but now only the name remains. Kasumigaseki and Nagata-cho are now mainly occupied by government offices, of which the first to move here was the Gaimusho (Foreign Ministry) in 1869.

The Diet Building took 18 years to build, of all-Japanese materials, and at last in 1936 replaced a much less impressive 1890s building in Uchisaiwai-cho. To its northwest is the Diet Library; to its south the Prime Minister's official residence.

The Kasumigaseki Building (1968) was Tokyo's first "real" skyscraper, but even with its 36 storeys did not remain the tallest building for long. The military parade grounds in the east of the Meiji map were later to become Hibiya Park, now reduced in size.

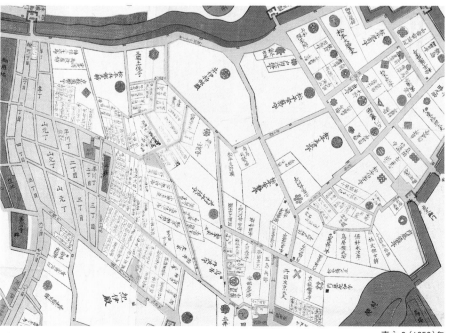

嘉永3(1850)年

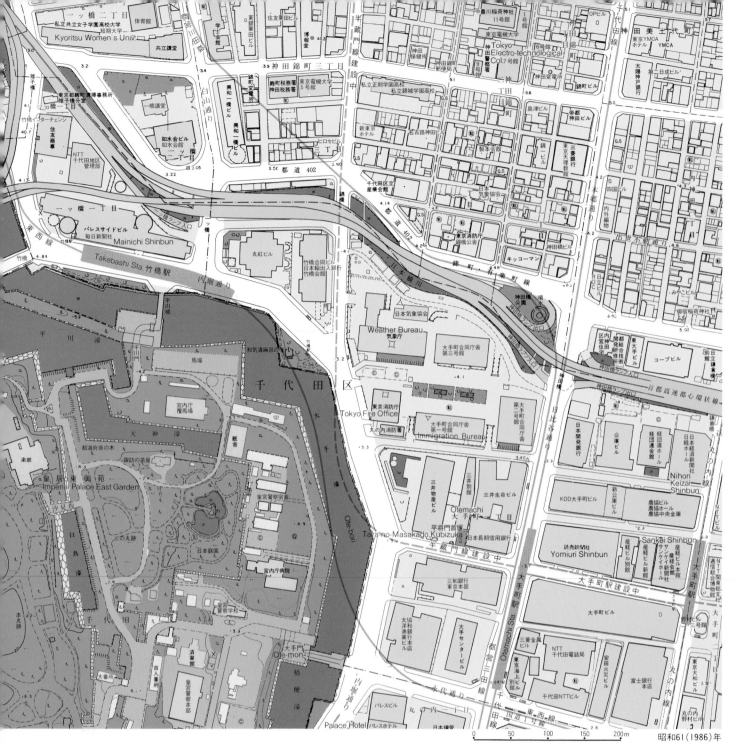

昭和61（1986）年

OTEMACHI
大手町

竹橋付近の内堀 The Inner Moat near Takebashi

江戸城北東部と大手町・神田橋周辺である。江戸城跡は史跡に指定され，図の左端外に天守閣跡があり，明暦の大火（明暦3＝1657年）で焼失したのち再建されなかった。東御苑二の丸跡の庭は小堀遠州の作と伝えられている。江戸城の正門大手門外の区画の大きい土地は大名小

路北端部。御三卿・譜代大名の上屋敷跡は明治初期軍隊と官庁街にあてられた。行政官庁はやがて霞が関に移転し，丸の内から続くビジネスセンターへと変化する。現代の最先端をゆく高層ビルの林立するなか，三井物産ビル別館南側（日本長期信用銀行背面）に平将門首塚がある。天慶3（940）年下総で殺された将門の首がここまで飛んできたという。将門を祀った神田明神がここにあり，いまでも墓を移動させようとすると祟りがあるという。

平川（日本橋川の上流）の北側一帯は江戸城からみて北西の季節風の風上にあたり，明暦の大火後，防災上から空地を広くとったところで，神田橋の北は森鷗外の「護持院原の敵討」の舞台となった。明治になると東側は内神田に続く民家が建ち，西側の空地には官立の学校が建てられ，初期の官学センターをなしていた。明治図の学習院は明治41（1908）年目白に移る。東京大学は後の東京帝国大学の法学部・文学部・理学部の前身で，明治18年本郷に移転（現東京

大学），跡地に東京商業学校（のち商科大学，現一橋大）ができる。東京外国語学校は東京外国語大学となり滝野川に移転する。

この地域は震災で被害を受け，大手町と神田地区の北方は戦災にも遭ったが，震災復興の都市計画と，第二次大戦後の復興，とくに東京オリンピックを機につくられた首都高速道路と高層ビル群によって昔日の面影を失い，江戸時代の面影を残す皇居内と著しい対照をなしている。

Named after Ote-mon, the old main gate to Edo Castle, modern Otemachi with its expressways and constantly changing skyline of ultra-modern high-rise buildings presents a stark contrast with the Palace just across Ote-bori moat, basically unchanged since feudal times. Most of the government offices here in the Meiji Era have since moved to Kasumigaseki, to be nearer the Diet rather than the Palace, and their place has been taken by major banks and

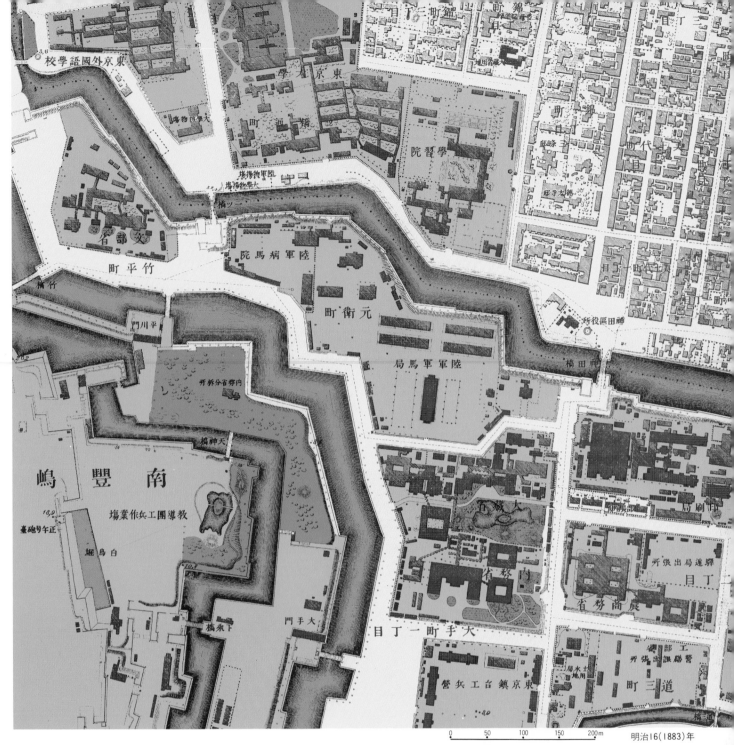

明治16(1883)年

businesses. The colleges north of the river in the Meiji map have also moved out; the area of smaller shops and businesses in Kanda remains, for the time being. Between two big buildings in Otemachi 1-chome is buried the head of Taira no Masakado, who had set himself up as rival emperor in the East but was killed by Imperial troops in 940.

大手門付近　*Around Ote-mon*

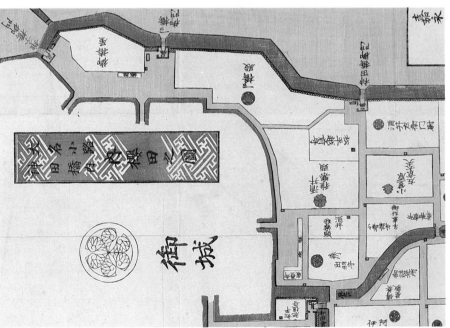

嘉永 2 (1849)年

Japanese National Railways 日本国有鉄道

総武上越新幹線 新館 旧館 総合指令本部

東京駅北口 バスターミナル

丸の内一丁目

東北・上越新幹線
東海道新幹線ホーム
京浜東北線南行ホーム
京浜東北線北行ホーム
山手線内回りホーム
山手線外回りホーム
東海道線ホーム
横須賀線ホーム
湘南電車線ホーム

東京ステーションホテル

東京駅
中央口
東京駅

丸の内
中央口
東京駅

大丸東京店

八重洲
中央口

鉄道会館

八重洲
南口

国鉄ハイヴェイバス

東京駅八重洲口
バスターミナル

手荷物
取扱所

興銀ヤンマー
日興ビル
合同ビル

山一証券本社

八重洲
ブックセンター

保東
安証
生券
会館

本田技研

保東
証券
会館

八重洲三井ビル
常陽銀行
安田火災

丸の内一丁目

都道 405

首都高速
鍛冶橋換気所

イチョウ並木

日本紡ビル

八重洲一丁目

福岡銀行

八重洲
富士屋ホテル

蛇の
目二
丁目

商工組合
中央金庫

国際興業

石興ビル

東京高速道路線

京橋KIビル

中央区

京橋二丁目

西銀座ランプ入口

京橋一丁目

新西銀座ビル

桔梗濠

皇太子御成婚
記念大噴水

和田倉濠

和田倉門

和田倉橋

X部

千代田線

東京海上ビル
新館

東京海上ビル
本館

新永楽ビル

日本工業倶楽部ビル

日本工業ビル

新丸の内ビル
Shin-Marunouchi Bldg

行幸通り

内堀通り

皇居外苑
皇居前広場
Imperial Palace Outer Garden

千代田区

郵船ビル

三菱商事ビル
別館

Marunouchi Bldg.
丸ノ内ビル

馬場先門

皇居外苑
皇居前広場

楠木正成銅像

丸の内
三井ビル

岸本ビル

三菱電機ビル

丸の内
三菱重工ビル

三菱
ビル

Marunouchi
丸の内二丁目

Mitsubishi Bldg.

千代田ビル

明治生命館

明治生命
別館

旧館

新館

古河総合ビル

丸ノ内八重洲ビル

三菱銀行本店ビル

三菱商事ビル

丸の内二丁目

Tokyo Central
Post Office
東京中央郵便局

東京駅南口
バスターミナル

丸の内
南口
東京駅

東京ビル

無料休憩所

皇居外苑管理事務所

国民公園
保存協会

都道 406

皇居前三菱一橋線

東京商工会議所
東商ホール
商工図書館

東京会館

富士ビル

新東京ビル

新興証券

日本東京支部

第一本庁舎

大田道灌像

東
京
都

議会局庁舎

Tokyo Metropolitan
Office

第二本庁舎

第三本庁舎

丸の内ランプ出口 D

丸の内三丁目

Imperial Theater
帝国劇場
帝劇ブモール
出光美術館
出光興産

新日石ビル

新国際ビル
生命保険協会

Yurakucho Sta.
有楽町駅

第一生命館
第一生命ホール

農林中央金庫

新有楽町ビル

有楽町二丁目

よみうりホール

有楽町そごう
Sogo Dept

国鉄
有楽町駅

西二号庁舎

西八号庁舎

西三号庁舎

第二号庁舎

都民保健会

第三号庁舎

日比谷公園
Hibiya Park

心字池

日比谷濠

晴海通り

ニッポン放送

糖業会館

有楽町ビル

東京交通会館

0 50 100 150 200m

昭和61(1986)年

MARUNOUCHI
丸の内

東京駅 *Tokyo Station*

　馬場先堀を境に，江戸城西丸下と大名小路がある。親藩・譜代の大名上屋敷は明暦の大火（明暦3＝1657年）後，登城の都合もあってここに集められた。個々の敷地は今の地図と比較するとどのくらい広かったかがわかる。それはいわゆる御曲輪内で丸之内の地である。

　明治維新後これらの地には，皇城防備のため陸軍の諸施設が集められた。しかし宮城（明治21＝1888年以降の呼称）の前面が兵営というのも，近代国家をめざす日本としては体面上も美

観上も好ましくないという考えから，明治20(1887)年ごろからこれらを郊外へ移転させはじめた。しかしその費用が不足していたため，同23年政府は大名小路の地を三菱（岩崎弥之助）に128万円（坪12円）で払い下げた。

　明治27（1894）年三菱東9号館が落成，同44年までに13号館，大正9（1920）年には21号館まで完成し，ロンドンのロンバード街にならった赤煉瓦造りのビル街「1丁ロンドン」が出現した。近年老朽化のため近代的なビル街に改築された。丸ビルは大正12年竣工，折からの関東大震災にも影響を受けなかった。新丸ビルはその北隣に昭和27（1952）年完成している。東京府庁は明治27（1894）年ドイツ風赤煉瓦造りで落成，昭和33年丹下健三設計の現建造物が完成したが，将来は新宿に移転することが決まっている。中央郵便局は昭和8年の建設。丸の内一帯は昼間の活気に対して夜間は無人地帯となる。

　東京駅は，三河吉田藩・信州松本藩邸などの跡地につくった警視庁・司法省・監獄署を他に

移して，名実ともに首都の中央駅として大正3（1914）年完成，アムステルダム中央駅を模した赤煉瓦造りは，辰野金吾設計のルネサンス風の建物であった。戦災を被ったが，昭和29年現在の形に再興した。昭和39年新幹線が開業，同47年には地下5階に総武線が乗り入れた。

Maru literally means "circle," but here refers to the Castle, so that Marunouchi means something like "within the Castle environs." The *daimyo* who had lived here up to the Restoration were replaced by barracks and government offices, who in turn moved out, to be replaced by commercial enterprises. The first was Mitsubishi, which bought a stretch of unwanted land (for less than ¥4/m^2) and put up 21 brick buildings between 1894 and 1920, so that the area was said to resemble London. They have sadly all gone, and the oldest building there now is the

明治16(1883)年

Marunouchi Building (1923).

The site of the Tocho (Metropolitan Office) dates from 1894, with final additions in 1958 by Tange Kenzo, later famous as the Olympic architect. There was no Tokyo Station until 1914. The present brick structure is a postwar adaptation of the original based on Amsterdam's *Centraal Station*, with additions to accommodate the Tokaido Shinkansen (1964) and the deep underground platforms for the Sobu line (1972).

丸の内オフィス街 *Marunouchi*

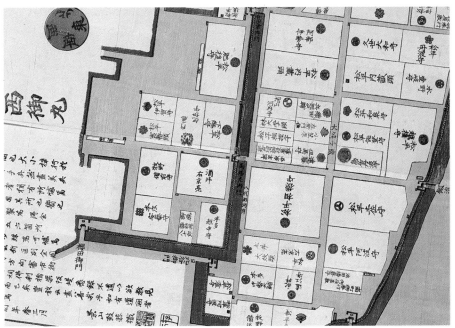

嘉永2(1849)年

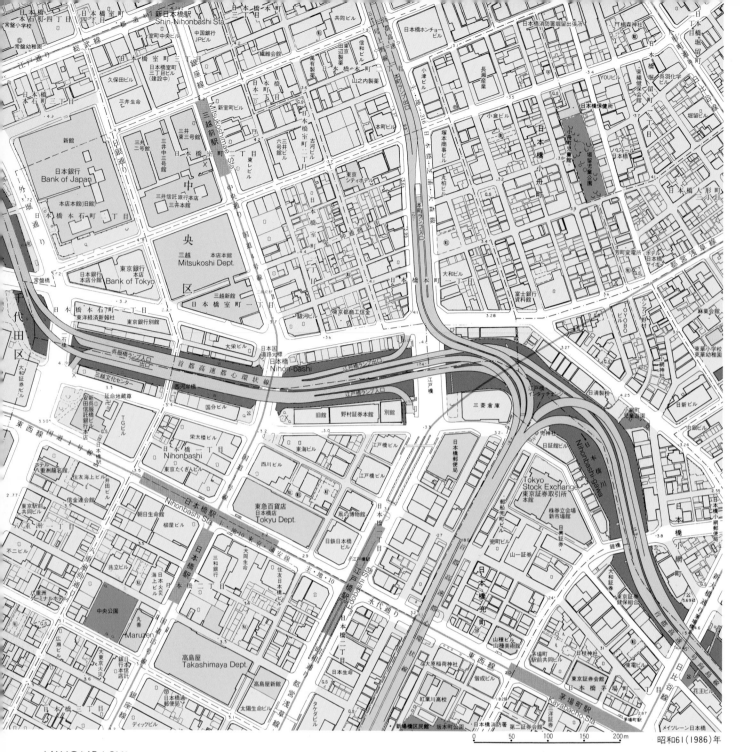

昭和61（1986）年

0　50　100　150　200m

NIHONBASHI
日本橋

日本銀行本店　The Bank of Japan

日本の中心，といってもいろいろあろうが，道路元標のある日本橋は，日本全国のキロ程の中心になっている。江戸民謡にも「お江戸日本橋七ツ立ち……」と歌われ，慶長9（1604）年幕府が日本橋を基点に五街道を整備して以来の「中心」なのである。明治5（1872）年道路元標が定められ，明治44年にはルネサンス式の現在の石橋（日本橋）が竣工したが，昭和33（1958）年日本橋川の上に高速道路ができ，昔日の面影はなくなった。明治図の安針町はイギリス人ウィリアム・アダムズ（日本名三浦按針）の屋敷に由来する。

日本橋川べり（本小田原町・本船町・安針町・長浜町・元四日市町）は江戸時代からの魚河岸で，関東大震災後築地に移るまで，一時は室町1丁目辺りまでひろがりをもって栄えた。付近は江戸時代からの商業の中心地で，現在も老舗

が多く，問屋街もひろがる。日本橋本町には大阪の道修町に匹敵するような薬品問屋街があり，製薬会社の本支社も軒を連ねる。商取引につきものの銀行も兜町に明治6（1873）年第一国立銀行が開業（第一勧銀兜町支店の壁面に銀行発祥の地のプレートがある），株式取引の中心として同11年，東京株式取引所（明治図。現東京証券取引所）が開設され，わが国の資本主義発展の経過を見守ってきた。三井八郎右衛門が本町1丁目に開いた三井越後屋は，現銀安売掛値なしの商法が当たり，やがて駿河町（日本橋室町1

丁目）に移った，三越百貨店である。三井の両替店は三井銀行となり，日比谷移転まで隣接していた（現三井信託銀行）。西隣にあった銀行中の銀行たる日本銀行は，明治29年本石町の金座あと（現在地）に移転した。ルネサンス風の重厚な建築はその業務にふさわしい。商業の町として，ほかに高島屋百貨店，日本橋東急百貨店（旧白木屋），丸善など老舗が立ち並んでいる。

日本橋に地下鉄（銀座線）が開通したのが昭和9（1934）年，同東西線は42年に開通し，昭和通りを都営地下鉄浅草線（38年開通）が通る。The bridge was the starting point of the Tokaido from Edo to Kyoto, and road distances are still measured from here. But the present Renaissance-style bridge (1911) and the expressway above the Nihonbashigawa (1958) are a far cry from the woodcuts of the Edo Period. Anjin-cho on the Meiji map commemorates Miura Anjin, the first Englishman in Japan. A

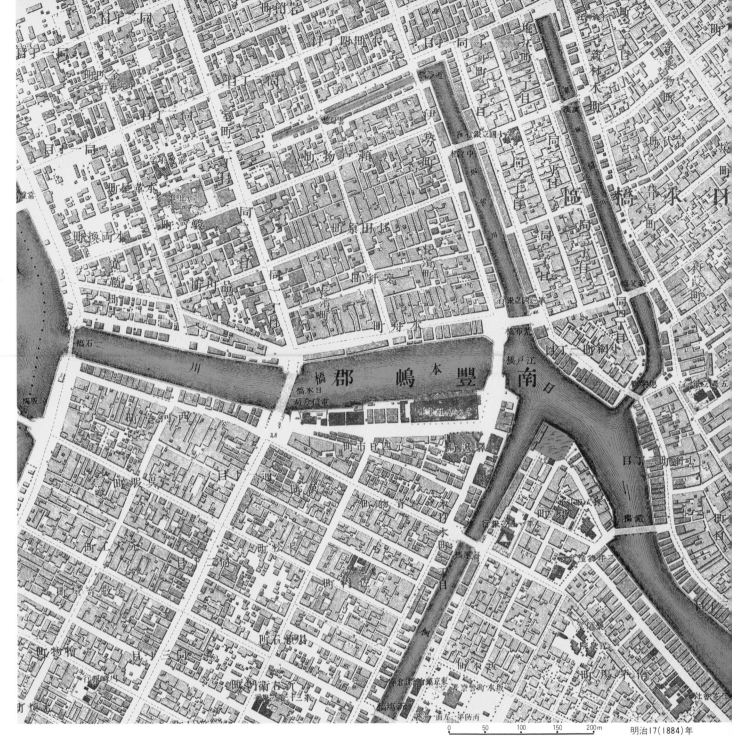

明治17（1884）年

ship's pilot with the English name Will Adams, he lived in Japan 1600-1620, and had a house near Nihonbashi. As befits the old centre of Edo, many of the oldest banks, trading houses and department stores were founded here. Many remain, and have been joined over the last 100 years by securities companies and the Tokyo Stock Exchange. Pharmaceutics is another ancient business that continues here to this day.

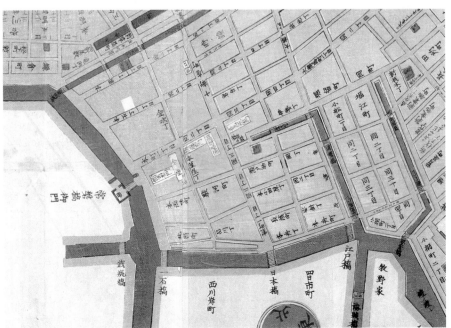

嘉永3（1850）年

日本橋 Nihonbashi

0　50　100　150　200m

昭和61（1986）年

KYOBASHI
京橋

京橋といっても今は橋はなく，首都高速道路が上を走る。河川・堀割はまったくなくなり，水上交通が自動車交通にとってかわられたことを如実に物語っている。

明治の地図の地名をみると城下町の職業が一覧できそうである。桶・大工・鍛冶・畳・紺屋・具足・弓とみごとに並ぶ。楓川（東側を南北に流れる堀川）の東は八丁堀で，往時は与力と同心の町として知られた。現在の日本橋から京橋にわたるビジネスセンターの東方延長部にあたる。東京駅は大正3（1914）年開業，首都の表玄関となり，昭和4（1929）年暮に八重洲口が開設された。関東大震災後の区画整理によって昭和通り，八重洲通りなどが建設され，商業地域としての比重がさらに増大した。八重洲口北端の国際観光館の地は江戸時代北町奉行所が置かれていたところで，前に碑が建っている。

京橋交差点 Kyobashi crossing

高島屋は天保2（1831）年京都で創業，今の建物は昭和8（1933）年のもの。洋書の丸善は明治2（1869）年横浜で創業，丸屋といっていたが福沢諭吉の助言で丸善（丸屋善八）と名を変え，明治18年ごろ現在地に開業した。

旧京橋のたもとには京橋記念の碑がある。明治8（1875）年架けられた石橋の擬宝珠が，大正11（1922）年改装時に記念として残されたものである。埋め立てられたのは戦後の昭和34（1959）年である。京橋の西側北岸が大根河岸で，

青物市場が昭和10年築地中央卸売市場に移るまでここで開かれ，記念碑もある。記念碑といえば，元和8（1622）年猿若勘三郎が江戸に出て興行を行った「江戸歌舞伎発祥の地の碑」もここにあるが，その碑文にある中橋南地の位置はもう少し北方であろう。明治5年の大火後の煉瓦街を記念した「煉瓦銀座の碑」も東側にある。震災・戦災を経て高層建築化した都心部に昔日の面影を求めるのは困難なようである。

Here, equidistant from Ginza, Tokyo Station and Nihonbashi, is the centre of Chuo-ku, which itself means "Central Ward." The older maps show a densely populated area, with each block devoted to a particular craft, but now few live in what has become a business district.

After the Great Earthquake, the main roads were widened as firebreaks, and a few years later (1929), Tokyo Station's Yaesu-guchi was opened — at last a way in from

0   50   100   150   200m

明治17(1884)年

the east. Now, the rivers, moats, and ca-
nals have all gone, and the only bridge at
Kyobashi (Capital Bridge) is the overhead
expressway. Nihonbashi was Tokyo's first
centre for department stores, many of
which began as large shops selling kimono
and other items of clothing. The name of
the subway station Mitsukoshi-mae on the
Ginza line (just off the map to the north:
see p.70) is proof of the great influence of
the big stores in the interwar period.

東京駅八重洲地下街 Underground shopping arcade

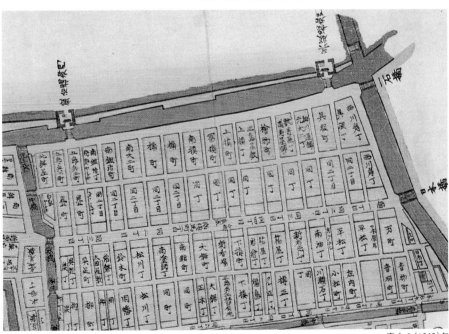

嘉永2(1849)年

73

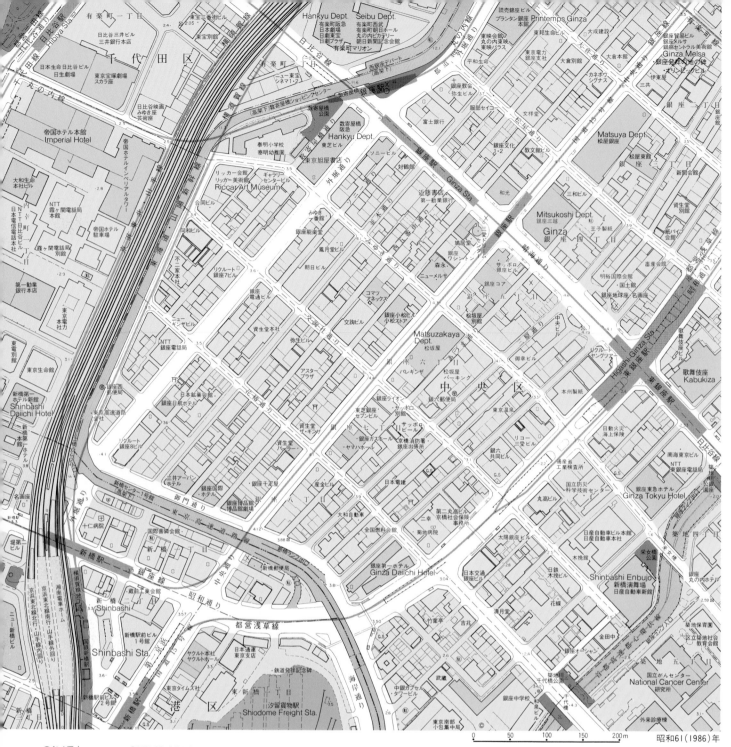

昭和61（1986）年

GINZA　　SHINBASHI
銀座・新橋

　銀座は，日本中いたるところにある繁華街につけられた何々銀座の本家である。慶長17（1612）年，幕府が銀貨鋳造の銀座役所を置いたことからの俗称で，寛政12（1800）年役所が蠣殻町に移ってもこの呼び名はそのまま用いられ，明治2（1869）年正式の町名となった。銀座発祥の地の碑は2丁目オリンピック前に，煉瓦銀座之碑（明治5年の大火後，不燃都市建設の計画で同10年銀座煉瓦街が作られた）とガス灯は京橋の銀座寄りに建っている。煉瓦街とともに明治7年のガス灯，同15年のアーク灯（大倉組前）はまさに科学と文明のシンボルであった。

　文明のシンボルというと鹿鳴館（明治図左端）がある。欧化主義政策の先兵として，欧米諸国の人々と明治の高官や華族との交歓の場にと，イギリス人コンドルの設計による煉瓦造り2階建の洋館が明治16（1883）年建てられた。明治

20年代になり条約改正案の反対，国粋主義の台頭などでしだいに欧化熱もさめ，鹿鳴館は払い下げられて十五銀行，華族会館となり戦災で焼失した。北隣の農産陳列所には，アメリカ人ライトの設計により帝国ホテル（明治23年創立）が大正12（1923）年再建された。その一部は近年明治村に移築されている。ラジオや映画で人気の『君の名は』の舞台となった数寄屋橋は，内堀の数寄屋橋御門外の橋であったが今は埋め立てられ，「数寄屋橋此処にありき」の碑が泰明小学校寄りの小公園にあり，高速道路が上を通る。昭和通りは震災後の都市計画で新たにつくられた。

　「汽笛一声」の鉄道唱歌がはじまる新橋駅は，明治図に当時のまま線路が表現されている。そこは旧龍野・仙台・会津の藩邸跡であった。現新橋駅（旧烏森）に電車が開通したのは明治42（1909）年で，大正3（1914）年東京駅が東海道本線の始発駅となるにおよんで，旧新橋駅は汐留（貨物駅）となった。現在鉄道発祥記念碑が

明治時代のレールとともにある。銀座通り下の地下鉄は昭和9（1934）年に新橋まで開通した。銀座通りの昔恋しい柳並木は少なくなったが，休日の歩行者天国は家族連れや若いカップルで賑わう。

銀座4丁目交差点 Ginza 4-chome crossing

The name Ginza (*Gin* : silver) comes from the mint set up here 1612. The mint was moved in 1800, but the name has remained, to be adopted in thousands of places throughout Japan. In the Meiji

明治17(1884)年

Era, Ginza was at the forefront of west-ernization, with brick buildings, gaslights and, later, arc-lights in the streets. The highest in Western style was set by the Rokumeikan nearby, designed by the En-glishman Conder in 1881-1883, where the rich and famous would gather for parties and grand balls. Next to it, the Imperial Hotel was founded in 1890. Rebuilt by Frank Lloyd Wright in 1923, it stood firm in the Great Earthquake. His controversial building is preserved in the Meiji Village in Aichi-ken. Japan's first trains ran from Shinbashi to Yokohama in 1872; the origi-nal station is now Shiodome freight station. The willows for which Ginza was famous have gone, but the Taisho Era's fashion-able *Ginbura* (Ginza strolling) is possible again, now that traffic is banned on holi-days.

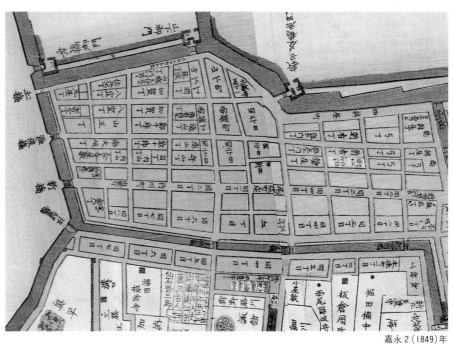

嘉永2(1849)年

75

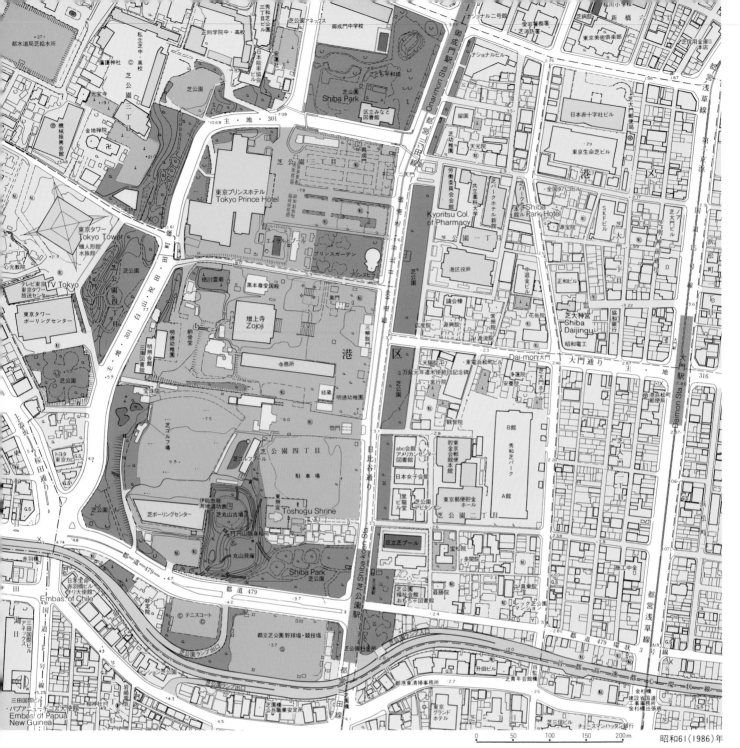

昭和61（1986）年

芝

増上寺 Zojoji

この地域は、ほとんどが増上寺とその関連寺院、門前町で、城南有数の寺院地である。浄土宗鎮西派大本山増上寺は、徳川家の菩提寺の一つとして慶長3（1598）年江戸城拡張に伴い現在地に移転、同16年堂宇が完成した。明治6（1873）年増上寺内の公園と区別するため、地域名を芝公園地（明治図）としたが、しだいに芝公園といわれるようになった。第二次大戦時に北側の徳川霊廟が罹災し、昭和33（1958）年改葬

され、黒本尊堂背後に徳川家の新霊廟がつくられた。そのさいの発掘調査は多くの学術的に貴重な資料を提供した。旧霊廟あとには東京プリンスホテルが建つ。増上寺で戦災を免れたのは、三解脱門（重要文化財）・御成門・黒門・経蔵などである。

東照宮（旧安国殿）の背後には前方後円墳の丸山古墳があり、その東下の梅林（角筈から移る）とともにわずかに往時の面影を残す。古墳の頂上には伊能忠敬記念碑がある。増上寺背後の台徳院殿（二代将軍秀忠）墓地跡も、古墳群ともども戦後に整地され、ボーリング場・ゴルフ場に変化した。南方古川上には東京オリンピックを機に首都高速道路がつくられている。景観で目につくものは公園西端台地上に昭和33年建造された東京タワーであろう。333mの電波塔は当時世界一の高さを誇り、展望塔として今も観光客を集めている。

大門1丁目（増上寺惣門、今はコンクリート製の大門に由来）の芝大神宮は、め組の喧嘩や

だらだら祭りなどで知られる芝の神明で、伊勢の内宮・外宮を寛弘2（1005）年勧請したものといわれる古社である。

海軍水路部（現海上保安庁水路部）は明治6（1873）年芝山内へ移り、同43年には築地に移転している。跡地に日本赤十字社ができたのは大正元（1912）年であった。

東京タワー Tokyo Tower

Shiba Koen (Park) has been known by this name since the Meiji Era. It was, and still is, well known for its many ancient temples. The main one is Zojoji, which has close associations with the Tokugawas:

0   50   100   150   200m   明治I7(1884)年

Ieyasu moved Zojoji to its present location from near Edo Castle in 1598, and a mausoleum to Hidetada, the Second Shogun, was erected here.

The mausoleum was destroyed in World War II, and a new one on a new site was dedicated in 1958. The old site is now Tokyo Prince Hotel; excavations before construction began revealed much of archaeological interest. The Shiba Daijingu shrine, near the big concrete gate known as Daimon, is said to date back to 1005. But many of Shiba's temples have given way to progress, in many forms: hotels, concert halls, car parks, a bowling alley, a golf course, and last but not least, Tokyo Tower. When built in 1958, at 333m it was the tallest in the world, just beating the Eiffel Tower in height, but not, some say, in beauty.

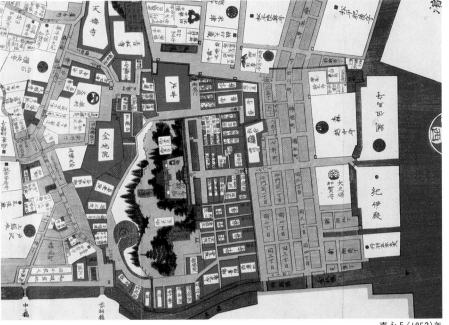

嘉永5(1852)年

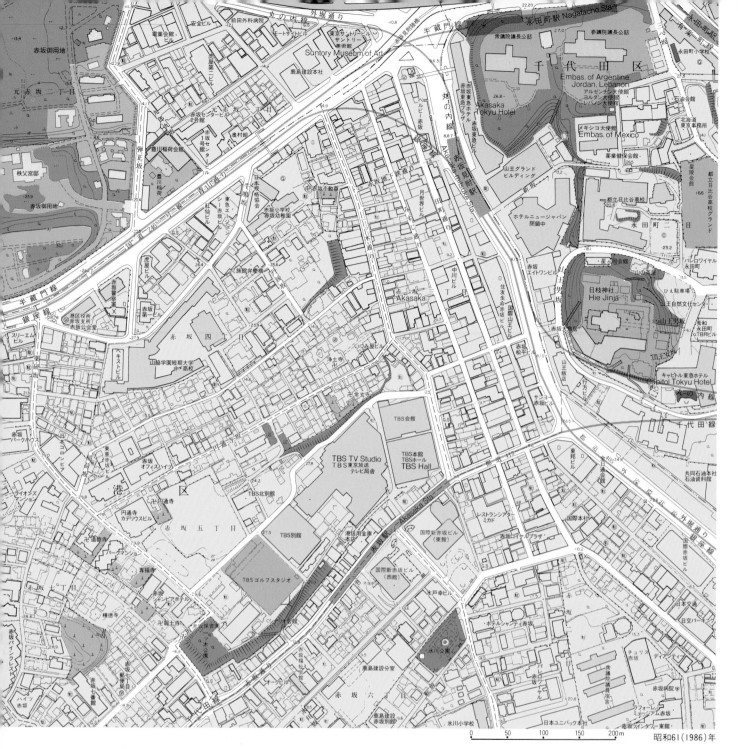

AKASAKA
赤坂

　溜池の谷をはさんで千代田区（東側）の台地と港区（西側）の台地からなる。溜池は慶長11（1606）年浅野長政が家臣の矢島長雲を使って築造させたもので，玉川上水完成以前の上水源であったという。明治10（1877）年ごろ下流の堰堤を低くしたため，明治図にみられるように，溜池の痕跡と小河流・湿地となってしまったようである。溜池西岸の点線は上水道で，玉川上水引水によるもので，上水の役割はこれに受け継がれてから排水路化したものであろう。

　東の星ケ岡の日枝神社は，日吉山王権現（大津市，比叡山の産土神）で，太田道灌江戸城築城以前にさかのぼり，明暦3（1657）年の大火後，麹町の隼町から現在地に移された。位置は江戸城の裏鬼門（南西方）にあたり，祭りは神田明神とともに天下祭として江戸以来の祭礼の双璧をなす。周辺台地上は政府機関と学校の

赤坂見附付近 Akasaka-mitsuke

建造物が占める。

　西側の台地には，北から旧赤坂御所（現赤坂御用地）があり，豊川稲荷は文政11（1828）年明治図の位置に勧請され，明治20（1887）年赤坂小学校建設に際し現在地に移っている。明治図にある牛啼坂は，現在の国道246号線南側の旧厚木大山街道の東に下る坂である。一ツ木町の地名は古く，かつては広くこの付近一帯を指していた。一ツ木村の中に赤坂があったのだが，現在では一ツ木通りに名を残すぐらいで立場が逆になってしまった。松平安芸守の屋敷跡は明

治には陸軍囚獄署（陸軍衛戍監獄）になるが，西半分は茶畑（桑茶運動）のままである。明治26年霞が関から近衛歩兵第三連隊が移転したが，現在は東京放送（TBS）が台地上を占めている。台地と入り込む谷との間には，三分坂・丹通寺坂など古くからなじみの坂が多い。赤坂見附から南へ向かう通りは，溜池埋立地上の外堀通りから西へ，赤坂田町通り，みすじ通り，一ツ木通りと並び，夜の赤坂歓楽街を形成し老舗も多い。みすじ通りには，政界の奥座敷と呼ばれる赤坂料亭街（花街）がある。また赤坂見附はファッションの町として若い人々を集めている。

In the Meiji Era, much of this area was Imperial or military land, including a military jail where the TBS TV studios are now. The entertainment area has a long history, going back to the Edo Period, when it was depicted in bawdy *ukiyoe* woodcuts. Now it is one of the very few parts of Tokyo where rickshaws can occasionally be seen

昭和61（1986）年

明治17(1884)年

carrying geisha to their assignations. Some
of the more exclusive *ryotei* (traditional
restaurants) have a reputation as the
venues for underhand political and finan-
cial deals, while other parts of Akasaka
provide more modern entertainments to
appeal to young people.

Across what used to be a river but is now
a busy street rises Hie Jinja, a major Shinto
shrine. It is also known as Sanno-sama,
after the annual festival, the Sanno Matsuri.

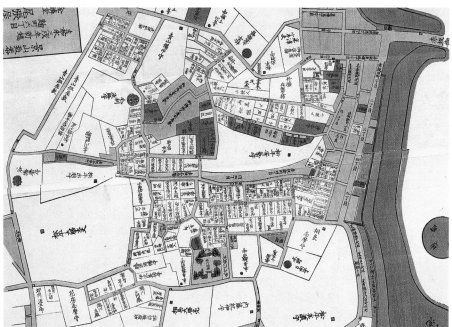

嘉永 3 (1850)年

日枝神社 *Hie Jinja*

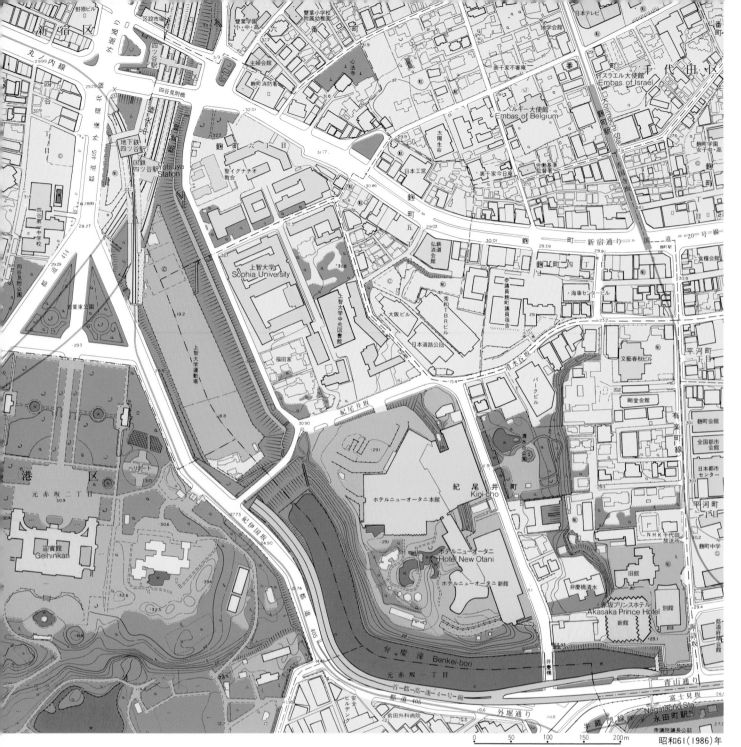

KIOI-CHO
紀尾井町

　紀伊（徳川）・尾張（徳川）・井伊の頭文字をとった紀尾井町は，今でもありそうな手軽な命名だ。江戸図は主観的に描かれたので道路網の角度は悪いが，敷地は明治期の地図にそっくり重ねられる。尾張家の中屋敷は皇居地附属地から上智大学に，井伊家の中屋敷は伏見宮邸からホテルニューオータニに，そして紀伊家の中屋敷は分割され，北白川宮邸などを経て赤坂プリンスホテル・文藝春秋ビルなどになっている。それにしても，ずいぶん広い屋敷地である。言葉で説明するよりも，地図をみれば一目瞭然，道路網・土地の区画が江戸時代からほとんど変化の無いことに驚かされる。溜池から続く谷が一つは清水谷に入り，西方へ入る谷は外堀を形成している。微地形は明治の地図に詳しい。四谷御門・赤坂御門の枡形は失われたが，今も残る石垣に往時の面影をみることができそうだ。地

下鉄の窓越しにみえる上智大学の運動場も，外堀の一部が埋め立てられたものであることがわかる。
　迎賓館（旧国立国会図書館・赤坂離宮）は，紀伊徳川家の屋敷跡で，明治5年（1872）離宮となり，同6年皇居炎上に際して仮皇居となり，同10年には太政官も移転してきた。明治図には喰違（見附）に面して正門がみられる。明治22年皇居竣工とともに仮東宮御所となった。赤坂離宮は明治31年起工，同41年完成したネオ・バロック様式の建築で，ベルサイユ宮殿を模したといわれているが（トイレの少ないところまでならったとか），内部の設備は当時のわが国最高のものであったと注目された。庭園側はルーブル宮東面にならったといわれている。
　弁慶橋は明治22（1889）年架橋，赤坂見附は東京オリンピックを機に高速道路・一般道路ともに立体交差化された。古い景観と新しい東京の姿の対比が最もすばらしいのがこの界隈ではなかろうか。

弁慶濠　Benkei-bori

Now, much of the outer moat is drained, or covered by the railway. The subway emerges briefly into the daylight at Yotsuya. Expressway flyovers span Akasaka-mitsuke. Sites that were once the Edo residences of *daimyo* (feudal lords) are now occupied by Sophia University and two major hotels — the New Otani and the Akasaka Prince. But under all the modernization what has not

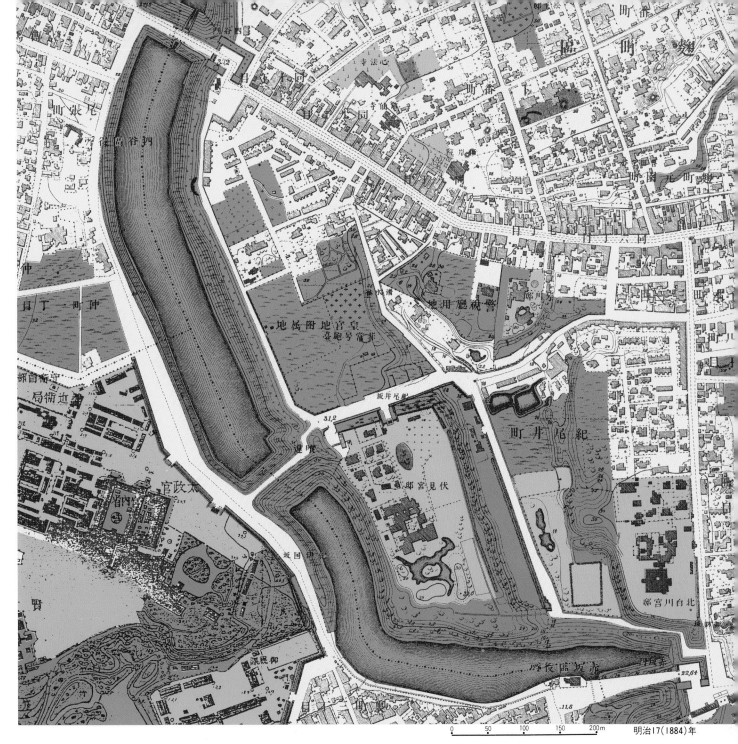

0 50 100 150 200m

changed over the centuries is the street pattern. There is an uncanny resemblance, even in minor details. The name *Kioi-cho*, too, made up of the initials of three important feudal clans, serves to recall the area's historical links with the *daimyo*. What is now the Geihinkan, or State Guest House, was a palace, rebuilt in French style in the 1900s as a symbol of the successful westernization of Japan during the Meiji Era.

迎賓館 Geihinkan

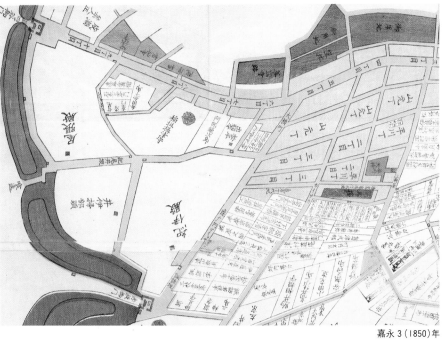

嘉永3(1850)年

昭和61（1986）年

BANCHO
番町

英国大使館　*The British Embassy*

　番町が旗本の屋敷地になるのは，明暦の大火（明暦3＝1657年）後である。外堀と内堀に囲まれた江戸城北西側の要地で，早くから武家地としてとくに役職付きの旗本を集住させたところであった。明治維新後，薩長と特別な係わりのあったイギリスは，いちはやく皇居と堀を一つ隔てた現在地に大使館を建設した。番町の旗本地では維新後の桑茶栽培運動により人口も激

減したが，官吏の住宅としてやがて高級住宅地化していった。また，文化人の居住地としても知られる。

　この地には多くの学校が進出している。二松学舎大学（明治10＝1877年創立），千代田女学園（明治21年創立），大妻学院（明治41年創立），女子学院（明治3年築地に創立，同13年現在地）三輪田学園（明治13年松山に創立，同35年現在地），新しいところでは東京家政学院（昭和14＝1939年創立）など，どちらかというと女子教育の先駆的学校が多い。

　昭和40年代以降，番町に大きな変化が起こった。マンション群の進出である。市ヶ谷からの通称テレビ通りに面し，企業のオフィスビルのラッシュ，それとともに背後の邸宅地に高級分譲住宅が進出し，様相が著しく変化しつつある。震災・戦災を経験した番町だが，土地の区画は幕末以後ほとんど変化はみられない。尾根部分を東西に通る二七不動通りの中ほどには商店街，東端近くには九段花街がある。東郷元帥の邸跡

は東郷記念公園となっており，南東に接する九段小学校は以前は東郷小学校といった。この公園に接する坂が東郷坂，反対方向に上る坂が行人坂で，その東方にローマ法王庁大使館がある。

　靖国神社の前身，東京招魂社は京都から明治2（1869）年移され，同12年靖国神社と改称された。明治維新から第二次大戦までの戦没者が祀られている。九段電話局の前を北に下る坂が一口坂（いもあらい坂），市ヶ谷見附は江戸三十六見附の一つで，明治図には升形が残るが現在面影は全くなくなっている。

Modern Bancho has TV studios, smart office buildings, and luxurious "mansion" apartment blocks facing its main streets, with older private residences on the slopes of the lesser streets behind. There are also a number of universities and colleges, especially colleges for women. Yasukuni Jinja is where Shinto enshrines the souls of those who die fighting in wars; its forerun-

明治17(1884)年

ner in Kyoto was moved here in 1869. The British Embassy has occupied its prestigious site facing the Palace since only a little later. Despite socio-political changes and the ravages of earthquake and war, the street pattern has changed little since Bancho's simply-numbered blocks (Ichiban to Rokuban: No.1 to No.6) were inhabited by the Shogun's hatamoto, military officers.

市谷の外堀　*The Outer Moat at Ichigaya*

嘉永5(1852)年

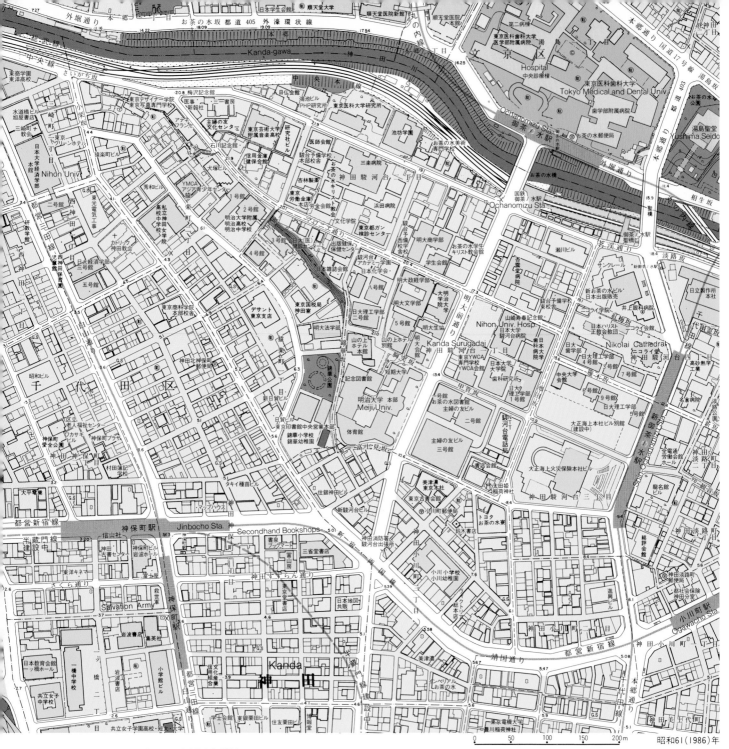

SURUGADAI　OCHANOMIZU

駿河台・御茶ノ水

　中央線の電車の窓から，神田川の流れと緑の斜面を目にすると，ほっとした安らぎを覚える。この掘割は元和2（1616）年，駿河台の北を切り開いて江戸城の外堀とし，同時に舟運の便をも図ろうとしたもので，平川（日本橋川上流・江戸川下流）は神田川となって隅田川と結ばれ，駿河台は本郷台と分かたれ，北の要害の地となった。明暦3（1657）年の大火（振袖火事）ののち，防災上の理由からこの付近の寺院を浅草や谷中に移した。吉祥寺は駒込（文京区）へ，門前の町屋は武蔵野（武蔵野市吉祥寺）へ移し，その跡はこの地図のほぼ全域にわたって旗本の屋敷地とした。

　明治維新後，交通の不便さと土地の低廉さから，主として低地に住宅が，台地に学校が集まってきた。これらの学校は南方内堀沿いの官学に対する私学として，当時の若者たちの意欲的

な勉学熱と，ようやく勃興しかけた工業技術習得の目的にかなうものであった。東京法学社（明治13＝1880年法政大学），法律経済専修学校（明治13年専修大学），明治法律学校（明治14年明治大学），英吉利法律学校（明治18年中央大学），日本法律学校（明治22年日本大学），独逸学協会学校（明治16年独協大学）など枚挙にいとまがないくらいで，ほかにも多くの学校がこの地区で産声をあげ，さらにこの付近を移動し，やがて現在の土地に定着した。対岸湯島の東京師範学校，東京女子師範学校はそれぞれ東京教育大学（筑波大），お茶の水女子大学として大塚に移る。これらの学生を相手とする下宿，飲食店，書店などがしだいに集まり，諸外国にも例をみないほどの古書・新刊書店街が形成された。書店街は神保町交差点を中心に東西靖国通り沿いと南北白山通り沿いにひろがる。近年地価の高騰にともない，この地域にも賃貸ビルが進出し，書店街も変貌しつつある。

　この地域から文京区にかけては，このカルチ

ェラタンを支える出版社，印刷・製本業者が集まり，日本の出版のほとんどを賄う。そんな地盤から労働運動の発祥地となり（明治30年ごろ），キリスト教の社会事業（YMCA，YWCA，救世軍）も始まっている。

Kanda is the centre of Japan's book trade, from mammoth publishing houses to tiny specialist secondhand bookshops. No other city in the world can boast such a concentration. The original impulse for all this academic activity came from the numerous colleges founded here in the Meiji Era, on the hilly slopes where people were not so willing to live (although the Shogun's *hatamoto* had lived here earlier). Unlike in the rest of Central Tokyo, several colleges have remained here as universities, even if many of them have also built bigger, duplicate campuses elsewere; Ochanomizu (Tea Water) has become a

fashionable place for young people to meet and enjoy themselves as well as study. The YMCA, YWCA, the Salvation Army HQ and Nikolai Cathedral represent another aspect of cultural activity here. The deep moat, now used by the railway and subway too, was cut through in 1616.

ニコライ堂 Nikolai Cathedral

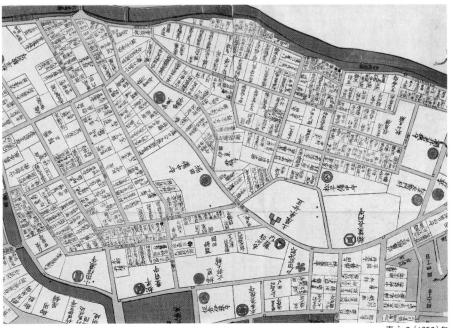

嘉永3(1850)年

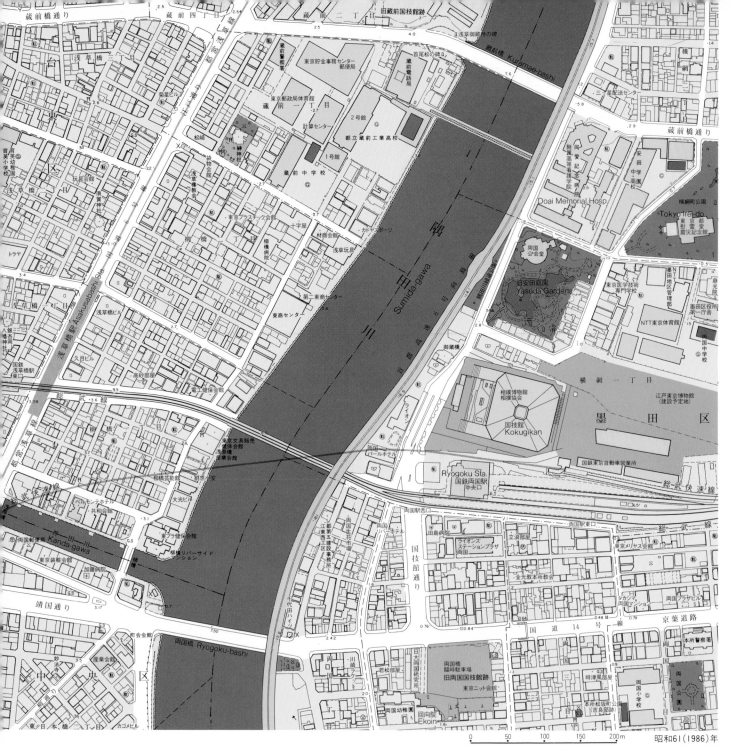

昭和61（1986）年

0　50　100　150　200m

KURAMAE　RYOGOKU
蔵前・両国

国技館　Kokugikan

　大川（隅田川）が中央部を流れる。古代隅田川は武蔵と下総の境界であり、この付近を両国（両岸に両国という地名があり、墨田区側が著名）といった。両国橋は万治2（1659）年架橋、明治36（1903）年鉄橋に改築、昭和7（1932）年

現在の橋になる。また両国には享保18（1733）年以来江戸の夏の風物詩、花火がある。戦後一時止められていたが、昭和53年再開された。ただし打上げ地は上流に移された。蔵前は元和6（1620）年幕府の米蔵の設置により米蔵の前が蔵前といわれるようになり、江戸有数の札差の町となった。もちろん隅田川の水運に依存してのことである。

　明治図の蔵前にある東京職工学校は、現在の東京工業大学の前身である。対岸の御竹蔵跡が明治に入り陸軍倉庫となった。ここの北東部が被服廠のあったところで、大正12（1923）年の関東大震災時に旋風が起こり、3万8000人余の犠牲者を出した。現在東京都慰霊堂（大震災の遭難者5万8000人と戦災による被害者10万5000人の霊を合祀して震災記念堂を改称）が建っている。大相撲の場所は、深川富岡八幡宮から寛政3（1791）年回向院境内に移転、その地内に明治42（1909）年大鉄傘とよばれた国技館が完成（第二次大戦後アメリカ軍に接収されてメモリア

ルホールとなり、のち日大講堂）、昭和25（1950）年蔵前国技館に移転（図上中央上端）、さらに両国駅北側の現在地に昭和60年新国技館が完成した。付近には相撲部屋も多く、やはり相撲は両国という感がつよい。回向院裏の小公園（本所松坂町公園）が、赤穂浪士討入りで名高い本所松坂町吉良上野介の屋敷跡の一部である。

　総武鉄道（現総武線）が本所（現錦糸町）から両国橋（現両国）まで延びたのが明治37（1904）年、都心の御茶ノ水との間が高架線でようやく結ばれたのが昭和7（1932）年であった。蔵前通り（国道6号線）は旧奥州街道で、前述の札差の町以来の商業の町であり、明治以後は問屋街として発達、玩具・人形・文房具を取り扱う店が軒を並べる。

Ryogoku means "Both Provinces": here the River Sumida formed the ancient boundary between the provinces of Musashi and Shimousa. *Kuramae* means "Before the Storehouses": rice supplies for Edo used to

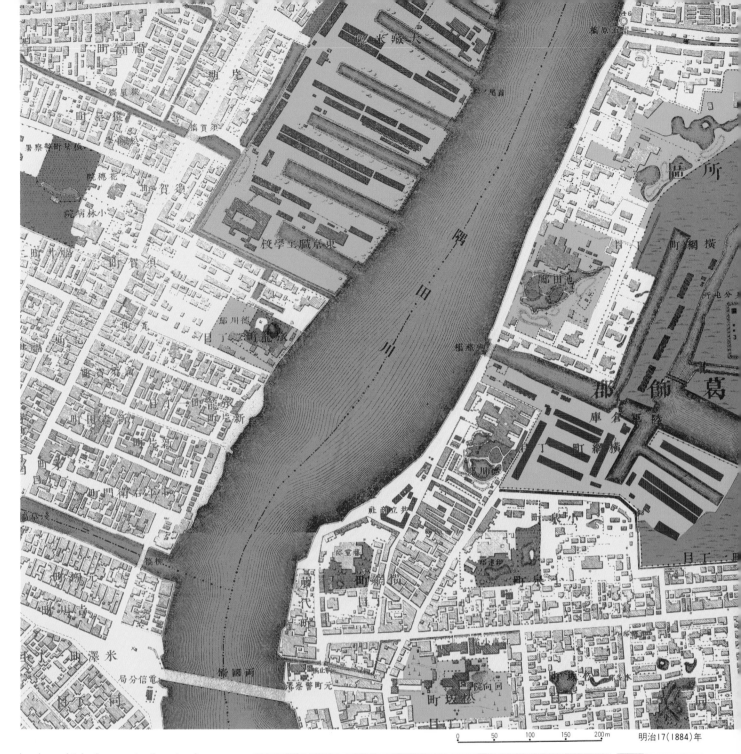

0 50 100 150 200m 明治17(1884)年

be brought in barges to the storehouses shown on the Edo and Meiji maps. It was at Ryogoku in 1733 that the Japanese tradition of summer firework displays was born. Sumo tournaments moved here from nearby Fukagawa in 1791. They moved over the river to the old Kuramae Kokugikan in 1950 and back again, to the new Kokugikan next to Ryogoku Station, in 1985. This area has had its full share of tragedy: a firestorm after the Great Earthquake claimed the lives of 38,000 people who had sought safety on some open ground. Tokyo-to Irei-do (Metropolitan Hall for Earthquake and War Victims) on that site commemorates 58,000 earthquake victims and 105,000 killed in wartime air-raids. The remains of 107,000 who perished in the Great Fire of 1657 are interred at the temple of Ekoin.

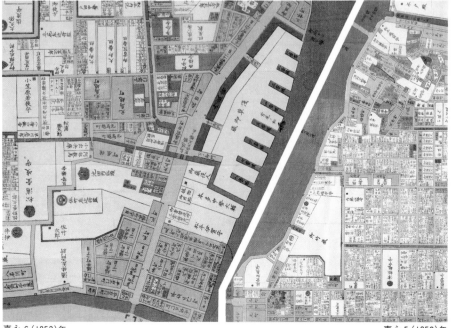

嘉永 6 (1853)年　　　　　　　　　　　　　　　　嘉永 5 (1852)年

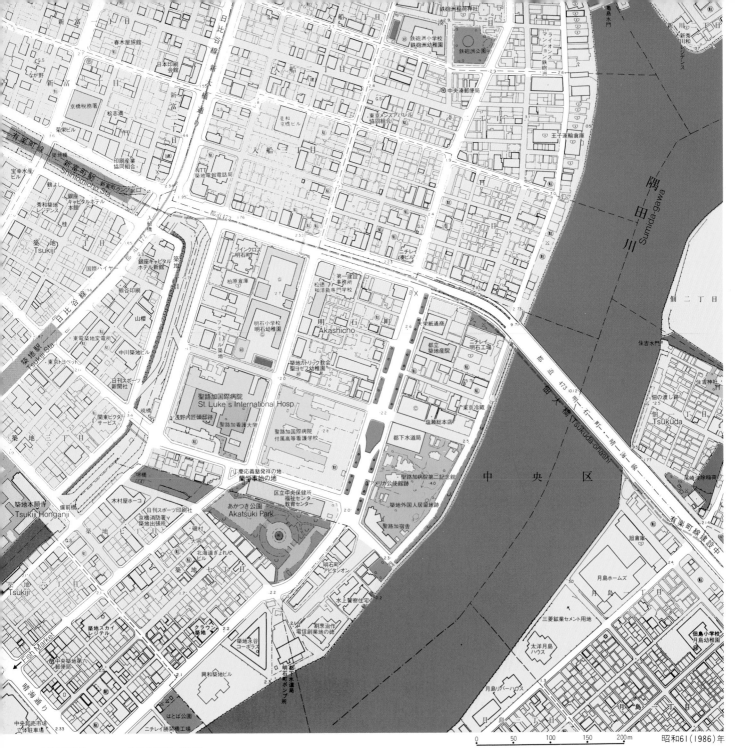

昭和61（1986）年

TSUKIJI　　　AKASHI-CHO

築地・明石町

築地の名は埋立地に由来する。鉄砲洲の一部に明治元（1868）年外国人居留地がおかれた。街中から離れた静かな海辺の土地はいちはやく宣教師の東京での拠点となり、立教大学、同女学院、青山学院（明治図では英和学校）、明治学院、女子学院など、その後の日本の教育界に大きな影響を与えたキリスト教系のミッションスクール発祥の地となった。聖路加病院（明治33年開設）は中津藩邸跡で、この藩邸で杉田玄白、前野良沢らがオランダの解剖書を翻訳したことは教科書にも取り上げられ、蘭学事始の碑として同病院の前にある。ここはまた同藩邸出身の福沢諭吉による慶応義塾大学発祥の地（同碑）でもあった。

居留地は、明石町、新湊町・新栄町（6・7丁目）、入船町（7・8丁目）にあたる。阿片の取引や貿易上の問題もあり、条約改正後の明治

33（1900）年に居留地は廃止されたが、築地から銀座にかけてはまさに"明治のカルチエラタン"であった。聖路加病院前は赤穂浅野邸で、松の廊下の刃傷事件で切腹した内匠頭邸跡の碑があり、明治図の東京運上所と横浜裁判所との間で行われた電信を記念して、電信創業地の碑も建っている。築地本願寺（浄土宗西本願寺築地別院）は明暦大火（明暦3＝1657年）後に現在地に移り、インド風の現在の建物は昭和10（1935）年の再建である。

佃大橋の築地側のたもとと佃島の川べりに佃島渡船碑がある。昭和39（1964）年佃大橋完成まで区内唯一の渡し船が残っていた。佃島は正保元（1644）年、摂津佃村（と大和田村）の漁師が幕府の命令で森孫右衛門に率いられ移り住んだところで、白魚漁の権利を持ち将軍家に白魚を献上していた。漁そのものは昭和11年ごろまで行われていた。佃島の氏神、住吉神社は摂津住吉大社の分社で、3年に1度の大祭は今も盛大である。

石川島は寛政3（1791）年人足寄場として埋立てられたもので、明治3（1870）年以降懲役場（石川島監獄）となっていたが、監獄は明治28年、巣鴨に移った。石川島造船所は水戸藩の造船所が明治になって官営石川島造船局となり、明治9年払い下げられたもの。今は大川端再開発事業が進められている。

This is land reclaimed in the Edo Period: hence the name *Tsukiji* (Constructed Land). When Tokyo became capital, a foreign settlement was decreed here, and until its dissolution in 1900 after the Unequal Treaties were revised, almost all foreign residents of Tokyo had to live here. Unlike the foreign settlements of other cities, the area became more of a *quartier latin* than a trading centre. Missionaries founded schools and a hospital. The schools have moved elsewhere, to become great universities; St. Luke's Hospital

88

大川

川

明治16(1883)年

聖路加国際病院 *St. Luke's International Hospital*

remains. The Indian-style Honganji Temple dates from the 1930s, but on an older site; World War II must be the only disaster this temple has survived. Tsukuda Ohashi (1964) put Tokyo's last ferry out of business. Fishing stopped here in the 1930s, but the Tsukiji fish market still thrives; the sea here used to yield fish for high quality *Edomae* (before Edo) sushi.

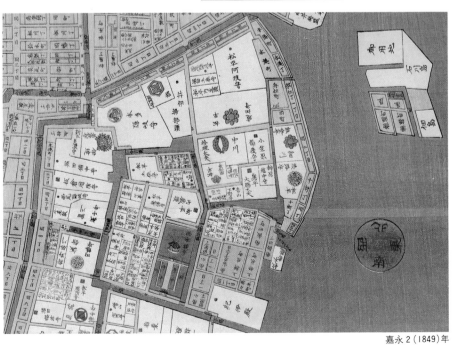

嘉永2(1849)年

地図でよむ市街の変遷 Ⅱ
Tokyo Close Up Ⅱ

解説＝清水靖夫

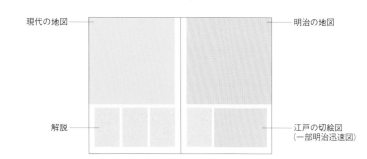

現代の地図

明治の地図

解説

江戸の切絵図
（一部明治迅速図）

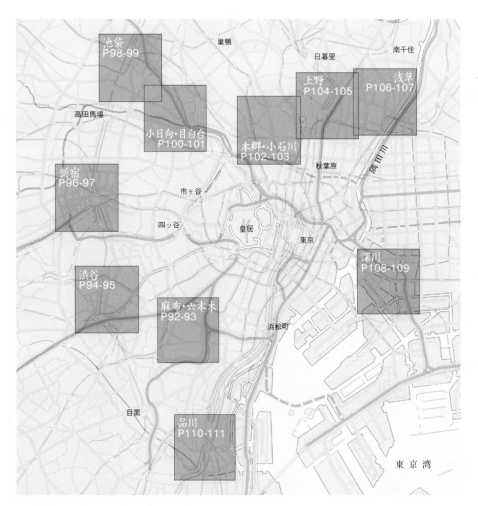

池袋
P98-99

巣鴨

日暮里

南千住

上野
P104-105

浅草
P106-107

高田馬場

小日向・目白台
P100-101

本郷・小石川
P102-103

秋葉原

新宿
P96-97

市ヶ谷

四ッ谷

皇居

東京

深川
P108-109

渋谷
P94-95

麻布・六本木
P92-93

浜松町

目黒

品川
P110-111

東京湾

おもな地図記号と凡例

現代の地図			明治の地図		
商店街における建物など	Ⅹ 警察署, 派出所		市街地	Ⅹ 警察署	
公共建物	Ｙ 消防署		その他	Ｙ 消防署	
普通の建物	〒 郵便局		水域	〒 郵便局	
公園	⑧ 銀行		田	⑧ 銀行	
林, 森林	⊞ 病院		畑地	⊞ 病院	
水域	⊓ 神社		草地	⊓ 神祠	
芝地	卍 寺院		竹林	卍 仏宇	
庭木	✝ キリスト教会		樹林	✝ 西教堂	
鉄道, 駅	⊥ 墓碑		桑畑	⊥⊥ 墓地	
鉄道と駅の地下部	⑪ 記念碑		茶畑	⋈ 水車房	
有料道路	⊗ 学校		芝地	文 学校	
道路	○ 区役所, 出張所		鉄道, 停車場	◯ 郡役所	
庭園内の道路	☆ 工場		おもな道路	◯ 区役所, 町役場	

江戸切絵図提供：江東区立深川図書館

昭和61（1986）年

AZABU　ROPPONGI
麻布・六本木

いま麻布というと，若者は六本木，年輩者は麻布十番が頭に浮かぶであろう。麻布を一口で言い表わせば，山手の繁華街・高級住宅街・大使館街といったところか。

麻布十番は，延宝3（1675）年古川の改修工事のさい，十番目の工区がこの付近であったことに由来するというが，ほかにも諸説あるようだ。麻布十番が正称となるのは住居表示以後である。この地は古川沿岸の西に日ヶ窪へ入る谷沿いの江戸期からの繁華街で，北から芋洗坂・饂飩坂（六本木から日ヶ窪へ下る坂）・鳥居坂・於多福坂・永坂，南から一本松坂・大黒坂・七面坂など坂名のオンパレードとなる。のれんを守る老舗も多く，古き良き時代をしのばせる。

六本木は台地上の交差点を中心に発達した新興の盛り場で，レストラン，クラブなどがにぎわっているが，一歩裏道に入ると高級住宅地と

なる。広尾は地下鉄日比谷線開通（昭和39＝1964年）以降，従来の商店街とは別に，外苑西通りに沿ってレストラン，ブティックなど若者向けの店が進出している。

六本木 Roppongi

六本木から麻布台にかけては，女子教育の名門東洋英和女学院（明治17＝1884年にカナダ・メソジスト教会が設立）がある。またソ連大使館の裏側には日本の経緯度原点（旧東京天文台子午儀子午環の中心）があり，東経139°44′40″5020，北緯35°39′17″5148，原点方位角（鹿野山方向）156°25′28″442で，日本中の位置はこれに拠っている。

明治図の曹洞宗大学林は後の駒沢大学，毛利甲斐守邸（赤穂浪士が預けられ，乃木大将が生まれた）跡が現在テレビ朝日になっている。有栖川宮記念公園は，南部藩邸から有栖川宮邸，高松宮邸となったのち昭和9（1934）年東京市へ下賜され，公園となったもので，都立中央図書館がある。元麻布1丁目の善福寺は浅草寺に次ぐ古い開山で，弘法大師ゆかりの柳の井戸があり，日米通商条約（安政5＝1858年）後，アメリカ公使館としてハリスが駐在した。また福沢諭吉の菩提寺で墓がある。賢崇寺には二・二六事件のさいの供養の墓がある。

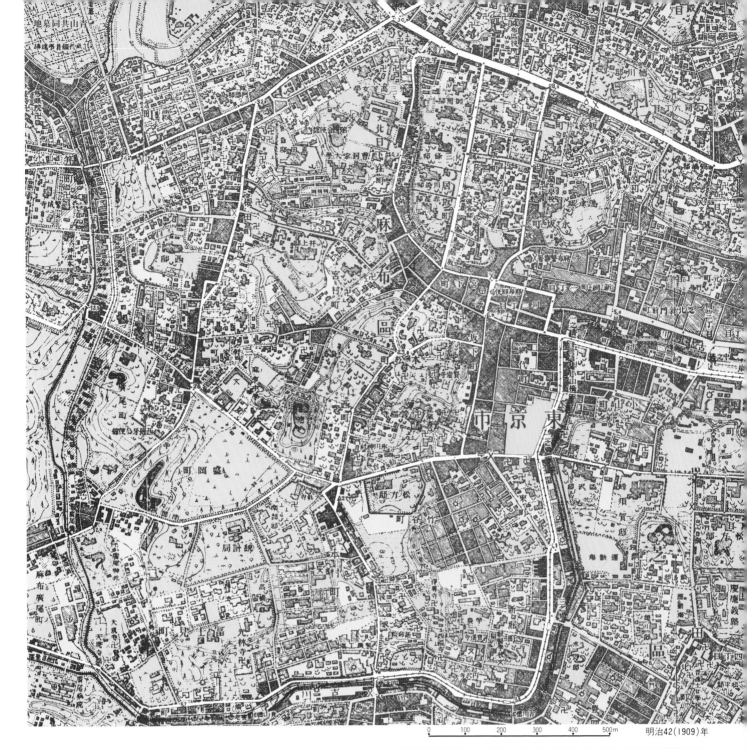

Azabu is best known as an area of luxurious residences, and embassies; indeed, Townsend Harris, the first American consul in Japan, had his consulate in the temple of Zenpukuji as early 1859. Roppongi (Six Trees), now world-famous for the wide variety of high-class entertainment provided around the cross-roads at the top of the hill, had humbler beginnings catering not for the jet-set but for soldiers from nearby barracks. Its modern exclusivity may be explained by its location near Azabu, but far from any major terminus. Japan's standard coordinates of longitude and latitude are fixed at a point behind the Soviet Embassy, where the Tokyo Observatory used to be.

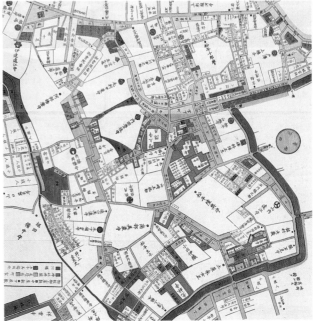

嘉永4(1851)年

左＝麻布十番納涼まつり l：Azabu-juban Summer Festival 右＝広尾 r：Hiroo

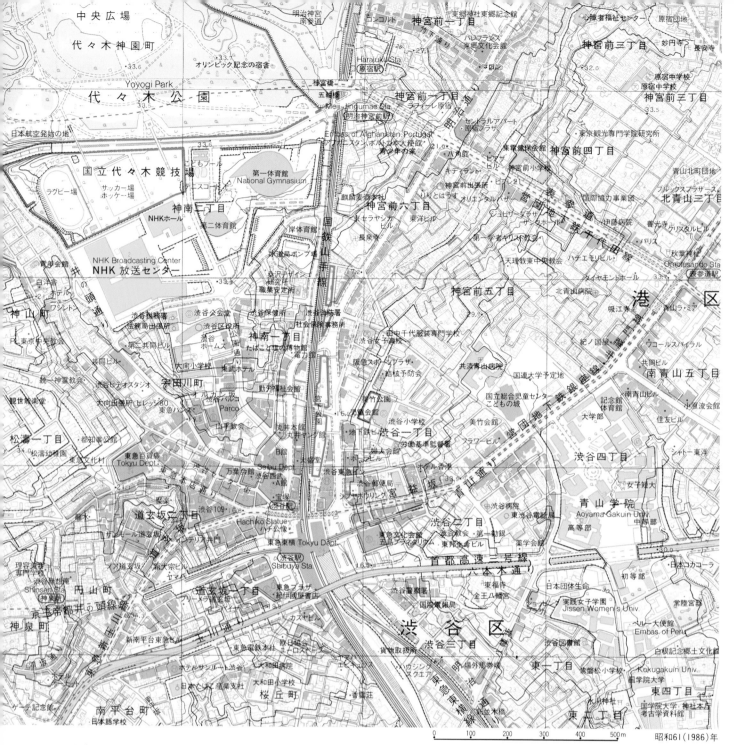

昭和61(1986)年

SHIBUYA
渋谷

渋谷駅ハチ公前　*Hachi-ko*

江戸時代の脇往還・大山参りの厚木大山街道（矢倉沢往還）が今の国道246号にあたる。明治13（1880）年の地図では坂に沿った宮益町までが赤坂区（現港区）となっており，15区内（旧市内）であったことがわかる。街道は宮益坂を下りると西からの宇田川が合流する付近で渋谷川を渡り，道玄坂を上る。その間茶畑（渋谷茶）を北側に，青山では東京英和学校（四国の西条

藩主松平左京大夫の下屋敷跡，明治7年救世学校，11年耕教学舎創立，現青山学院）の前を通り，果樹園（図中の黒点）と畑の中を抜けると渋谷川の低地の水田地帯に出る。渋谷川の谷沿いに，明治18年敷設された日本鉄道（現山手線）は，上・中・下渋谷村の中ほどに停車場を設置した。渋谷駅が街道沿いの現在地に移ったのは大正9（1920）年，駒沢練兵場へ行幸する天皇を列車が踏切で止めるという事態が起こり，立体化に伴い駅の位置も移されたのであった。

明治22（1889）年実施された市制・町村制によって渋谷村が成立，その後明治42年に渋谷町となり，昭和7（1932）年市域拡張で渋谷区が成立している。

渋谷駅東方の金王八幡付近は，堀ノ内の地名がみられるように渋谷氏の城址の地とされている。実践女学校は明治35（1902）年麹町から移転，鍋島農場は紀伊徳川家下屋敷を明治9年に鍋島家に払い下げ，松濤園という茶園を開くが，これが松濤の地名の源となる。明治40年玉川の

砂利も運ぶ玉電が開通，昭和2（1927）年東京横浜電鉄（現東急東横線），同8年帝都電鉄（現京王帝都井ノ頭線），同13年地下鉄が東横百貨店の3階に乗り入れ，一大交通ターミナルが成立した。忠犬ハチ公の銅像は昭和9年に建てられ，大戦中金属供出で姿を消したが23年再建され，絶好の待合せ場所として利用されている。旧衛戍刑務所跡は渋谷区の行政・文化の中心となり，東京オリンピックを機にNHK放送センターも千代田区から移転，西武百貨店も進出してくるなど，公園通りの舞台が整うことになる。

The Shibuya valley used to be famous for its tea and fruit trees. Shibuya-machi was not part of a *ku* until 1932, when Tokyo's limits were extended and Shibuya-ku came into being. The original station (1885) was moved to its present position when the railway was elevated above the main road in 1920. This was done so that the Emperor's carriage should not be held

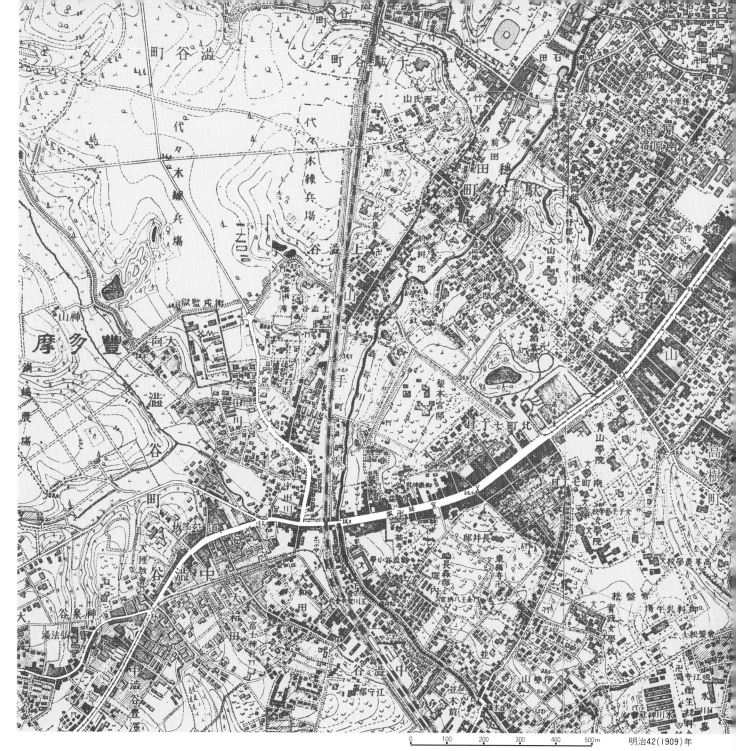

up at the level crossing there. The Hachi-ko Statue, Tokyo's favourite rendezvous point, appeared in 1934, was melted down for the war effort, and re-appeared in 1948. Since the 1960s, Shibuya has boomed. On the sites of the old military jail and manoeuvre grounds there are now the NHK Centre and the Olympic facilities, which with department stores and a wealth of smaller establishments go to make this an unparalleled spot for leisure and entertainment.

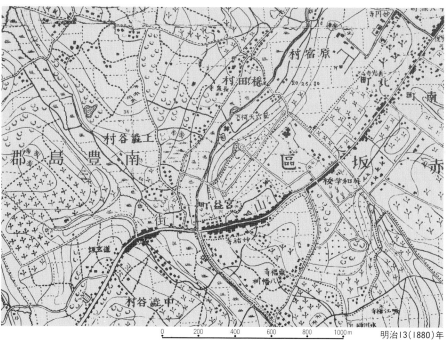

原宿表参道 *Omote-sando, Harajuku*

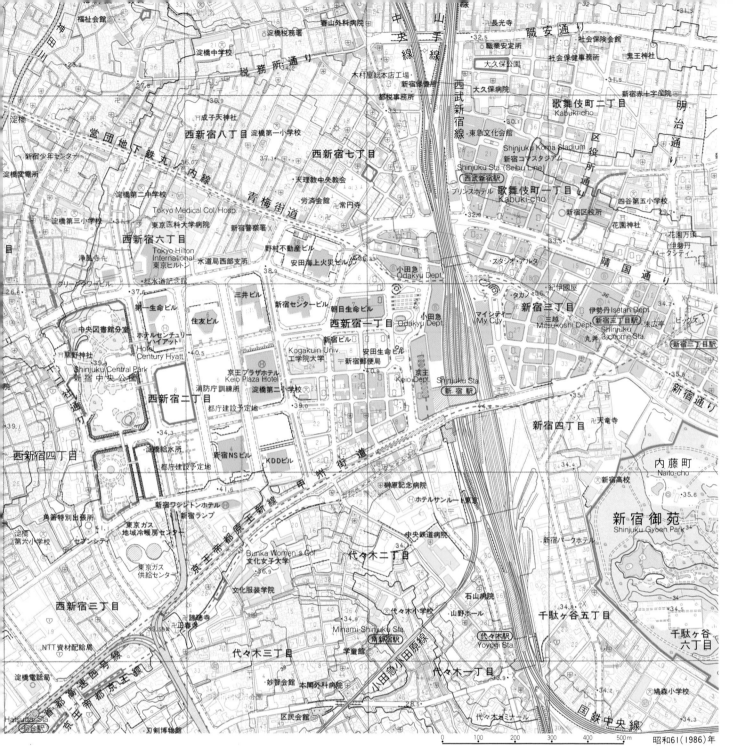

昭和61（1986）年

SHINJUKU
新宿

砂塵と馬糞の舞い上がる新宿は，今ではとても想像できないが，70～80年前の印象ではそんな町だったらしい。日本橋から最初の宿場高井戸までの道程が長かったため，元禄11（1698）年，信州高遠の殿様内藤氏の下屋敷の地続きに，新たに宿場が置かれ，それで内藤新宿とよばれるようになった。下屋敷は後に植物御苑となり，現在の新宿御苑にあたる。江戸西郊のこの宿場はやがて遊興の巷と化し（歌舞伎町の淵源はこの辺にあるらしい），風紀上から享保3（1718）年以降50年余り宿場が閉鎖されたこともあった。

明治18（1885）年，町はずれ西端に日本鉄道（現山手線）が停車場を造った。追分から西へ延びる青梅街道の最初の踏切事故の犠牲者はキツネの親子であったとか。今ほぼその位置に地下道が通っている。甲武鉄道（現中央線）が西方へ開通したのが明治22年，都心の飯田町から電車が運転され（同37年），駅の改良工事が同39年完成すると，日本鉄道との接続駅新宿駅甲州口（現南口）と，200mほど北に離れて新宿駅青梅口（現西口）と二つの新宿駅（停車場）が生まれた（大正13＝1924年まで）。大正4年には京王電軌（現京王帝都）が新宿追分と調布の間に開業，小田原急行鉄道は昭和2（1927）年に一気に小田原まで開業。街鉄（市電→都電）は早くも明治36年，追分・四谷見附間に開通，杉並線（武蔵水電→西武鉄道→都電）は大正10年に大ガードをくぐり東口に達した。

コレラの発生を機に淀橋浄水場が明治32年完成（昭和40年東村山へ移転）。明治35年六桜社（小西六写真）がその西隣に設立，専売局煙草工場は銀座3丁目から明治43年移転してきた。淀橋浄水場の跡地には昭和43年中央公園など副都心工事が完成，46年超高層ビル京王プラザが地上47階地下3階（170m）で完成した。現在は200m以上の高層ビルが林立するわが国一の超高層ビル地帯で，都庁の移転も間近い。

歌舞伎町 Kabukicho

Shinjuku means "New Inns." The Inns were new in 1698, when a new stopping place was set up near the residence of Lord Naito on the road to Takaido. The Naito residence is now Shinjuku Gyoen Park; its address is Naito-cho. Soon notorious for its illicit pleasures, Naito-Shinjuku was closed for 50 years in the 18th century. As late as the 1900s, Shinjuku was a remote western suburb, known for its dust and horse-dung.

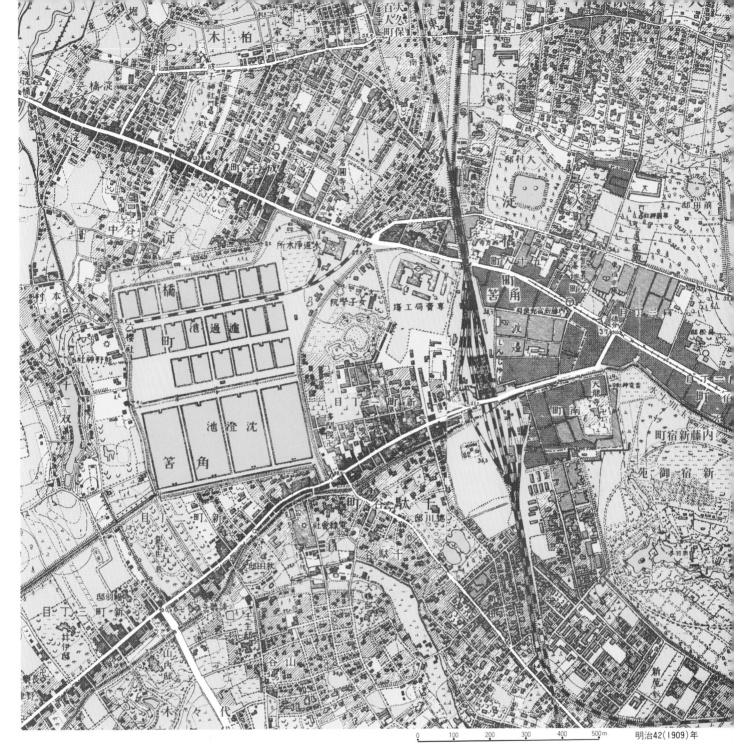

0 100 200 300 400 500m　明治42(1909)年

In 1899, to combat cholera, a large water filtration plant was built just west of the station, where Shinjuku's forest of tall buildings now stands. As can be imagined from its baffling complexity, the station itself and the railway companies that use it have an intriguing history since the railways first reached Shinjuku in 1885. The victims of the first level crossing accident here were a couple of careless foxes!

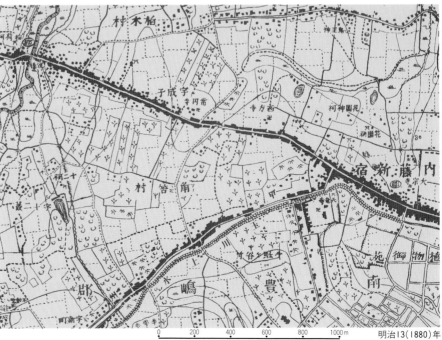

0 200 400 600 800 1000m　明治13(1880)年

新宿西口の超高層ビル群　*The Shinjuku skyscrapers*

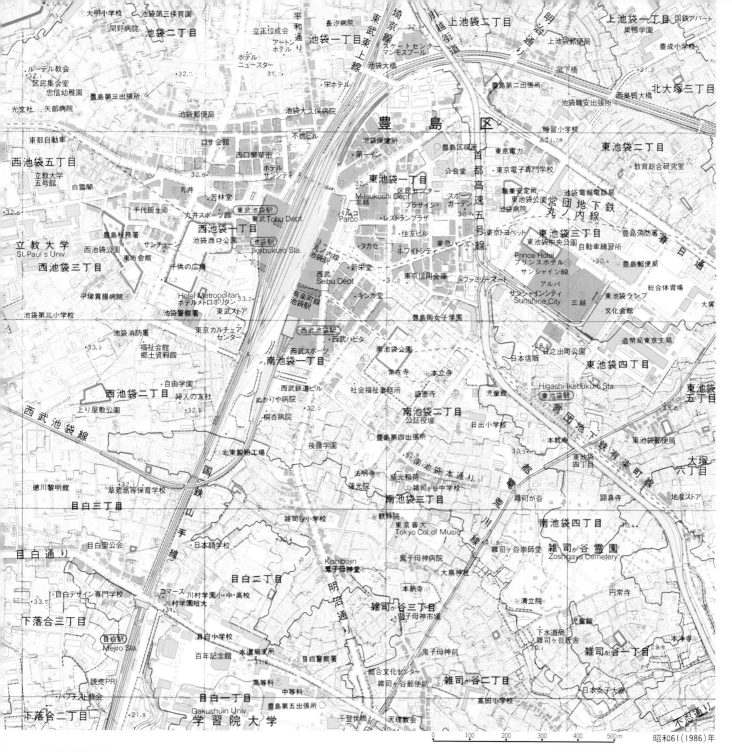

昭和61（1986）年

IKEBUKURO
池袋

サンシャイン60ビル Sunshine 60

　幕末から明治にかけての池袋，といっても池袋の村は今の池袋駅北西方の村落で，池袋駅付近は広々とした畑と雑木林・茶畑（トランプのクラブ型）がここかしこに散在する，武蔵野のどこにもみられる田園であった。主要な道路は池袋村から南の雑司ヶ谷村へ続く旧鎌倉街道ぐらいである。雑司ヶ谷村の鬼子母神には，江戸期から続いたススキのミミズクがあり，東京に残る数少ない郷土玩具として知られる。日本鉄道（現山手線）が明治18（1885）年に開通したとき，目白・板橋は停車場ができたが，池袋にはなく，明治36年にいたり豊島線の開通（現山手線・貨物線の位置）に伴って開業した。右上隅の真宗大学（後の大谷大学）が明治34年，東京府立尋常師範学校（後の豊島師範→現学芸大学）が明治42年，華族の子弟の教育機関学習院が新築移転してきたのが41年（以上，明治42年図），築地から立教大学が移転してくるのが大正7（1918）年，羽仁もと子の自由学園の創設が大正10年で，このころやっと町らしくなった。警視庁の監獄（巣鴨支所）が石川島からこの地に移転してきたのが明治18年，巣鴨監獄→同刑務所と名称は変わるが関東大震災のために府中に移り，跡地は昭和12（1937）年東京拘置所となり，第二次大戦後は東京裁判でスガモプリズンとして知られた。昭和46年小菅移転，その跡地は新都市開発センター用地となり，昭和52年完成のサンシャイン60（地上60階240m）は日本一の超高層建築である。

　池袋の東口は雑司ヶ谷墓地・根津山（根津邸）などがあり，東方への都市化は遅れていたが，昭和7（1932）年根津山を開削し護国寺方面と結ぶ道路ができ，それから都市化が進んだ。第二次大戦で雑司ヶ谷の一部，立教大学付近を除きことごとく戦災を被り灰燼に帰した。戦後区画整理による道路網は駅の東・西側ともに整えられたが，再開発による都市づくりは現在も進行中である。西側に東武，東側に西武と，鉄道とデパートとを控えた池袋は，埼京線の開通とともに副都心としての重要性をますます高めるであろう。

学習院 Gakushuin Univ.

明治42（1909）年

Ikebukuro has changed a lot, from an in-significant village to one of Tokyo's major termini. But the first trains (1885) ran through without stopping, until at last a station was opened in 1903. Not until after World War I did urbanization really begin, with St. Paul's University moving out from Tsukiji in 1918, to be joined by other, newly founded schools and colleges. Maybe because of the remoteness, Suga-mo Prison was erected in 1885; this is where war criminals were imprisoned and executed by the Occupation authorities after World War II. The site is now Sunshine City, with Japan's first building to reach 60 floors. In contrast to this ultra-modern feature of the skyline, the ancient Kishibojin temple not far from Zoshigaya Cemetery is one of those rare spots in central Tokyo that cling to old traditions and old crafts.

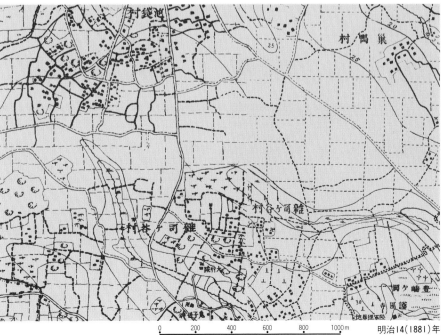

明治14（1881）年

昭和61 (1986) 年

0　100　200　300　400　500m

KOHINATA　MEJIRODAI
小日向・目白台

護国寺 Gokokuji

明治も終りに近づくと早稲田田圃もずいぶん住宅地化が進み、わずかに高い大隈重信邸の周囲に若干水田を残すのみとなった。関口（堰口）から取水された神田上水は、小日向の台地麓の小路に沿って後楽園に入る。小日向の台地上は寺院地・旗本屋敷地が占めていたが、維新後の空閑期も短く、明治末には住宅地化が進み、高級住宅地として現在に至っている。江戸川橋か

ら護国寺にかけての音羽は、江戸（東京）のほかの所と異なり、丁目が護国寺山門前からはじまる（通常は都心皇居に近いほうが1丁目）。神田上水北岸の台地上は、南に東京の町々を遠望する景勝の地で、明治の元勲山県有朋邸（現椿山荘）をはじめ旧華族などの邸宅が並び、一部は現在におよんでいる。護国寺は真言宗豊山派の大本山、5代将軍綱吉の生母である桂昌院の発願で天和元(1681)年創建、江戸屈指の大寺であった。隣接の豊島岡皇族墓地には明治5(1872)年以降に亡くなった、天皇・皇后以外の皇族が葬られている。台地上は文京区という区名の由来を示す地区で、東京高等師範学校（明治5年創立）は明治36年現在地に移転、昭和4(1929)年東京文理科大学を併設、24年東京教育大学と改称、筑波大学開設に伴い52年閉校した。お茶の水女子大学は明治7年東京女子師範学校として創立、東京女子高等師範学校を経て、関東大震災後現在地に移り、昭和24年現称となった。私学では明治21年跡見女学校（現跡見学園）、同33年台湾

協会学校（地図上では東洋専門学校、現拓殖大学）、同34年日本女子大学が開校している。天主公教会は東京カテドラル（聖マリア大聖堂）でカトリックの大寺院である。

早稲田大学は、明治15(1882)年東京専門学校として創立、拡張を重ね昭和38(1963)年には戸塚の地名の由来とされる富塚古墳のあった水稲荷付近まで校地としている。穴八幡は虫封じで知られ、近くの都立戸山公園で毎年秋流鏑馬の神事が行われる。牛込区（現新宿）側は第二次大戦で罹災後、区画整理が行われ、昔日の面影はほとんどなくなった。

This area was rapidly urbanized in the Meiji Era, so that by the turn of the century paddy fields remained only around the relatively high ground of Marquis Okuma's residence. Okuma founded Waseda University, whose expanded grounds now include the old residence. Ochanomizu University moved to Otsuka after the Great

Earthquake, and Otsuka was also the location for a series of colleges that eventually became Tokyo University of Education before moving out to become Tsukuba University (Ibaraki-ken) in 1977. Kohinata, a typically traditional residential area, lies just south of here. Gokokuji is an important temple founded in 1681 by the 5th Shogun Tsunayoshi (who harshly punished anyone unkind to dogs); behind it the remains of Imperial Family members, except for the Emperor and Empress themselves, have been interred since 1872. The Catholic St. Mary's Cathedral and Japan Women's University are not far away, near to Chinzanso, an old nobles' residence now a banqueting complex famous for its gardens. The rising ground here used to command panoramas of the city centre to the south, which modern buildings now blot out.

東京カテドラル St. Mary's Cathedral

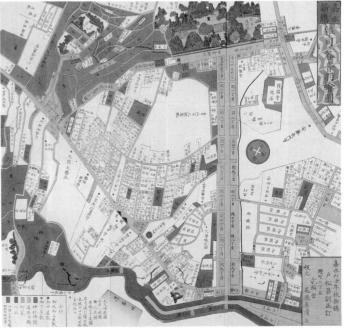

嘉永6(1853)年

昭和61（1986）年

0 100 200 300 400 500m

HONGO　KOISHIKAWA
本郷・小石川

　本郷台地と小石川の谷である。本郷は「湯島の本郷」から独立したもので，小石川の谷と藍染川の谷に挟まれ，向ケ丘とも呼ばれる。「本郷もかねやすまでは江戸のうち」はよく知られた川柳だが，そのかねやすは本郷3丁目に今も化粧品・小間物屋として残る。元禄のころ口中医師の兼康祐元が乱香散という歯磨きを出して大いに当たったという。東京大学は加賀藩前田家の上屋敷跡で，漱石の「三四郎」の舞台となった三四郎池付近に，わずかに往時の面影を残す。東大は幕府の昌平校・開成所・医学校などが統合されて明治10（1877）年創立，重要文化財の赤門が通称となっている。北側の弥生門を出た弥生1丁目に，弥生式土器由来の碑がある。東大前の本郷5・6丁目付近は学者・文人の遺跡も多いが，かつての下宿屋や修学旅行の旅館はほとんど姿を消し，菊坂など往時をしのぶ地名も少

なくなった。西片町はかつて福山藩阿部氏の屋敷で，西片幼稚園がある。
　泉鏡花の「婦系図」で知られた湯島天神は文和4（1355）年勧請，太田道灌が再興，近年は合格祈願する受験生の絵馬が多い。妻恋神社は日本武尊由緒の神社でかつては大きな面積を占めていた。湯島聖堂は明正7（1630）年上野忍岡に創建されていたのを，元禄4（1691）年5代将軍が移させたもので，幕府の官学である儒学の本拠で孔子廟，西隣には昌平坂学問所（昌平校）があった。その跡は東京高等師範学校となり現在東京医科歯科大学，順天堂医院がある。

後楽園遊園地 Korakuen Amusement Park

　後楽園は水戸徳川家の上屋敷跡で，特別史跡・名勝に指定されているが，庭園は野球場の西にひっそりとした別世界をつくっている。水戸家屋敷の大部分は明治12（1879）年砲兵工廠となり，昭和11（1936）年後楽園スタジアム株式会社が設立され，翌年スタンドが完成した。第二次大戦中は高射砲陣地に使われ，戦後は一時占領軍に接収されたが21年返還，現在に至っている。周辺は遊園地としてもにぎわっている。
　飯田町の貨物駅は堀留川の水運と甲武鉄道との接点であった。神田上水は，水道橋下流で樋で川を渡り，江戸市中に入っていた。

東大赤門 Tokyo Univ., Aka-mon

明治42(1909)年

The two major *daimyo* estates that used to be in this area now have rather different functions: the Maeda estate has become Tokyo University, while most of the Mito estate is now the Korakuen sports and recreation complex. What they do have in common is that entrance to either Todai (short for *Tokyo Daigaku:* Tokyo University) or the Yomiuri Giants baseball team, whose home ground is at Korakuen, is regarded as the supreme achievement in those respective fields.

Both places also retain important links with the past: Todai's Akamon (Red Gate) has been designated an Important Cultural Property, and the old Mito estate gardens, preserved as a Place of Special Historical Interest, present a truly remarkable contrast to the baseball stadium behind which they lie.

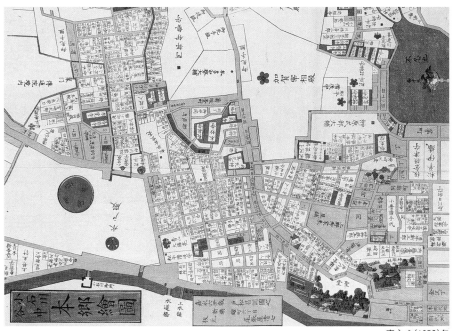

嘉永 6(1853)年

UENO
上野

不忍池 Shinobazu-no-ike

上野の山は、芝の増上寺に対応するような東叡山寛永寺の寺院地であった。山下から浅草にかけても江戸の北の玄関奥州街道にむけて寺町がつくられた。

慶応4（1868）年、彰義隊と官軍との戦いによって山上の文化財は灰燼に帰し、やがて明治維新を迎えることになる。明治3（1870）年、大学東校（現東大の一部）用地となって病院建設が決まり、同5年には兵部省の陸軍病院・同墓地用地へと転化していく。そんなころ、東京に立ち寄ったオランダの軍医ボードワンは、上野の地形を見て台地上の病院建設に反対し、ヨーロッパの例をあげて公園の建設を太政官に建白した。上野公園の開園式が行われたのは明治9年5月であった。

東京市中はすでに都市化が進んでおり、平坦地に鉄道建設を行う拠点として上野山下が選ばれ、わが国初の私鉄日本鉄道によって上野駅が設けられた。明治16（1883）年上野・熊谷間が仮開業し、翌17年には高崎まで延長し、開業式が行われている。

明治図の公園には明治15（1882）年開設の博物館・動物園がみられ、博物館南方の建物は博覧会の陳列場である。明治20年、21年と音楽学校・美術学校（現芸大）が現在地に移転、同30年鉄道学校（現岩倉高）創立、31年西郷さんの銅像（立像記号）も除幕された。明治39年日本鉄道は国有化され、さかのぼって23年地元民の反対を押しきり上野・秋葉原間の貨物線が開業している。不忍池の周囲は共同馬車会社の馬場があり、競馬も行われた。

関東大震災（大正12＝1923年）は下町を焼き尽くし、住宅地を山手へ移し、昭和通りが誕生する。神田への高架線は大正14年、東洋初の地下鉄も昭和2（1927）年に開通した。威容を誇る上野駅は同7年落成した。

昭和23（1948）年、下谷・浅草が合併して台東区となり、同37年以降住居表示のモデル地区として町名の変更が著しい。昭和60年、東北・上越新幹線が上野地下駅へ乗り入れ、東京の北の玄関としての重要さをますます加えている。

新幹線上野駅 Ueno Shinkansen Platforms

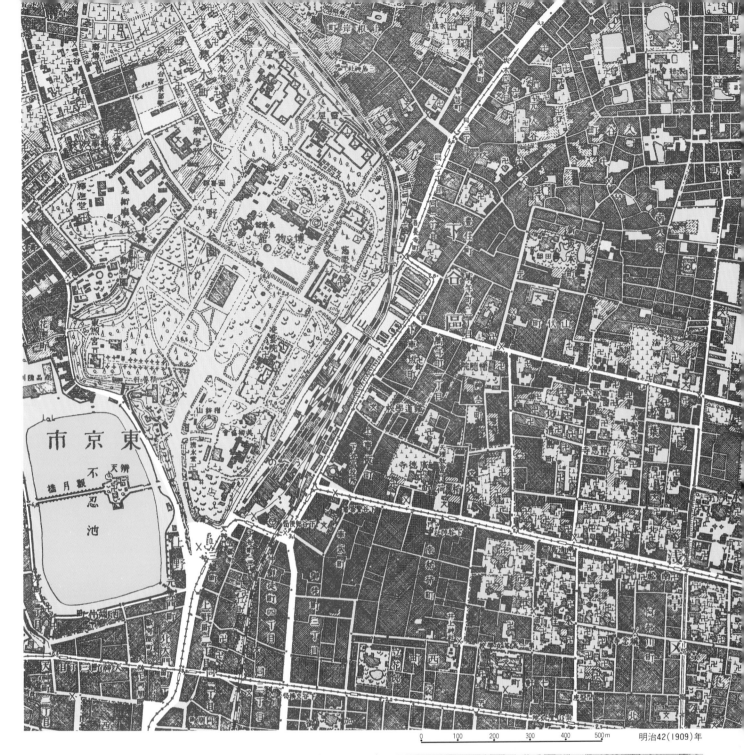

市京東

不 辨
観 天

橋 月

忍

池

Ueno has long served as the gateway to the North: first for the old Oshu-Kaido (now Route 4), then for the railways, and since 1985 for the Tohoku and Joetsu Shinkansen lines. The old shrines and temples at Ueno were destroyed in the 1868 pro-Tokugawa rebellion. A Dutchman objected to Meiji government plans for a hospital on the spacious site he proposed a park instead. But the tradition of cherry blossom parties *(hanami)* here is much older than that. The zoo and the first museum appeared in 1882, soon to be followed by other cultural institutions. The statue of patriotic rebel Saigo Takamori was unveiled in 1898. The lake (Shinobazu-no-ike), which had horse races round it for several years, was the scene of thousands of tragic deaths caused by the fires after the Great Earthquake. To foreign visitors, Ueno may seem off the beaten track, but it thrives as a terminus and shopping centre. Good bargains are to be had in its alleys of stalls and booths, such as Ameyoko.

昭和61（1986）年

ASAKUSA
浅草

下町文化の中心地"浅草"と言ったら過言だろうか。瓢箪池に十二階，そしてロック座……オペラからストリップショーにいたるまで，常に庶民文化を先取りしていたのが浅草であった。

浅草の中心はもちろん観音さまこと金龍山浅草寺。武蔵国有数の古刹で，門前町はやがて江戸東北部の町並へと発展する。在原業平が「名にし負はばいざ言とはむ都鳥……」と詠んだのは隅田水駅であろうといわれ，武蔵と下総を結ぶ浅草橋場の渡し付近が隅田川の渡河点に比定されている。今は歌舞伎や落語の世界に残る幕府公認の遊廓新吉原は，浅草千束の田圃を埋め立て，明暦の大火（明暦3＝1657年）後，日本橋から移された。天保の改革（天保13＝1842年）で，同じく日本橋方面から丹波園部藩の小出氏の下屋敷跡に集められた芝居小屋の町が猿若町で，守田座が明治5（1872）年に新富町に移る

まで江戸中の人々を集めた。明治6年浅草公園が設置され，同23年に建てられた十二階（凌雲閣）は震災まで浅草の景色を代表した。日本最初の活動写真は明治36年電気館にはじまり，オペラ，カジノフォーリー，笑いの王国へと発展，松竹少女歌劇，女剣劇も記憶に新しい。浅草寺本堂が戦災から再建されたのが昭和33（1958）年，同48年には五重塔も復元された。

はじめ浅草は交通をもっぱら市電，後の都電に頼っていたが，都電の廃止など交通体系の変化も盛り場異変の一因として見逃せない。東洋初の地下鉄が昭和2年上野・浅草間に通じ，東

浅草寺 *Asakusa Kannon*

武鉄道が昭和6年隅田川を渡って松屋の2階に乗り入れ，近年は都営地下鉄が南端を通る。

5月の三社祭り，11月のお酉さま（鷲神社），また待乳山の聖天さま，高速道路と防潮堤にさえぎられてしまったとはいえ向島堤や三囲神社をはじめ，江戸情緒を豊かに残すものも多く，桜橋の開通，水上バスや2階建てバスの運行など，浅草はなお健在である。

This is the centre of the Shitamachi — not exactly "downtown," but rather the "Low City" — where the common people of Edo/Tokyo have always come for their devotions and entertainment. The Asakusa Kannon Temple, more correctly called Sensoji, is a postwar reconstruction; there has been a temple here ever since, according to legend, three fishermen found a tiny image of the Kannon (Goddess of Mercy) near this spot in the 7th century. There are regular festivals here and at

明治42(1909)年

other temples and shrines nearby. Shops and stalls cluster round them, along with all forms of popular entertainment. Not far away is the old licensed quarter of Yoshiwara, renamed Senzoku since prostitution was officially banned in 1958. Asakusa has been a pioneer in its time: Tokyo's first skyscraper, the 12-storey Asakusa Junikai, was here 1890-1923; Japan's first cinema opened in Asakusa in 1903; Asia's first subway began running between Ueno and Asakusa in 1927.

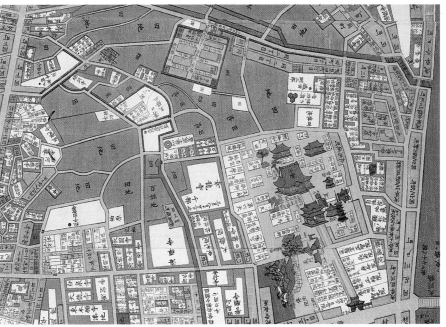

嘉永6(1853)年

隅田公園 *Sumida Park*

FUKAGAWA
深川

富岡八幡宮 Tomioka-hachiman

大川（隅田川）を永代橋で渡ると，新吉原の派手に対して辰巳の粋でならした深川の地である。深川は江戸時代からの埋立地で，明治図にみられる木場の木材貯蔵の池は，砂州背後のラグーン（潟湖）を利用したものであろう。木場は慶長9（1604）年徳川家康が江戸城普請のために木材商人を集めたことに由来する。明暦の大火（明暦3＝1657年）以後は隅田川岸の永代島（現佐賀）の貯木場，猿江と移り，元禄14（1701）

年には現在の木場に移ったが，近年沿岸の埋立てで内陸化し，往時よりも水上交通が不便となり，東京湾の埋立地夢の島南側の新木場に移った。元禄11年永代橋が架橋，早くから町屋が形成されていた深川は一段と便利になった。深川の中心富岡八幡宮は寛永4（1627）年創建，祭りは日枝神社，神田明神と並ぶ江戸三大祭りにも数えられ今に続いている。貞享元（1684）年以来大相撲の興行も境内で行われ，谷風と小野川の対決など数々の名勝負を生み，寛政3（1791）年本所の回向院の境内に移るまで続けられた。今も境内に横綱力士の碑がある。西隣が深川不動（成田山新勝寺別院）で，門前のキンツバをはじめ，あげまんなど昔懐かしい店が並ぶ。深川八幡南東方平久橋西詰と洲崎神社にある津浪警告碑は，低湿な埋立地のために洪水・高潮の被害が度重なり，その警告として幕府が建てさせたものである。

越中島は明治初頭陸海軍の調練が行われたところで，西端の明治天皇聖蹟の碑は調練を見に

たびたび行幸したことの記念である。東京商船大学（旧高等商船学校）は，明治35（1902）年京橋区銀町から移転，その明治丸は明治7年イギリスから購入した現存する最古の洋式帆船で，戦前まで現役をつとめ，重要文化財の指定をうけている。深川は震災・戦災の被害は都内でも有数のものであったが，今日そのかげりはない。しかし地盤沈下の影響は著しく，かつての水上交通路は防潮堤に囲まれ，平坦なはずの下町の道路は橋を渡るたびに大きく上下する。

Now it is part of Koto-ku, but Fukagawa-ku was one of the old 35 wards of Tokyo City. There have been lumberyards (*kiba*) at the mouth of the Sumida ever since Tokugawa Ieyasu ordered quantities of wood for Edo Castle in 1604. The wood is immersed in water to preserve it, and so the lumberyards have moved gradually outwards as land has been reclaimed. The subway station at the place still called

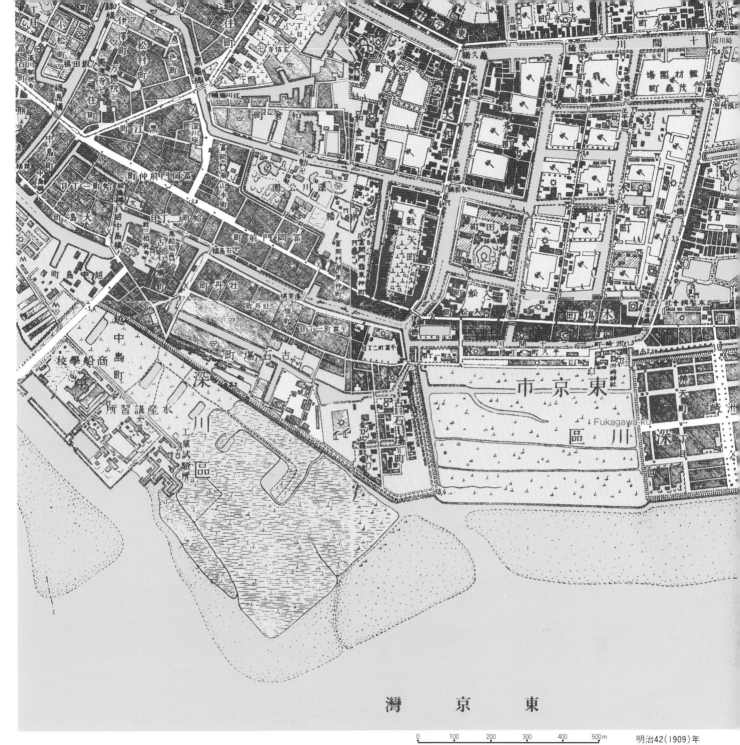

灣 京 東

Fukagawa-ku

Kiba is now some way inland. There are several ancient temples and shrines here, of which the main one is the Tomioka-hachiman Shrine. Its annual festival, held since 1627, counts as one of Edo's three greatest; for over 100 years this shrine was the location for sumo tournaments, before they moved to nearby Ryogoku in 1791. The Meiji-maru, a sailing ship purchased from Britain in 1874 and in active service until 1945, is now preserved at Tokyo Mercantile Marine University (Shosen Daigaku).

横綱力士の碑 Yokozuna monument

嘉永5（1852）年

昭和61（1986）年

SHINAGAWA
品川

　品川駅の南に北品川駅がある。クイズのようなナンセンスが生じたのは、官設鉄道の品川駅が品川宿からうんとんぜられ、高輪に置かれたことに起因する。明治5（1872）年、官設鉄道は芝区高輪地先の埋立地に品川駅をつくった。鉄道唱歌に歌われた、台場もみえて海あおく海の彼方に上総・房州が見える様子は、明治の地図からならば可能だし、第二次大戦ごろまでは実際にみえていた。

　江戸四宿の一つ、東海道の初めての宿場品川は、吉原の北国に対して南国とよばれ繁栄し、江戸切絵図にも芝の延長上に顔をのぞかせる。宿場は目黒川の自然堤防上に立地、カスプ（洲崎）上には猟師町（明暦元＝1655年）や新地もできている。明治38（1905）年京浜電鉄（現京浜急行）が開通し、北品川宿（目黒川北岸）に停車場を設置したのが北品川駅（実際には歩行

新幹線車両基地 *Shinkansen yards*

新宿）で、国鉄とちがい、こちらが本当の品川である。近年北品川以南が高架化され、踏切の廃止により安全とスピードアップが図られた。山手線は明治18年、官設鉄道の品川と日本鉄道の赤羽とを結ぶために日本鉄道の手により建設され、同34年に大崎駅が開業している。

　台地上は旧皇族・華族の邸宅が広い面積を占め、岩崎邸は関東閣として今も残るが、大部分はホテル・学校へと姿を変えていった。目黒川

沖積低地の水田地帯は地価低廉のせいもあって工場用地化が進んだ。明治2（1869）年には官営ビール工場ができたといい、同6年北品川の東海寺境内のガラス工場が工部省品川硝子製造所となり、のち41年三共（製薬）の工場の一部として利用されていたが、近年明治の煉瓦建築物として明治村（博物館）に移築されている。ほかに日本ペイント（明治29年）・明電舎（同45年）など続々とつくられ現在も工業地帯を形成している。第二次大戦後は東京湾岸の埋立てで、ここも工業地化が進んでいる。旧品川宿内には東海寺（沢庵・賀茂真淵墓）、品川神社、品川寺をはじめ史跡も数多い。

Shinagawa was a stage on the old Tokaido road from Edo to Kyoto, and so has a long history of settlement. Now, the old *daimyo* residences have become hotels or educational institutions, and an area that used to be crowded with inns has become a stretch of mediocre shops and factories.

明治42(1909)年

Industry also occupies the reclaimed land on the bay side of the railway. Until not long before World War II the bay side actually was sea, and there were views across Tokyo Bay to the Boso Peninsula. In fact, the modern Shinagawa station is not even in Shinagawa-ku. Shinagawa proper is further south, around the river, Meguro-gawa, and Kita-Shinagawa on the Keihin Kyuko Line.

東海寺 *Tokaiji*

嘉永3(1850)年

東京最新地図

Tokyo Now

1：50 000（伊豆諸島・小笠原諸島 1：100 000）

◀ 高尾山付近を走る中央自動車道
The Chuo Expressway near Takao-san

地図記号

━━━	都・県界		高速道路	◎	市役所	・ 指示点
───	区・市・町・村界		有料道路	○	区役所・町村役場	△ 山頂
━━━ 地下部	国鉄		国道	⊗	警察署	市街地
─── 建設中	私鉄		幹線道路	Ⓨ	消防署	集落
─── 建設中	私鉄の地下部分		主要道路	⊕	普通郵便局	公園・緑地
━━━	都電		その他の道路	Ⓣ	電話局	平地
┝┿┿┥	ケーブルカー		建設中の道路	⊗	学校	山地
─o─	リフト			●	神社・寺院 名所旧跡	等高線の間隔は20m

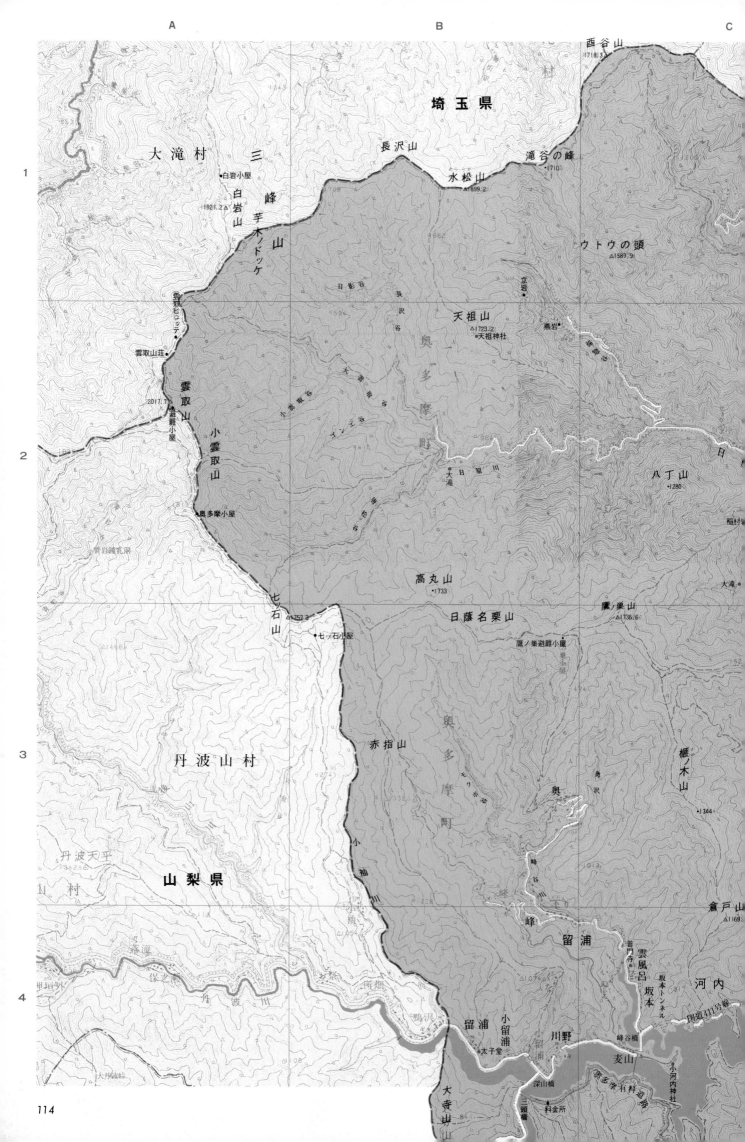

A   B   C

西谷山
1718.3

埼玉県

長沢山
滝谷の峰
1710

1

大滝村
三峰山
白岩小屋
白岩山
1921.2△
芋木ノドッケ

水松山
1699.2

ウトウの頭
1587.9

日影谷
立岩

長沢谷

天祖山
1723.2
天祖神社

燕岩

雲取ヒュッテ

雲取山荘

奥多摩町

大雲取谷

雲取山
2017.7△
避難小屋

小雲取山

八丁山
1280

2

日原川
大滝

小雲取谷

奥多摩小屋

高丸山
1733

大滝

丹波山村

七ッ石山
1757.3
七ッ石小屋

日蔭名栗山

鷹ノ巣山
1736.6
鷹ノ巣避難小屋

栃ノ木山

赤指山

奥多摩町

奥沢

1344

3

丹波天平

山梨県

小菅川

峰谷川

倉戸山
1169.

村

留浦

雲風呂
坂本

河内

坂本トンネル
国道4口号線

鴨沢

留浦
小留浦
川野
太子堂
深山橋

麦山
峰谷橋

4

大寺山

三頭橋
料金所

奥多摩有料道路

小河内神社

114

Oku-Tama
奥多摩

P118, 119
P122, 123
P126, 127
P130, 131
P116, 117
P120, 121
P124, 125
P128, 129
P132, 133

0   500   1000m

太平山

秩父市

E

名栗村

天目山
(ミツドッケン)
△1576.0

一杯水避難小屋

仙元峠

蕎麦粒山
△1472.9

鷲麦粒山

日向沢ノ峰

長屋丸山
△958.4

奥多摩町

籠岩
燕岩
日原国際マス釣場
滝入ノ峰
△1310.0

獅子口小屋

百尋ノ滝

川乗山
1363.7△

梵天岩
石山神社
日原鍾乳洞
釜の滝
日原ヒュッテ

倉沢鍾乳洞

笙ノ岩山
△1254.8

倉沢

真名井沢

川

日原

日原

日原隧道

聖滝

速滝

赤久奈山
923.6△

六ッ石山
△1478.9

小菅
大沢
日原

大沢国際マス釣場

寺地

本仁田山
△1224.5

峰

水産試験場

古里附

棚沢

将門神社

坂下

古里附の滝

寸庭

安寺沢
氷川国際マス釣場

氷川山荘

白丸
青梅

奥多摩町役場
町役場
おくたま

青梅街道

氷川トンネル

鳩ノ巣渓谷
国民宿舎
鳩の巣キャンプ場

鳩ノ巣渓谷荘

三ノ木戸

栃久保

城

氷川

南氷川

大氷川

青梅線

水産試験場

城山
△759.8

奥

多

摩

羽黒三田神社

氷川キャンプ場

数馬渓谷

日向

海沢

下野

海沢梅林

日原川

多

境

町

氷川町

奥多摩
警察署

奥多摩駅
登計

小留浦

南氷川

長畑

神庭

中野

海沢キャンプ場

水根沢キャンプ場

中山

奥多摩荘

中山トンネル

桃沢トンネル

境渓谷
キャンプ場

檜村

攀平橋
橋

赤天橋

大沢

国民宿舎
思渓荘

水根

白髭の大岩
白髭トンネル

虎橋

橋詰トンネル

物岳渓谷

天地山
・981

大塚山
920.6△

大麦代トンネル
湖底の故郷の碑

奥多摩郷土資料館

道所

梅久保

栃寄

1046.7

原

小河内ダム

温泉神社

熱海

奥多摩湖

サス沢山
△940.0

栃寄大滝

鋸山

ネジレ滝
大滝

三ッ釜滝

奥院

避難小屋

御前山
1405.0

避難小屋

檜原村

E

115

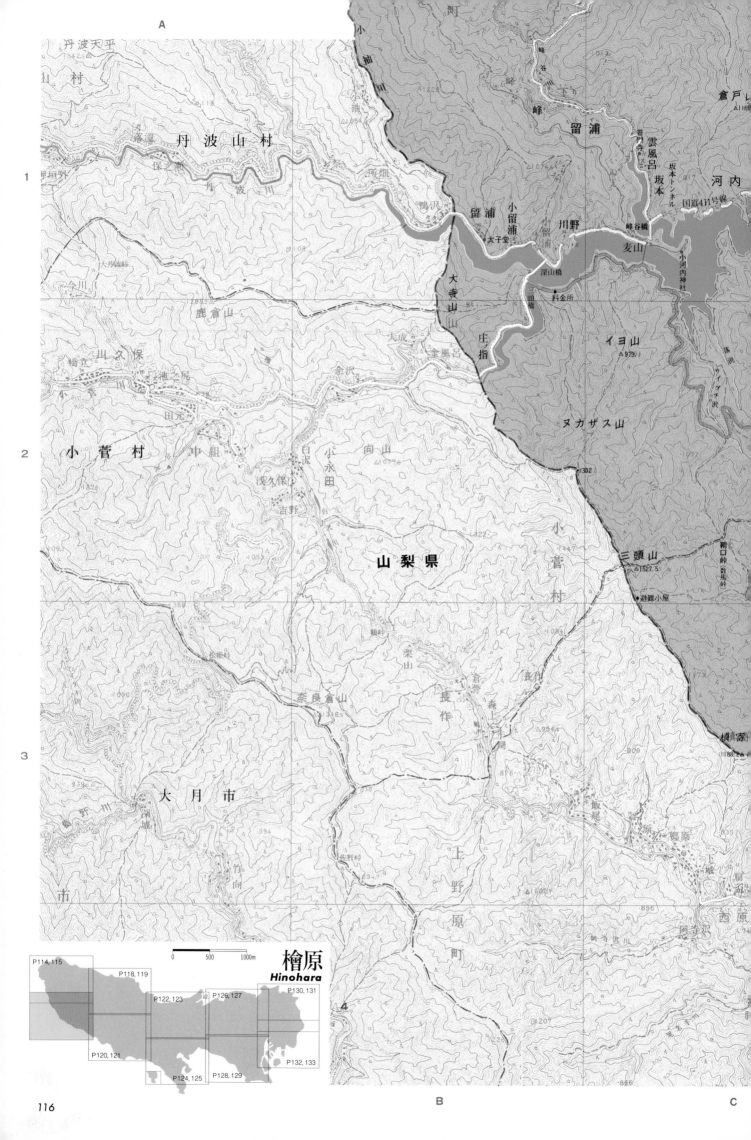

檜原
Hinohara

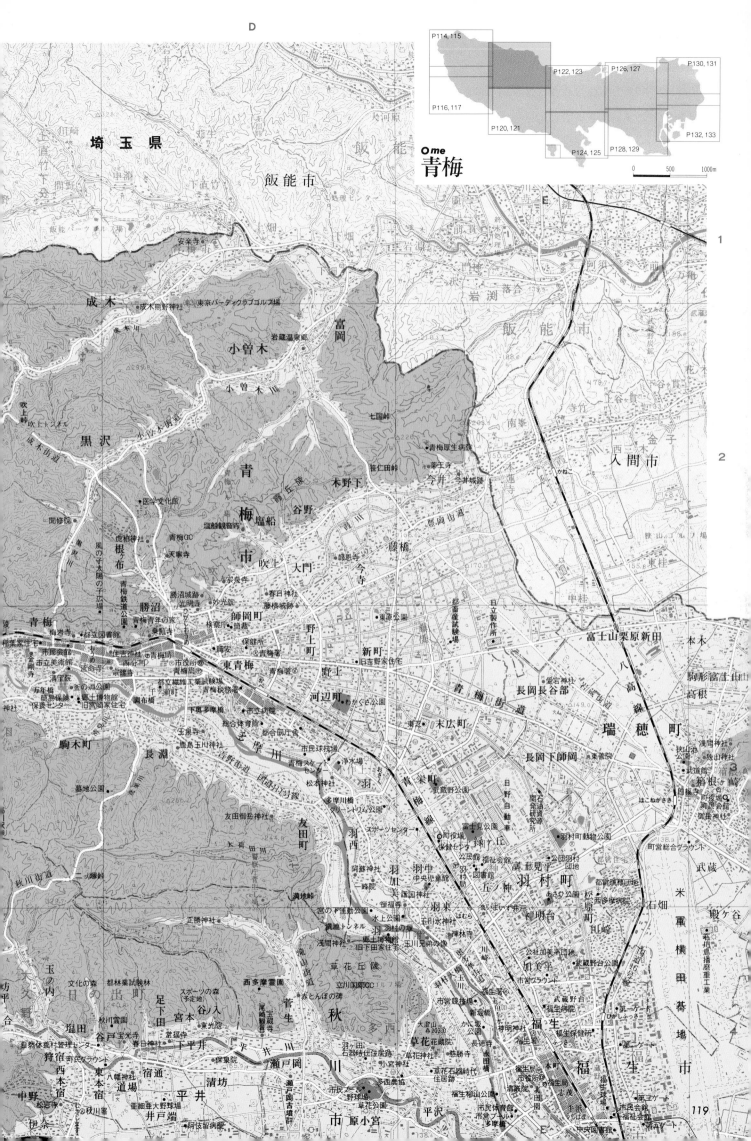

八王子
Hachioji

Tachikawa 立川

町田
Machida

23区南西部
23-ku, south-west

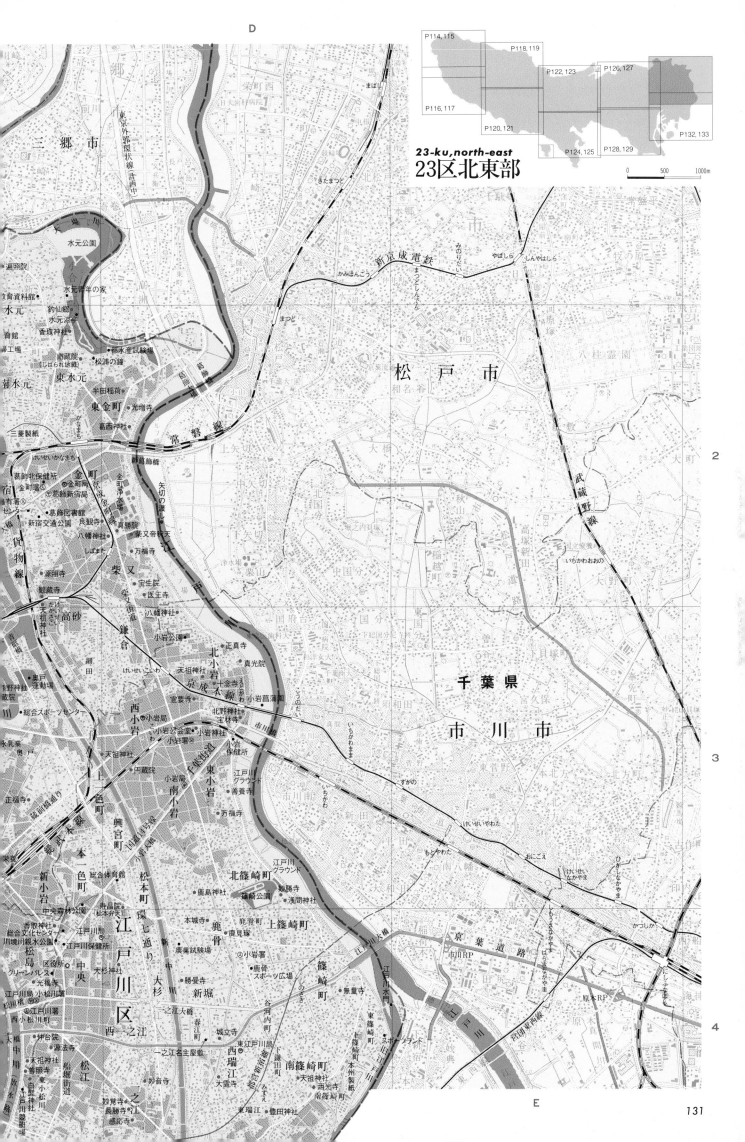

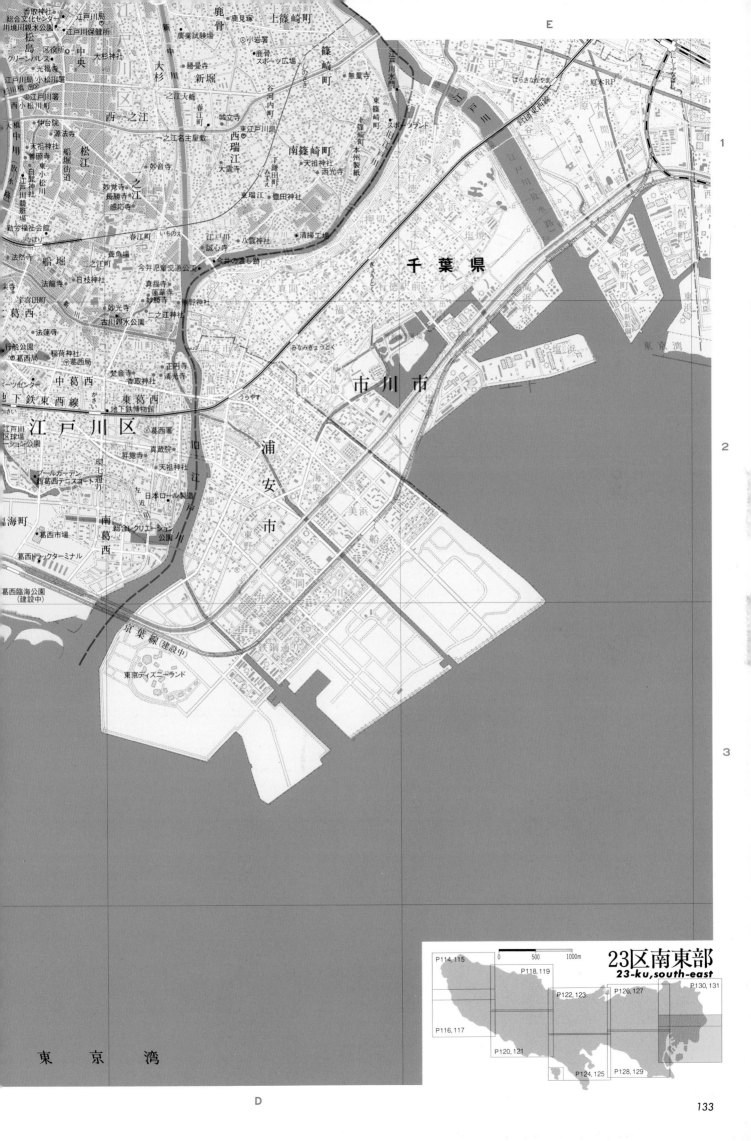

23区南東部
23-ku, south-east

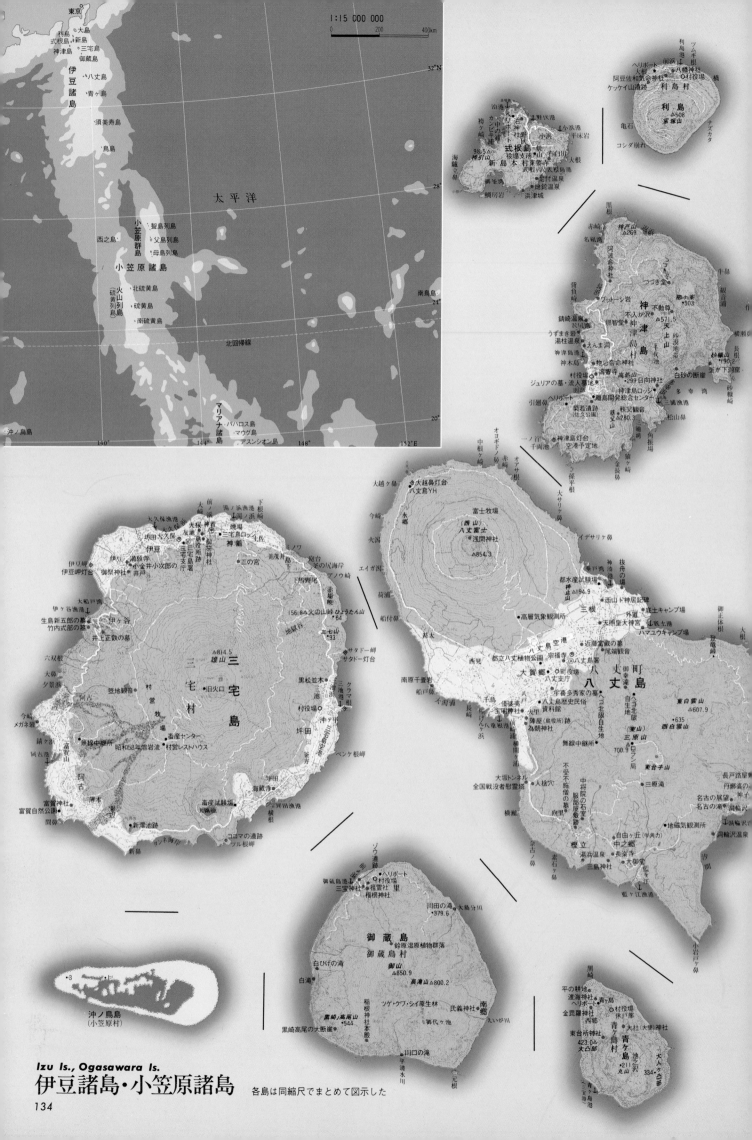

Izu Is., Ogasawara Is.
伊豆諸島・小笠原諸島
各島は同縮尺でまとめて図示した

資料・地名索引
Appendices, Index of Place Names

◀広重画「江戸名所百景」神田紺屋町　*Mt. Fuji from Kanda by Hiroshige*

区市町村の人口と面積　Populations and Areas

区市町村名	人口（人）	面積（km²）	人口密度（人/km²あたり）	昼間人口（人）	夜間人口（人）	昼間人口／夜間人口	年齢別人口割合(%) 0～14歳	15～64歳	65歳以上	土地利用割合(%) 住宅用地	公共用地	商業用地	工業用地	農業用地	道路等	公園等	水面	森林	原野	未利用地	その他
総　　数	11,882,643	2,162.34	5,495	13,493,885	11,597,211	1.16	20.6	71.5	7.7												
千代田区	49,649	11.52	4,310	936,542	54,777	17.10	15.8	70.9	13.2	5.9	24.7	22.2	2.2	0.0	28.5	6.5	5.7	0.0	0.0	2.4	2.0
中　央　区	78,855	10.05	7,846	656,029	82,664	7.94	17.5	69.2	13.3	6.1	5.7	20.3	9.1	0.0	27.8	3.1	21.5	0.0	0.0	2.3	4.0
港　　区	192,998	19.99	9,655	706,427	200,223	3.53	17.1	72.3	10.0	20.8	17.0	14.8	7.0	0.0	24.4	6.2	4.3	0.0	0.0	3.2	2.3
新　宿　区	333,597	18.04	18,492	688,601	342,724	2.01	15.9	75.0	8.7	40.1	11.9	13.5	4.0	0.0	19.4	5.5	0.6	0.0	0.0	2.1	3.0
文　京　区	195,723	11.44	17,109	324,165	202,332	1.60	16.9	72.8	10.3	37.1	19.0	11.3	4.3	0.0	18.0	7.0	0.5	0.0	0.0	0.8	2.1
台　東　区	176,488	10.00	17,649	337,509	186,001	1.81	16.9	71.0	12.1	16.5	11.6	21.6	6.3	0.0	28.4	8.3	3.4	0.0	0.0	1.5	2.4
墨　田　区	228,695	13.82	16,548	272,678	232,397	1.17	19.4	70.9	9.6	20.5	6.5	13.0	17.8	0.0	23.3	4.2	9.0	0.0	0.9	2.7	2.1
江　東　区	391,571	36.89	10,615	372,919	362,029	1.03	22.4	71.1	6.4	9.7	5.0	3.8	12.8	0.0	13.6	5.6	27.2	0.0	0.0	13.4	8.8
品　川　区	358,149	20.91	17,128	401,839	346,052	1.16	17.5	73.4	9.0	25.2	7.9	8.6	13.4	0.0	24.5	4.2	5.0	0.0	0.0	4.2	6.9
目　黒　区	269,240	14.41	18,684	265,370	273,128	0.97	17.3	73.3	9.3	51.7	11.8	7.8	4.1	0.3	17.0	2.1	0.6	0.0	0.0	1.8	2.9
大　田　区	663,777	49.42	13,431	655,332	660,081	0.99	19.5	72.0	8.3	28.7	5.6	5.7	11.5	0.4	21.8	4.0	9.1	0.1	0.7	1.8	10.6
世田谷区	814,991	58.81	13,858	686,659	795,426	0.86	18.2	73.4	8.2	46.8	9.1	5.4	2.4	7.2	15.3	5.7	1.3	0.8	0.5	2.2	4.0
渋　谷　区	242,447	15.11	16,045	461,728	246,719	1.87	15.6	75.5	8.8	40.1	14.2	12.5	2.4	0.0	20.2	7.0	0.0	0.0	0.0	1.6	1.8
中　野　区	335,840	15.73	21,350	272,369	345,294	0.79	16.6	74.6	8.6	54.9	8.4	7.7	3.2	1.2	16.5	2.6	0.6	0.0	0.0	1.5	3.1
杉　並　区	542,081	33.54	16,162	420,260	540,895	0.78	17.0	73.9	8.9	53.0	7.6	5.7	2.3	3.2	16.0	4.3	0.8	0.0	0.4	2.5	4.1
豊　島　区	278,776	13.01	21,428	368,817	287,855	1.28	15.9	74.8	9.0	44.2	10.8	12.4	3.5	0.0	21.2	3.4	0.5	0.0	0.0	1.4	3.1
北　　区	367,402	20.55	17,878	353,925	386,332	0.92	19.2	71.9	8.6	34.7	10.1	6.3	8.7	0.0	21.6	6.2	5.9	0.5	1.4	1.7	3.2
荒　川　区	189,769	10.34	18,353	195,086	197,874	0.99	18.3	71.6	9.9	26.5	8.3	9.8	16.1	0.0	22.1	3.8	6.6	0.0	0.0	3.5	3.4
板　橋　区	507,013	31.90	15,894	462,807	497,003	0.93	20.5	72.3	7.0	32.2	8.0	5.6	12.3	2.9	17.3	6.7	3.9	0.5	1.1	3.5	6.2
練　馬　区	595,946	47.00	12,680	442,139	563,274	0.78	21.0	72.2	6.6	39.4	6.3	4.5	3.2	14.9	15.0	4.4	0.4	0.7	0.0	5.4	5.8
足　立　区	623,978	53.25	11,718	541,313	619,096	0.87	24.0	69.4	6.4	28.7	6.5	5.5	9.1	4.8	16.6	4.8	7.5	0.3	0.5	9.0	6.7
葛　飾　区	418,747	33.90	12,352	364,945	419,805	0.87	21.0	71.3	7.6	29.0	7.5	5.6	9.5	3.5	17.5	5.8	10.7	0.0	1.2	3.6	6.0
江戸川区	520,994	48.26	10,796	425,958	494,285	0.86	23.9	69.8	6.1	23.4	5.0	4.9	9.2	4.7	17.3	5.2	15.3	0.0	0.5	6.6	7.8
八王子市	429,891	187.79	2,289	385,771	387,013	1.00	25.2	67.8	6.9	10.6	3.3	1.3	1.8	8.2	5.9	3.3	1.0	52.6	5.7	4.4	1.7
立　川　市	148,194	24.21	6,121	147,166	142,407	1.03	24.6	68.6	6.6	20.5	5.3	4.3	7.4	20.7	10.5	2.8	0.5	3.5	1.4	10.7	12.4
武蔵野市	139,255	11.03	12,625	140,035	136,506	1.03	18.8	72.8	8.2	44.1	11.4	6.1	2.6	7.4	15.0	5.4	0.5	0.6	0.0	2.3	4.5
三　鷹　市	166,827	16.83	9,912	133,973	163,874	0.82	19.7	72.9	7.0	37.7	12.0	3.2	5.1	15.8	11.4	5.2	1.2	2.2	0.1	2.1	3.9
青　梅　市	112,177	104.01	1,079	91,023	98,965	0.92	26.1	65.6	8.3	6.7	1.5	0.7	1.5	7.7	3.5	2.5	1.1	69.3	1.6	1.9	2.0
府　中　市	204,073	29.86	6,834	176,585	191,392	0.92	22.4	71.1	6.1	25.0	7.1	5.3	7.0	12.7	12.4	8.3	1.9	1.6	5.1	4.2	9.4
昭　島　市	97,861	17.20	5,690	81,886	89,273	0.92	24.4	69.0	6.5	21.4	5.5	2.8	8.0	12.2	11.1	7.4	2.1	2.4	9.3	11.8	6.0
調　布　市	193,012	21.79	8,858	153,499	179,834	0.85	21.5	72.3	5.8	29.0	7.8	3.7	4.1	13.7	13.1	6.5	1.5	4.0	4.3	3.8	8.4
町　田　市	325,699	71.54	4,553	260,327	294,956	0.88	27.3	67.0	5.5	21.1	4.5	1.8	1.7	17.0	9.7	3.4	0.8	25.3	5.2	7.5	2.0
小金井市	104,998	11.35	9,251	83,693	102,078	0.82	20.0	72.7	6.9	36.9	11.8	3.2	2.4	14.2	12.4	10.4	1.0	2.2	0.3	2.3	2.9
小　平　市	159,408	20.85	7,645	139,137	154,464	0.90	22.6	71.5	5.8	32.4	10.4	3.2	5.2	19.1	12.3	7.1	0.2	3.7	0.1	2.9	3.4
日　野　市	157,515	27.11	5,810	126,916	145,408	0.87	25.2	69.4	5.4	24.1	5.4	1.9	5.0	17.0	12.4	4.3	3.4	7.6	9.8	5.4	3.7
東村山市	125,891	16.58	7,593	93,701	119,252	0.79	23.8	68.9	7.2	30.8	8.1	3.4	4.6	20.9	10.8	5.2	0.7	6.6	0.6	5.3	3.0
国分寺市	96,461	11.40	8,461	71,035	90,820	0.78	20.2	72.8	6.8	36.3	10.1	3.0	2.0	23.9	11.4	2.4	0.1	5.3	0.4	2.4	2.7
国　立　市	65,263	8.08	8,077	58,381	63,984	0.91	22.3	71.4	6.1	32.3	13.6	3.8	1.8	17.2	15.9	2.9	0.8	1.6	0.3	4.8	5.1
田　無　市	71,923	6.89	10,439	58,500	66,919	0.87	22.3	71.5	6.2	32.1	10.7	4.6	7.0	19.2	12.2	3.4	0.3	1.1	0.0	4.5	5.1
保　谷　市	92,521	8.77	10,550	67,052	91,001	0.74	21.2	71.9	6.6	38.7	6.6	3.5	2.6	18.4	13.6	5.3	0.5	3.3	0.0	3.0	4.5
福　生　市	51,846	10.41	4,980	43,892	48,563	0.90	25.0	69.2	5.6	19.2	3.5	3.7	3.7	7.5	11.0	2.7	2.0	3.0	5.5	3.9	34.3
狛　江　市	74,163	6.15	12,059	49,410	70,801	0.70	21.9	72.2	5.9	37.3	6.7	3.3	3.7	15.8	11.5	3.5	3.0	2.3	5.3	2.4	5.1
東大和市	70,503	13.52	5,215	51,608	65,498	0.79	27.6	67.4	5.0	20.7	3.9	3.1	4.3	16.6	9.3	6.2	11.6	17.0	0.2	4.0	3.0
清　瀬　市	65,050	10.19	6,384	50,138	61,852	0.81	25.1	68.1	6.8	20.9	13.5	1.9	1.2	32.4	12.3	2.3	0.8	6.4	1.9	4.6	1.8
東久留米市	110,499	12.98	8,513	80,083	106,458	0.75	27.5	68.0	4.4	28.7	7.5	4.1	4.0	26.6	12.6	3.2	0.6	5.7	0.6	3.2	3.2
武蔵村山市	61,063	15.23	4,009	55,575	57,102	0.97	29.2	66.3	4.4	17.7	4.5	1.5	9.7	26.7	7.9	2.0	0.2	15.2	2.7	1.1	10.7
多　摩　市	125,815	20.68	6,084	72,591	95,205	0.76	30.8	64.7	4.5	15.5	5.7	1.3	0.8	6.2	14.6	11.9	1.8	8.7	4.4	25.5	3.7
稲　城　市	51,235	17.61	2,909	40,553	48,135	0.84	28.8	66.7	4.5	11.4	2.3	1.1	2.6	13.7	6.7	12.7	1.1	23.0	5.1	10.9	9.3
秋　川　市	46,028	22.14	2,079	33,316	42,803	0.78	27.5	65.8	6.6	12.5	2.6	1.5	2.3	24.7	5.8	7.9	4.0	24.9	5.7	6.6	1.7
羽　村　町	47,931	9.79	4,896	40,547	41,983	0.97	28.2	67.2	4.5	22.0	4.6	2.4	14.5	13.3	12.8	4.6	2.1	4.7	3.2	5.9	10.0
瑞　穂　町	27,645	16.82	1,644	21,424	22,795	0.94	27.0	66.5	6.5	9.2	1.6	1.0	4.6	29.1	4.8	1.6	0.0	23.3	0.5	6.7	17.6
日の出町	15,913	28.18	565	10,850	13,853	0.78	27.2	62.6	10.3	4.6	1.3	0.2	1.0	8.7	2.0	0.8	0.8	74.7	3.2	1.0	1.7
五日市町	20,768	50.96	408	16,199	20,002	0.81	23.6	65.9	10.5	3.5	0.6	0.4	0.4	4.9	1.8	1.5	1.8	81.8	2.2	0.6	0.4
檜　原　村	3,944	104.91	38	3,418	4,230	0.81	19.5	65.0	15.5	0.5	0.1	0.1	0.0	1.9	1.1	0.0	0.0	95.8	0.3	0.0	0.1
奥多摩町	9,220	226.44	41	8,355	9,808	0.85	19.3	67.4	13.3	0.3	0.1	0.1	0.1	0.9	0.8	0.0	0.0	95.8	0.0	0.0	1.9
大　島　町	10,287	91.00	113	10,758	10,734	1.00	22.2	63.4	14.4	2.2	0.6	0.6	0.1	12.1	2.8	0.6	0.0	59.4	21.4	0.1	0.4
利　島　村	304	4.19	73	291	278	1.05	18.0	66.5	15.5	1.2	1.0	0.1	0.2	2.6	4.4	0.1	0.0	67.3	22.7	0.2	0.1
新島本村	3,608	27.24	132	3,696	3,684	1.00	20.7	64.6	14.8	2.3	0.7	0.6	0.3	0.3	3.4	2.1	0.0	78.0	12.0	0.0	0.6
神津島村	2,263	18.59	122	2,220	2,210	1.00	22.5	66.8	10.6	0.8	0.4	1.1	0.0	11.8	3.3	0.1	0.0	64.0	19.1	0.1	0.1
三　宅　村	4,136	55.14	75	4,230	4,228	1.00	19.8	66.4	13.8	1.4	0.4	0.4	0.2	6.5	3.4	0.1	0.0	80.3	6.6	0.1	0.8
御蔵島村	263	19.69	13	238	225	1.06	16.4	71.6	12.0	0.2	0.2	0.1	0.0	0.2	0.4	0.1	0.0	87.6	10.8	0.0	0.4
八　丈　町	9,964	71.44	139	10,261	10,244	1.00	22.3	63.3	14.4	2.1	0.7	0.6	0.2	12.3	5.0	0.5	0.0	73.9	4.0	0.5	0.4
青ヶ島村	205	5.23	39	199	192	1.04	21.4	66.1	12.5	0.4	0.6	0.1	0.0	3.1	7.7	0.1	0.0	65.5	22.3	0.0	0.0
小笠原村	2,295	106.18	22	1,899	1,879	1.01	18.5	75.1	6.4	0.2	0.4	0.1	0.1	2.9	2.5	0.5	0.0	80.5	12.1	0.1	0.7

資料出典　人口＝昭和61年5月1日現在、東京都総務局統計部人口統計課「東京都の人口（推計）」　面積＝昭和60年10月1日現在、建設省国土地理院「昭和60年全国都道府県市区町村別面積調」　人口密度＝昭和61年5月1日現在、東京都総務局統計部人口統計課「東京都の人口（推計）」　昼間人口、夜間人口＝昭和55年10月1日現在、東京都総務局統計部人口統計課「国勢調査による東京都の昼間人口」　年齢別人口割合＝昭和55年10月1日現在、総理府統計局「昭和55年国勢調査解説シリーズNo.2 東京都の人口」　土地利用割合＝区部は昭和56年8月、多摩・島部は57年8月現在、東京都都市計画局地域計画部土地利用計画課「東京の土地利用―現況編―」

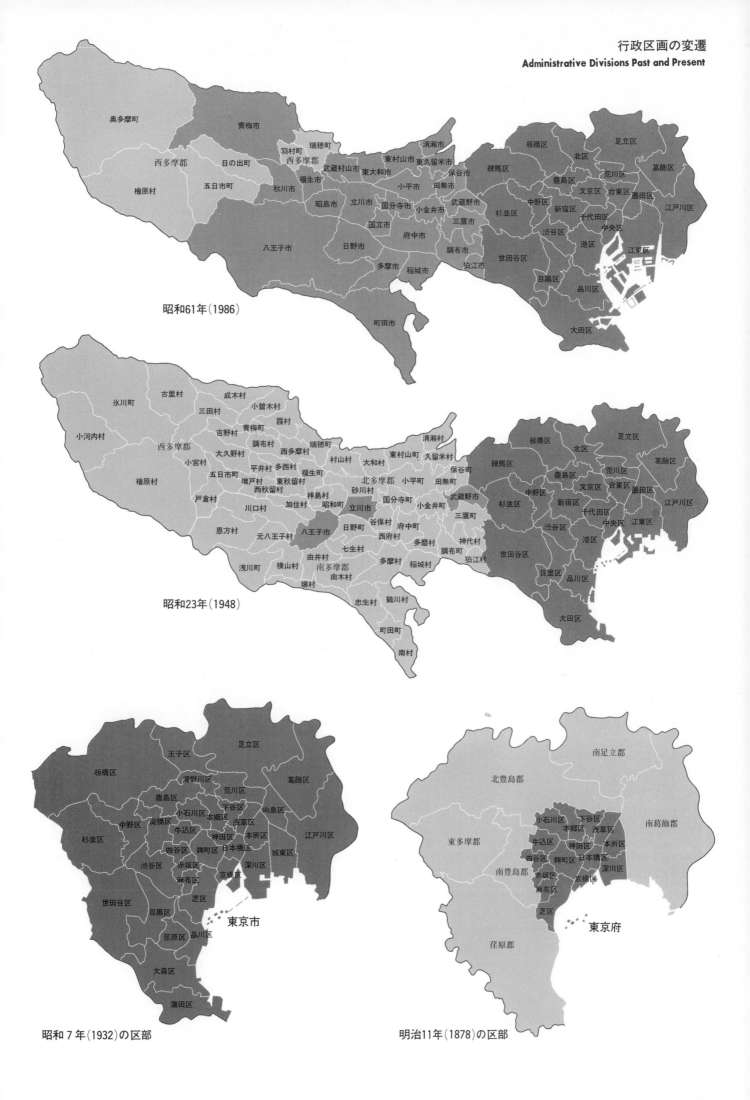

昭和61年（1986）

昭和23年（1948）

昭和7年（1932）の区部

明治11年（1878）の区部

江戸・東京略年表

江戸時代以前の概況

天正18年(1590)豊臣秀吉が北条氏の小田原城を陥すと，北条氏の支城江戸城に徳川家康が8月1日入城。この城は太田道灌が豊島郡江戸郷を本領とする江戸氏の館跡に築城したもので，小規模だが堅城であった。道灌は扇谷上杉家の有力な家宰で，当時武蔵国は古河公方と関東管領上杉家との間に内紛抗争が続いており，文明8年(1486)道灌は主君上杉定正に謀殺された。江戸城は上杉のものとなるが，上杉が大永4年(1524)小田原の北条氏綱に高輪原で敗れると，小田原北条の支城となる。

現在の東京地域では，浅草寺が古来観音霊場として知られ（縁起では推古朝に起源），治承4年(1180)源頼朝が挙兵した際に浅草寺に平家討滅を祈願し，この地の豪族，豊島，葛西氏らの参加を求め，養和元年(1181)鎌倉鶴岡八幡宮造営に浅草の宮大工が手伝いを命じられている。戦国時代には河口の一部に町屋ができたが，東京東部はほとんど沼沢地で，西の台地上の府中に武蔵国府，国分寺に武蔵国分寺があり，鎌倉時代には鎌倉道が通じ，北条泰時が多摩川周辺に新田を開発するなど，中世までは西部の台地，丘陵が中心だった。

江戸時代

慶長8年	1603	■慶長5年関ヶ原の合戦に勝利した徳川家康が征夷大将軍に就任 ■江戸に幕府を開く ■神田台を崩し，日本橋から芝あたりまでの海を埋立て町をつくる ■日本橋を架橋
〃9年	1604	■日本橋を起点に東海道・中仙道・甲州街道・日光街道・奥州街道の五街道を制定，一里塚を築く ■江戸城大拡張を計画，西国諸大名に石材・木材の江戸輸送を命じる
〃11年	1606	■拡張工事開始 ■工事用に多摩郡宅木村に石灰調達を命じる
〃12年	1607	■江戸城天守閣・大手門完成
元和2年	1616	■家康没す ■駿河台を掘り割り神田川流路開通し，外堀完成
〃3年	1617	■日本橋葺屋町に遊廓，翌年開業。葭原（のち吉原）という
〃6年	1620	■幕府，浅草に米倉を建てる。通称浅草御蔵
寛永元年	1624	■僧天海，上野に寛永寺建設，翌年本坊竣工
〃11年	1634	■歌舞伎の村山座（のち市村座）堺町に開場
〃12年	1635	■鎖国令 ■諸大名の参勤交代を定める
〃19年	1642	■歌舞伎の山村座，木挽町に開場
慶安4年	1651	■由井正雪の倒幕計画発覚，正雪は自刃，丸橋忠弥は磔刑
承応3年	1654	■玉川上水完成，江戸城内と市中南部に配水
明暦3年	1657	■振袖火事。市街の6割，江戸城も西の丸を除き全焼 ■吉原を浅草日本堤へ移す。新吉原という。旧地を元吉原
万治元年	1658	■旗本に定設消火隊を組織，若年寄の支配下に置く（定火消）
〃2年	1659	■本丸竣工，天守閣は保科正之の意見により再建されず江戸城は天守のない城となる ■隅田川に両国橋架橋
〃3年	1660	■歌舞伎の森田座，木挽町に開場
寛文8年	1668	■火事避難の出入口として馬場先門，新橋などを開く（明暦の大火以後，広小路などの道路拡張，火除地設定が継続）
〃10年	1670	■寛永13年鋳造の寛永銭以外の銭貨の通用を停止
天和2年	1682	■八百屋お七の付火で大火。お七は翌年鈴ヶ森で火刑
貞享4年	1687	■5代将軍綱吉，生類憐みの令を出す
元禄元年	1688	■柳沢吉保，将軍の側用人になる
〃11年	1698	■隅田川に永代橋架橋 ■勅額火事で，上野寛永寺本坊を焼失 ■甲州街道の第1宿・下高井戸の間に内藤新宿を設ける
〃14年	1701	■赤穂藩主浅野内匠頭，江戸城内で刃傷，切腹を命じられる
〃15年	1702	■赤穂浪士47人，本所松坂町の吉良上野介を討ち，主君の仇を晴らす。以後，歌舞伎・人形浄瑠璃に忠臣蔵物流行
宝永6年	1709	■綱吉没す ■6代将軍家重生類憐みの令廃止
正徳4年	1714	■大奥女中絵島と山村座の役者生島新五郎の密通が問題化，絵島は信州高遠に，生島は三宅島に流刑 ■山村座廃絶，江戸歌舞伎は中村座，市村座，森田座の三座となる
享保元年	1716	■徳川吉宗8代将軍就任。緊縮政策の享保改革を行う
〃2年	1717	■大岡越前町守忠相，江戸南町奉行になる。享保3年，町火消を制度化。享保6年評定所に目安箱を設置，小石川に養生所と薬草園（今の小石川植物園）を設け，名奉行と称せらる
元文2年	1737	■徳川吉宗，飛鳥山，小金井堤などに桜を植える
明和4年	1767	■田沼意次，10代将軍家治の側用人となり重商主義的な田沼時代始まる ■このころ鈴木春信らの錦絵流行
〃8年	1771	■杉田玄白・前野良沢ら千住小塚原で刑死者の腑分けを見て蘭方医書の翻訳を決意，4年後『解体新書』刊行
安永5年	1772	■田沼意次老中となる ■目黒行人坂の火事，死者14,000人
天明3年	1783	■浅間山大噴火 ■天明の大飢饉 ■百姓一揆，打ちこわし頻発
〃7年	1787	■徳川家斉11代将軍就任 ■松平定信老中首座となり，物価安定，農村復興，異学（朱子学以外）の禁などの寛政の改革
寛政5年	1793	■ロシア使節ラクスマンに伴われて前年帰国した大黒屋光太夫，江戸城で将軍からロシア事情聴取 ■定信，老中を退く
〃6年	1794	■江戸芝蘭堂で大槻玄沢らオランダ正月 ■写楽の役者絵
享和2年	1802	■十返舎一九『東海道中膝栗毛』初編大評判 ■滑稽本流行
文化4年	1807	■富岡八幡の祭礼で混雑のため永代橋落ち，死者500人

Edo's Borders
江戸の範囲

「本郷もかねやすまでは江戸のうち」という川柳のかねやすは，今も本郷3丁目交差点近くにある小間物屋の老舗だが，この句のつくられた当時でも，その辺りが江戸の町外れだったわけではない。湯島から続いてきた町並みが，この先から前田・本多などの大名屋敷となるので急に淋しくなるという感覚を表現したものであろう。では，江戸の範囲とはどこまでだったのか。

江戸市政の中心機関である町奉行所が支配していたのは，町人地だけである。寺社地は寺社奉行が全国の寺社を統一して管理していたから，江戸近辺の寺社を区別することはなかった。

諸大名はじめ旗本・御家人の所領には町奉行所の手は及ばず，所領の管理には江戸内外の区別など初めからなかったから，当然ながら江戸を単一の行政区画として設定する必要もなかったのである。したがって，明確に定められた江戸の範囲というものも存在していなかった。

しかし，江戸の範囲がまったく決められていなかったかというと，かならずしもそうではない。たとえば刑罰で「江戸払い」という場合の江戸は，品川・板橋・千住・本所・深川・四谷の大木戸内をさし，また旗本・御家人が江戸の外に他出する場合の届書に記入する場合の江戸

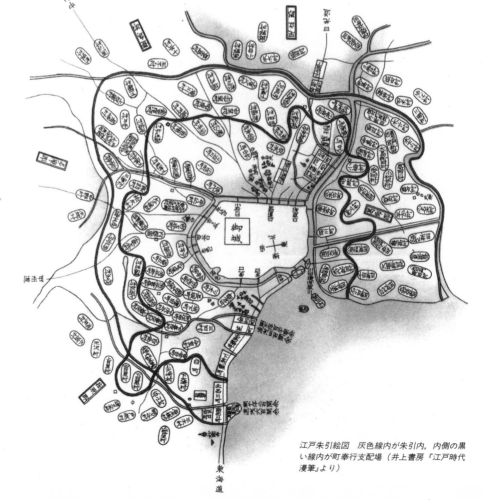

江戸朱引絵図　灰色線内が朱引内，内側の黒い線内が町奉行支配場（井上書房『江戸時代漫筆』より）

とは, 曲輪内 (東は常盤橋, 西は半蔵門, 南は外桜田門, 北は神田橋) から測って4里 (約16km) 以内であった。さらに, 寺社が江戸府内で堂塔建築のための寄付募集を願い出た場合に, 寺社奉行が許可する江戸の範囲というものもあったし, 江戸府内の変死者や迷子の特徴を掲示する場合にいう江戸の範囲もあった。

このように, 役向きによって異なっていた江戸の範囲に, 時の老中決定によって一定の統一解釈を与えたのは, 幕末に近い文政元 (1818) 年であった。その範囲内を朱引内と呼んでいる。それは前記の寺社募金許可区域 (勧化場) と変死者・迷子掲示の取扱い範囲を基礎とするものにほぼ一致し,

東は砂村・亀戸村・木下川村・須田村限り
西は代々木村・角筈村・戸塚村・上落合村限り
南は上大崎村・南品川宿限り
北は千住・尾久村・滝野川村・板橋村限り

という範囲である。朱引内を示す地図には, もう1本別に, 町奉行の支配範囲を示す「町奉行支配場」と呼ぶ線が朱引線の内側に引かれているが, この範囲の中には当然ながら, 町奉行の手の及ばない武家地, 寺社地, 一般農村と同様の代官支配地も含まれていたのである。

The borders of Edo remained unclear for many years, as there was little need to define them exactly. There were different boundaries for different purposes.

City Officials
町奉行

　老中の支配下にあり, 旗本の中から優秀な人材を選んで登用した。寺社奉行, 勘定奉行と並ぶ三奉行の一つで, 幕府司法の最高機関である評定所の構成員でもあった。役高は3000石。江戸市中の町人に関する町政を管轄し, 行政・司法・警察をつかさどり, 訴訟を聴断した。

　南町と北町の両奉行所があり (一時期, 中町奉行所もあった), 月番制をとって1月交替で執務した。したがって南町, 北町といっても, 管轄範囲を指しているわけではない。両役所は数寄屋橋門と呉服橋門の内側にあったが, それぞれの位置から南町奉行所・北町奉行所と俗称されたのである。奉行所は, 小伝馬町の牢屋の長である石出帯刀と町年寄を指揮し, 命令を下し

た。下僚には与力が南北各23人, 同心が同じく140人いた。与力は主として裁判にあたり, 同心は犯罪捜査と犯罪者の逮捕をおもな任務とし, ともに八丁堀に組屋敷を与えられていた。

　大岡裁きで知られる大岡越前守忠相は享保2 (1717) 年から元文元 (1736) 年までの約20年間, 南町奉行をつとめた (その後は寺社奉行に転ずる)。また「遠山の金さん」として親しまれる遠山左衛門尉景元 (通称金四郎) は天保11 (1840) 年から同14 (1843) 年まで北町奉行, 弘化2 (1845) 年から嘉永5 (1852) 年まで南町奉行をつとめた。この2人は下情に通じた名奉行とうたわれ, 今でも映画やテレビのヒーローになっている。

Edo had a complex hierarchy of officials; the chief magistrates for the city were the *bugyo,* of whom there were usually three.

左は伝馬町牢屋敷跡 (日本橋小伝馬町一丁目十思公園一帯) にある吉田松陰終焉之地の碑と松陰の辞世を刻んだ碑。右は鈴ヶ森刑場跡にある歌舞伎などでよく知られた題目碑

1914年赤煉瓦の三菱館を建設，一丁ロンドンと俗称 ■第1回帝国議会に備え日比谷に木造仮議事堂建設 ■日比谷練兵場傍に帝国ホテル開業（1923年新館建設，ライト設計で有名）■浅草凌雲閣（十二階）落成，初のエレベータ付展望レストラン ■東京・横浜間電話開通

〃 26年	1893	■三多摩地方を神奈川県から東京府に移す
〃 29年	1896	■日本橋に日本銀行本店 ■日比谷練兵場を青山に移す
〃 31年	1898	■東京市役所開設（従来は市制特例により府知事が市長を兼任）■上野に西郷隆盛銅像（西南戦争のしこりで皇居前広場に建設予定を変更）
〃 32年	1899	■日比谷練兵場跡に洋風日比谷公園開設 ■品川・新橋間に市街電車 ■浅草に初の映画館，電気館開業
〃 36年	1903	■日本麦酒醸造会社（87年創立）の専門駅として恵比寿駅開設（駅名はビールの商品名から）
〃 37年	1904	■日露開戦 ■飯田橋・中野間に院線電車 ■三井呉服店，雑貨品も販売，三越と改名
〃 38年	1905	■日露講和調印の9月5日，強硬論者が日比谷公園で国民大会。講和条約破棄を決議，市中で騒擾。東京市戒厳令
〃 40年	1907	■上野の第6回勧業博覧会（夏目漱石『虞美人草』に描写）
〃 42年	1909	■井伊家鷹場跡に代々木練兵場造成（第2次世界大戦後はワシントン・ハイツ，64年オリンピック村，現・代々木公園）
〃 44年	1911	■1907，10年の隅田川洪水対策に荒川放水路着工（30年完成以後洪水激減）■大逆事件判決，幸徳秋水ら12名死刑 ■市街電車を市に買収 ■市電ゼネスト ■帝国劇場，コメディー・フランセーズを模して開場 ■初のカフェ開店，銀座にプランタン，ライオン，南鍋町にパウリスタ ■東京，大阪に特高設置

大正時代

大正元年	1912	■7月30日明治天皇没。9月13日夜，青山練兵場で神式大葬。遺骸は翌日列車で京都に送られ伏見に埋葬
〃 3年	1914	■ドイツに宣戦，第1次世界大戦に参戦 ■東京駅完成。当初乗降口は丸の内側だけ，八重洲は線路と濠で隔離
〃 4年	1915	■大戦景気で東京株式市場暴騰 ■明治神宮造営始まる。青山練兵場を神宮外苑に
〃 7年	1918	■立教大学，築地から池袋へ ■米騒動東京へ波及，軍隊3,500人出動 ■山脇高等女学校初の洋風制服 ■スペイン風邪大流行
〃 8年	1919	■東京自動車KK，市内バス開始 ■中野・東京・品川・上野間「の」の字運転開始 ■村山貯水池完成 ■築地小劇場開場
〃 9年	1920	■市内バスに女車掌 ■上野公園で最初のメーデー ■明治神宮参道不正工事・ガス料金値上げ贈収賄などの汚職のため東京市政疑獄。内務大臣から市会解散命令
〃 12年	1923	■関東大震災。東京に戒厳令 ■内務大臣後藤新平，帝都復興院総裁を兼任，米国人Ch.ビアードを市政顧問に招き都市計画を立案（当初30億円の復興費12億円に縮小）■難波大助，虎の門で摂政裕仁皇太子を狙撃 ■三菱地所丸ビルを竣工，最初の賃貸オフィスビル
〃 13年	1924	■鉄筋の近代的集合住宅同潤会アパート建設。41年までに青山，代官山，三田，江戸川など15ヵ所，2,580戸
〃 14年	1925	■雑誌「キング」創刊，77万部 ■東京・上野間に高架線開通，山手線開通 ■愛宕山からラジオ放送開始 ■治安維持法公布 ■東京6大学野球リーグ始まる

昭和時代──戦前，戦中

昭和元年	1926	■共同印刷争議 ■改造社『現代日本文学全集』ヒット，円本ブーム ■私鉄沿線郊外に文化住宅
〃 2年	1927	■上野・浅草間初の地下鉄 ■市内全域1円の円タク ■本郷に東京市「知識階級職業紹介所」を開設（翌年の東大卒就職率30%）■岩波文庫創刊，日本初の文庫本
〃 3年	1928	■神田青果市場設立（江戸時代から青物市の場所，現・中央卸売市場神田分場）
〃 4年	1929	■震災復興の帝都復興祭 ■労農党代議士山本宣治，神保町の旅館で右翼に刺殺される ■霞ヶ浦に飛行船ツェッペリン号
〃 5年	1930	■市電ゼネスト ■東京駅頭で浜口首相狙撃さる ■平絵式紙芝居登場，「黄金バット」人気 ■大阪のカフェ濃厚サービスを売り物に銀座に進出 ■エロ・グロ・ナンセンス流行語となる
〃 6年	1931	■羽田に東京飛行場開設 ■浅草オペラ館，新宿ムーラン・ルージュ開場，ナンセンス・コメディー流行
〃 7年	1932	■朝鮮人李奉昌，桜田門外で天皇の馬車に爆弾 ■五・一五事件，海軍将校ら首相官邸を襲撃 ■日本橋白木屋デパート火事
〃 8年	1933	■山口貯水池完成 ■東京・中野間朝夕混雑時に急行電車 ■皇太子明仁誕生。祝賀旗行列・提灯行列 ■東京音頭，全国流行
〃 9年	1934	■東京宝塚劇場開場，有楽町新娯楽地へ ■上方漫才，新橋演舞場に進出 ■渋谷ターミナルデパート東横百貨店（現・東急百貨店）完成，駅前に忠犬ハチ公の銅像立つ
〃 11年	1936	■二・二六事件。皇道派陸軍将校ら斎藤内大臣，高橋大蔵大臣らを殺害 ■尾久の待合で阿部定事件 ■東京警視庁119番を

Currency

貨幣

わが国の貨幣は長いあいだ海外からの渡来銭によってまかなわれてきた。室町時代の末ごろからは採鉱精錬の技術も進歩したので，金銭の生産量も上昇し，戦国時代には判金・灰吹銀など鋳造貨幣が使用されるようになったが，まだ統一的貨幣は現れなかった。やがて江戸幕府が成立すると，慶長年間に大判，小判，一分金，丁銀，豆板銀の5種の金銀貨による通貨制度が確立された。しかし一般通貨である銅銭は，流通量が多いうえにその統一もむずかしく，依然として渡来銭に依存せざるを得なかった。寛永13（1636）年，寛永通宝の鋳造開始でようやく

統一の方向に向かい，寛文10（1670）年にいたり，寛永銭以外の銭貨は通用停止となった。

江戸時代に鋳造された通貨は，細別すると相当多いが，形式上の変化はなく，時代に応じて品位量目の改変を行うものが多かった。額面別に示せば，大判，小判，二分金，一分金，二朱金，一朱金（以上金貨），丁銀，豆板銀，一分銀，二朱銀，一朱銀，銅一文銭，銅四文銭，銅百文銭である。

金貨幣の単位名称は，1両＝4分＝16朱で，

丁銀，豆板銀は秤量貨幣であるため重量単位名称によって示され，銭貨は文で呼ばれた。交換比率はそのときどきの相場によった。およその見当としては，当初金1両＝銀50匁＝銭4貫文（4000文）であったが，元禄ころからは銀60匁となり，その後も貨幣改鋳などによってたえず変動していた。

Some of these coins remained in circulation for more than 200 years during the Edo Period.

金座の図。吹場（小判荒物造場）の内部で，文政金を鋳造しているところ。『大日本貨幣史』より Gold coin production c.1820

慶長小判
（金 1601）

慶長丁銀
（銀 1601）

慶長一分金
（金 1601年）

慶長豆板銀
（銀 1601）

寛永通宝一文銭
（銅 1636）

明和南鐐二朱銀
（銀 1772）

		救急電話に■日独防共協定■帝国議会新議事堂完成

〃12年 1937 ■新興宗教「死のう団」5人皇居前広場などで自殺未遂■日中戦争始まる■浅草に国際劇場■後楽園スタジアム完成

〃13年 1938 ■国家総動員法■東京で開催予定の第12回オリンピック中止

〃14年 1939 ■浅草・渋谷間に地下鉄■東京市，隣組回覧板10万枚配布

〃15年 1940 ■勝鬨橋（可動）完成■池袋に武蔵野デパート（現・西武百貨店）■街頭に「贅沢は敵だ」の立看板■日独伊軍事同盟■ダンスホール閉鎖■皇居前広場で皇紀2,600年祝賀式典

〃16年 1941 ■6大都市で米穀配給通帳，外食券制■タバコ不足。空箱引換で1人1個販売■東京港開設■米英に宣戦■東京の新聞社共催で米英撃滅国民大会

〃17年 1942 ■味噌・醤油・衣料切符販売■4月18日，米軍機東京初空襲■家庭，寺院などの金属を強制供出

〃18年 1943 ■東京都に府・市を統括，長官は官選■上野動物園で猛獣薬殺■神宮外苑で出陣学徒壮行会■防火のため建物強制疎開

〃19年 1944 ■劇場・高級旅館・酒場など閉鎖。芸者，女給ら18,000人転廃業■鉄道に女性車掌■食料欠乏で野犬増加，都が野犬買上げ，毒まんじゅう配布■学童疎開■トラック不足のため西武武蔵野線，屎尿電車を夜間運転

〃20年 1945 ■3月9日349機のB29東京空襲，死者84,000人，焼失23万戸，罹災者150万人■8月15日戦争終結の詔勅■20日灯火管制解除■30日連合軍最高司令官マッカーサー厚木到着■9月8日米軍東京進駐■日比谷第一生命相互ビルにGHQ■餓死対策国民会議を日比谷公園で開催

昭和時代——戦後

昭和21年 1946 ■天皇神格化否定の詔書■極東軍事裁判，市谷の旧陸軍省で開廷■復活第17回メーデー50万人参加■5月12日米よこせデモ。赤旗坂下門に入る■5月19日皇居前広場で食糧メーデー，50万人参加（3月以降食糧遅配で京浜地区1日平均9名餓死）

〃22年 1947 ■新宿帝都座で初の額縁ヌードショー■八高線高麗川付近で買出列車転覆■東京都35区を22に整理，練馬を新設23区制■部落会，町内会廃止■中央線，京浜線に婦人子供専用車■外食券食堂を除き料飲店営業禁止（裏口営業）■カスリーン台風

〃23年 1948 ■新年参賀に二重橋開放，参賀13万人■帝銀椎名町事件，行員を毒殺，現金強奪■神田共立講堂でファッションショー■玉川上水に太宰治入水自殺■東宝砧撮影所にこもる争議団に東京地裁仮処分。警官2千人，米軍戦車7，飛行機3，騎兵

		1個中隊出動

〃24年 1949 ■東京消防庁119番を火災専用電話へ■東京都失業対策事業日当254円（ニコヨンの俗称）■ビヤホール復活■7月5日，常磐線北千住・綾瀬間で下山国鉄総裁轢死体で発見■7月15日，三鷹で無人電車暴走■大都市への転入者抑制解除

〃25年 1950 ■朝鮮戦争勃発（糸ヘン，金ヘン景気始まる）■後楽園で初ナイター■レッドパージ拡がる■8大都市の小学校，ガリオア資金によるパン完全給食

〃26年 1951 ■東京積雪30cm，国電止まり国会も流会■銀座に街灯復活■講和・安保条約調印■三越解雇反対スト■都内の露店6千軒を整理，秋葉原ガード下にラジオ部品商を収容

〃27年 1952 ■日航第1号機もく星号三原山に衝突■使用不許可の皇居前広場に入ったメーデーデモ隊と警官隊衝突，デモ隊2名射殺，逮捕者1,230名■羽田空港の一部米軍返還，東京国際空港として営業■東京駅前に新丸ビル完成■青山に最初のボウリング場開場

〃28年 1953 ■NHK東京地区でテレビ本放送■赤電話登場■朝鮮戦争休戦■日本テレビ初の民間放送

〃29年 1954 ■新年皇居参賀38万人，二重橋で混乱し死者16人■丸の内線，戦後初の地下鉄開通■蔵前国技館落成（仮建築への移転は50年）■御徒町ヒロポン密造マーケットを警官隊急襲■洗濯機，冷蔵庫，掃除機が電化三種の神器

〃30年 1955 ■立川基地拡張反対の砂川闘争■第1回国際見本市

〃31年 1956 ■売春防止法公布（東京の赤線従業婦，組合を結成し防止法に反対）■喫茶店の深夜営業取締り■日ソ国交回復

〃32年 1957 ■小河内ダム放水開始（36年着工）■数寄屋橋ショッピングセンター開店■東京都人口世界一，851万8,622人

〃33年 1958 ■警察官職務執行法改正反対運動，審議未了■東京タワー完成，333mは当時世界一■冷暖房完備オフィスビル大手町ビル完成■晴海に高層アパート

〃34年 1959 ■千鳥ヵ淵に戦没者墓苑完成■皇太子結婚式（パレードに53万人参集，テレビ受信契約200万突破）■安保改定阻止のデモ隊国会構内に突入■国際見本市会場として晴海に国際貿易センタービル完成■個人タクシー営業許可■好況（岩戸景気）

〃35年 1960 ■丸の内に初の地下駐車場■東京の電話局番3桁に■安保改定反対デモ，6月15日国会構内に突入した全学連が警官隊と衝突，女子学生死亡，19日条約自然成立■日航東京・福岡深夜便ムーンライト開始■山谷ドヤ街で住民3,000人暴動

〃37年 1962 ■A2型流感，患者47万，死者5,868人■東北へ帰省中長距離バ

Telling the Time and the Calendar

時刻・暦

古代に中国から伝来した時法は定時法で，1昼夜を100刻に分けていたが，その後900年ごろに48刻に分けるようになり，4刻を一つの単位として（辰刻という）これに十二支をあてて表した。そして時刻の基準を夜半に定めて，これを子の刻として数えはじめ，真昼を午の刻とした。正午，午前，午後はその名残りである。

江戸時代には，1日の長さを夜と昼とで別々に等分する不定時法が用いられた。そして昼の始まりは星の見えなくなる夜明け，夜の始まりは星の見えはじめる日暮れとし，これを明け六つ，暮れ六つとしてその間をそれぞれ6等分したのである。このやり方だと昼夜の長さは一定でないから，たとえば夏の夜と冬の夜とでは，同じ1刻でも夏は短く冬は長かったのである。

時は九つで始まり四つで終る（1っ時を4分し3まで数える）。3時のお八つはその名残し，落語「時そば」は四つから九つに変わる時間帯の話。時刻を知らせるには，各地に鐘撞堂が建てられた。現存するのは下記の四つである。日本橋本石町にあった通称「石町の時の鐘」は地下鉄小伝馬町駅近くの十思公園（伝馬町牢屋敷跡）。芭蕉の「花の雲鐘は上野か浅草か」の時の鐘は，上野公園精養軒そばと，浅草寺境内の弁天堂前。

新宿の時の鐘は新宿駅南口近くの天竜寺にある。

明治になってからは，江戸城旧本丸で正午を知らせる空砲の「どん」が鳴らされたが，これは明治4（1871）年にはじまり，昭和4（1929）年まで続いた。

わが国で古代以来用いられていた暦は太陰暦で，中国からの輸入暦を使用していた。太陰暦は1カ月を29日または30日とし（31日はなかった），1年を12カ月としたから，1年は354日となり，太陽暦の1年より11日短い。したがって年ごとに月と季節がずれていき不便であった。これを修正するために19年に7度，1年が13カ月の年を設けて調節したのが太陰太陽暦で，調節のために設けた月を閏月，閏月のある年を閏年とよんだ。江戸時代の初期貞享元（1684）年

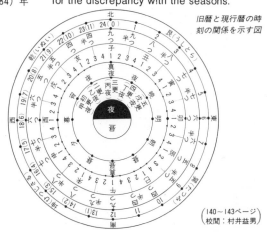

上は十思公園にある「石町の時の鐘」。下は小金井公園にある正午の号砲「どん」で親しまれた大砲。徳川斉昭の製作

に暦法を改めて渋川春海が貞享暦をつくり，以後宝暦・寛保と改暦があったが，天保14（1843）年に制定された天保暦は，完成度の高い太陰太陽暦といわれている。明治5（1872）年，これを廃して現行の太陽暦に改められたが，その後も旧暦は長く民間で使われていた。

Each hour of the day had the name of one of the animals in the Chinese zodiac: the same animals are still used for the cycle of twelve years.

The old calendar borrowed from the Chinese had months of 29 or 30 days: a year of only 354 days. Frequent *uruzuki* (leap-months)were introduced to make up for the discrepancy with the seasons.

旧暦と現行暦の時刻の関係を示す図

（140～143ページ）
（校閲：村井益男）

ス運転

〃38年	1963	■数寄屋橋交叉点に騒音自動表示器 ■首都圏基本問題懇談会, 筑波研究学園都市計画を報告
〃39年	1964	■国鉄コンピュータ座席予約 ■異常渇水, 1日15時間断水 ■浜松町・羽田空港に初の営業モノレール ■東京・新大阪に東海道新幹線 ■オリンピック東京大会 ■ホテル, デパート拡張
〃40年	1965	■初のスモッグ警報 ■都議会議長選挙に汚職, 議会解散
〃41年	1966	■早大全共闘, 授業料値上げで大学本部占拠 ■全日空機, 羽田沖に墜落 ■カナダ航空機, 空港防潮堤に激突炎上 ■武道館のビートルズ公演に熱狂 ■東京都日照権専門委員会を設置
〃42年	1967	■都知事に社共推薦の美濃部亮吉 ■東京教育大, 筑波移転を決定 ■新宿駅で米軍タンクと貨車衝突炎上 ■ユニバシアード東京大会 ■吉田茂死去, 戦後初の国葬 ■小笠原諸島の1年以内返還を約束する日米共同声明
〃43年	1968	■東大, 日大で大学紛争始まる ■霞が関超高層ビル (36階, 147m) 完成 ■武道館で明治100年式典 ■府中市路上で白バイ警官姿の犯人が3億円略奪 ■GNP世界2位 (昭和元禄)
〃44年	1969	■大学闘争の学生らお茶の水駅, 大学周辺の路上にバリケード ■警視庁機動隊8,500人, 東大安田講堂封鎖を実力解除 ■都営ギャンブル廃止 ■八重洲地下街オープン ■東名高速道路全通 ■新宿駅西口地下広場でベ平連が反戦フォークソング集会, 7,000人参集, 64人逮捕 ■70歳以上の老人医療費の無料化を都が決定 (73年から実施)
〃45年	1970	■牛込柳町住民の排気ガス汚染が問題化 ■光化学スモッグ都内各地に被害 ■銀座, 新宿, 池袋, 浅草に歩行者天国 ■三島由紀夫, 市谷の自衛隊にクーデターを訴えて失敗, 割腹自殺
〃46年	1971	■新宿浄水場跡の京王プラザ開業 ■環境庁発足 ■都知事ゴミ戦争宣言 ■八王子で最初のノーカーデー ■警視庁土田部長宅, 新宿派出所前などで爆弾爆発続く
〃47年	1972	■田中角栄「日本列島改造論」発表 (土地ブーム起る) ■最高裁, 日照権・通風権を法的に認める ■第1次田中内閣発足 ■日中国交回復 ■上野動物園に中国からパンダ到着
〃48年	1973	■江東区議ら他区からのゴミ搬入を実力阻止 ■水道橋のホテル, グランド・パレスで金大中, KCIAに拉致 ■原油価格30%引上げ, 供給削減により石油ショック。ガソリン, 紙不足。大都市のネオン消える ■物価急上昇
〃49年	1974	■イトーヨーカ堂, 東京に初のコンビニエンス・ストア ■丸の内三菱重工ビル前で過激派による時限爆弾爆発 ■浦賀水道でLPGタンカー, 貨物船と衝突。死者33 ■この年経済成長
〃50年	1975	率戦後初のマイナス (−0.5%), 省エネルギーが叫ばれる ■日本化学工業亀戸工場跡六価クロム汚染, 以後全国112ヵ所で無処理埋立てが問題化
〃51年	1976	■後楽園球場, 人工芝に改造 ■横田基地公害訴訟, 米軍機の夜間飛行禁止 ■ロッキード事件で田中前首相逮捕
〃52年	1977	■港区で拾ったコーラから青酸ナトリウム, 2人死亡 ■警視庁23年ぶりに覚醒剤取締本部設置 (この年芸能人多数検挙) ■青梅マラソン, 1万人余参加 ■有楽町日劇ダンシングチーム最終公演 ■新宿の歌声喫茶「灯」閉店 ■立川基地全面返還
〃53年	1978	■原宿に「ブティック竹の子」開店。この店のスーツを着て路上で踊る「竹の子族」出現 ■キャンディーズ後楽園で最終公演, 観客5万 ■厳戒体制下成田空港開港式 ■騒音110番を被害者の会が開設, 苦情第1位はカラオケ ■両国花火大会17年ぶりに復活, 80万人が隅田川へ集る
〃54年	1979	■インベーダーゲーム流行 ■都知事に自民・公明・民社推薦の鈴木俊一当選 ■靖国神社にA級戦犯も合祀が判明 ■東京サミット (第5回先進国首脳会議) 開催 ■ヘッドフォンステレオ「ウォークマン」をソニーが発売 ■第1回女子国際マラソン大会を東京で開催
〃56年	1981	■中野区教育委員会準公選 ■宅急便取扱数, 郵便小包を抜く
〃57年	1982	■永田町のホテル・ニュージャパン火災 ■日航機, 羽田着陸寸前に墜落 (機長の逆噴射誤操作) ■浅草国際劇場SKD最終公演 ■大宮から盛岡へ東北新幹線, 新潟へ上越新幹線開通 ■東京湾岸の倉庫やトランクルームにギャラリーや劇場が展開 ■西新宿の超高層ビル, NSビル地下1階に大展示ホール
〃58年	1983	■浦安市に東京ディズニーランド開園 ■武蔵野市役所高額退職金, 批判を呼び改定 ■西新宿東京訓練所に7億円の仮設劇場を設け劇団四季ミュージカル『キャッツ』公演
〃59年	1984	■元日本留学トルコ青年, トルコ風呂の改名を厚生大臣に直訴 (ソープランドとなる) ■世田谷電話局近くの地下通信ケーブル火災。世田谷・目黒の89,000回線不通, 銀行オンラインシステム故障 (8日後全復旧)
〃60年	1985	■新両国国技館落成 ■新風俗法施行 ■日本橋に三井新2号館 (情報化ビルのはしり) ■筑波で科学万博 ■羽田発大阪行き日航機ボーイング747, 群馬県御巣鷹山に墜落, 520人が死亡 ■国鉄の6分割民営化を骨子とする政府案 ■日本の経済摩擦・軍事化に海外から懸念 ■都議会, 都庁の西新宿移転を決定
〃61年	1986	■英国チャールズ皇太子, ダイアナ妃訪日 ■東京サミット ■六本木に情報化ニュータウン・アークヒルズ (森ビル)

The Fire Service
火事と消防組織

江戸時代の大火

江戸時代に発生した大火は100件をこえている。そのほとんどは冬から春にかけて, 北西の季節風にあおられて炎上し, 江戸港の海岸線で焼け止まり, また南の強風にあおられて郊外北部まで燃えひろがり, 田畑や丘陵などが防火線となって焼け止まった。

江戸三大火事といわれるものは次のとおり。①明暦の大火, 俗称「振袖火事」。明暦3 (1657) 年1月18日, 本郷丸山本妙寺からの出火と, 翌19日小石川伝通院前からの出火, および同日麹町五丁目からの出火3件を合せていう。江戸の大半を焼失, 死者10万7000余人。②明和の大

火, 俗称「行人坂火災」, 明和9 (1772) 年2月29日, 目黒行人坂大円寺から出火, 千住まで細長く燃え, 死者1万4700余人。③文化の大火, 俗称「丙寅火事」, 文化3 (1806) 年3月4日, 芝車町から出火, 浅草まで延焼, 被災者数万人。消防組織は整っていても, 機械力ゼロのこの時代では, 焼けるにまかせていたのが実状であった。

Edo/Tokyo has always been vulnerable to fire, especially in the dry winter months. Even now, the greatest danger in a major earthquake would be fire. London has had only one Great Fire (1666), but the Great Fire of Edo in 1657, which killed 107,000 as opposed to the Great Fire of London's zero, was the greatest among over 100 others. This was despite the Edo shogunate's early organization of fire brigades,

and constant attempts to improve fire defences.

江戸時代の消防組織

江戸時代の消防制度を大別すると, 武家火消 (大名火消・定火消の総称) と町火消に分かれる。

(1) 大名火消

大名火消とは, 江戸幕府枢要地 (湯島聖堂, 寛永寺, 増上寺, 浅草・本所の米蔵, 深川猿江町の材木蔵など) の消防作業に従事するため, 寛永6年 (1629) に設けられた消防組織である。大名火消は後述の定火消と異なり, 幕府からの扶持はなく, 義務的なものであった。徳川幕府施政の特徴である, 外様大名に対する課役の一つであった。

大名火消の組織

1万石以上
　火消大名——騎馬3～4騎——足軽20人——中間・人足30人

5万石以上
　火消大名——騎馬7騎——足軽60人——中間・人足100人

10万石以上
　火消大名——騎馬10騎——足軽80人——中間・人足140～150人

20万石以上
　火消大名——騎馬15～20騎——足軽120～130人——中間・人足250～300人

(2) 定火消

定火消とは, 江戸城の防火を目的として, 万

『目黒行人坂火災絵巻』(東京消防庁蔵)

Edo/Tokyo – a Brief History

Edo began as nothing more than a small coastal hamlet, just round the bay from Asakusa, where the Sensoji temple was founded some time in the 7th century A.D. Edo appears briefly in history in the late 12th century, when local warriors helped Minamoto Yoritomo to become the first Shogun of Japan, and Asakusa craftsmen were recruited for shrine construction at Kamakura, the new Shogun's capital. The local chieftains kept some kind of fortress at Edo, but not until the mid-15th century did a really powerful lord appear. This was Ota Dokan, who built a properly fortified castle, and also built up power over the surrounding area, until assassinated on the orders of a jealous feudal overlord. For the next hundred years or so, Edo Castle became a pawn in nationwide feuds between rival clans or ambitious leaders, until in 1590 it finally fell into the hands of Tokugawa Ieyasu, then an ambitious commander under Toyotomi Hideyoshi, but later to become the founder of the dynasty of Shoguns who ruled Japan for over 250 years.

Ieyasu confirmed his authority in 1600 when his victory at the Battle of Sekigahara made him the most powerful man in Japan. And in 1603 he was proclaimed *sei-i-taishogun* (Great General against the Barbarians), restoring power to a post whose influence had dwindled in the past decades of civil war. 1603, then, is the first year in the history of Edo/Tokyo as administrative capital of Japan, although Kyoto (often also known as Miyako) remained nominally the Imperial capital until 1868. The period of Tokugawa rule is commonly called *Edo-jidai* — the Edo Period. But it may be more helpful to consider the history of Edo/Tokyo according to the following divisions.

Consolidation of Shogunate – Forestalling Threats to Stability

1603   *Bakufu* (shogunate) established at Edo, which becomes communications centre with 5 major roads radiating from Nihonbashi: Tokaido (mainly coastal route to Kyoto, Osaka); Nakasendo (mountain route through Shinano to join Tokaido near Kyoto); Koshu-kaido (via Kofu to join Nakasendo at Shimo-Suwa); Nikko-kaido (to Toshogu shrine, Nikko, favourite of Ieyasu); Oshu-kaido (to Shirakawa in N.E.). Extension of Edo Castle and outworks planned; *daimyo* in W. Japan ordered to provide construction materials; work not completed until 3rd Shogun Iemitsu.

1605   Ieyasu appoints son Hidetada 2nd Shogun, but remains true power behind scenes until death in 1616.

1607   Castle keep and Ote-mon main gate completed.

1635   *Sakoku* (closed country) policy proclaimed: Japanese forbidden to travel abroad or return from abroad; Japan closed to foreign trade and influence, except for small Dutch settlement on island of Dejima, Kyushu, and some contact with China.
      Sankin-kotai system introduced: all *daimyo* forced to spend half their time in Edo and leave wife and children there at all times. This is to prevent plots against Edo.

1651   Samurai Yui Shosetsu plots to overthrow shogunate, but plot discovered; Shosetsu commits suicide.

Public Welfare – the Benefits and Perils of City Life

from 1603   Land on bay side of Castle reclaimed (with earth from relatively high ground of Kanda) to house growing population of common people.

1617   Licence granted for pleasure quarters on reclaimed land near Nihonbashi; Yoshiwara opens 1618.

1654   *Tamagawa-josui* (aqueduct) completed, to supply Edo with water drawn from R. Tama; network of conduits serves Castle and rest of city.

1657   Great fire; 107,000 killed; 60% of city lost. All but W. part of Castle burnt down; keep never rebuilt.

1658   4 *hatamoto* (samurai officers) assigned to organize official fire brigades to replace previous emergency brigades. Neighbourhood brigades also encouraged.

1668   Great fire; new fire escape routes. introduced at Shinbashi, etc.

1682   Great fire, arson by greengrocer's daughter O-shichi; burnt at stake 1683.

1687   5th Shogun Tsunayoshi imposes strict penalties for cruelty to pets (esp. dogs), other domestic animals, children, the sick.

1698   New post station set up where Koshu-kaido and Ome-kaido separate, called Naito-Shinjuku (modern Shinjuku).

Scandals and Administrative Reforms

1701   47 Ronin Affair: taunted by Shogun's master of ceremonies Kira Kozukenosuke, Lord of Ako Castle Asano Takuminokami stabs and wounds Kira inside Edo Castle; Asano dispossessed, ordered

---

治元（1658）年に，幕府直属の4000石以上の旗本をもって創設された消防組織のことである。創設当時4組であったが，その後幾多の改廃を経て，宝永元（1704）年には10組となったことから，定火消のことを別名「十人屋敷」「十人火消」と呼んでいた。

なお，江戸の大火などで活躍した双方の武家

定火消の組織

火消役
│
与力
├─ 使番 1人
├─ 纒番 正1人 副1人
├─ 梯番 1人
├─ 小纒番 1人
└─ 水番 1人
│
同心
├─ 上番 10人
├─ 下番 5人
├─ 水番 10人
└─ 残番 5人
│
臥烟
├─ 纒番 大8人 小4人
├─ 玄蕃桶持 大4人 小2人
├─ 梯番 16人
├─ 龍吐水持 8人
├─ 鳶口持 10人
├─ 籠長持 10人
├─ 用箱持 1人
├─ 部屋頭 3人
├─ 役割 2人
└─ 他に中間 50人

火消は，明治時代に入るとすぐ，新政府によって廃止された。

(3) 町火消

町火消は，町人で組織され，町屋の火災に従事した火消のことで，いろは四十八組と本所・深川十六組の総称である。

享保3（1718）年10月18日，町奉行（大岡越前守忠相）から各名主に対して，町火消設置の命が伝えられ，同年12月28日，町火消組合が創

長い丸太を枕にし，いったん火事があればたたき起こされて出動する人足「がえん」の生活（東京消防庁蔵）

明暦の大火で焼えだした京橋と逃げまどう人たち。『武蔵鐙』より（東京都公文書館蔵）

設された。初めは町火消組合といわれていたが，享保5（1720）年8月7日，いろは48文字のうちから，「へ・ひ・ら・ん」の4文字を除き（へは屁に，ひは火に通じ，ら・んは音が尾籠に聞こえるということから），これに代えて「百・千・万・本」の4文字を加えて，いろは四十八組と改めた。

なお，町火消は，消防組（明治），警防団（昭和戦時期），消防団（戦後）と移り変わっている。

町火消の組織

町奉行
│
名主
│
町役人
│
├─ 纒持
├─ 梯子持
├─ 平（龍吐水・玄蕃桶担当）
└─ 下人足（鳶口担当）
│
鳶頭
│
鳶

なお32，33ページに当時の町火消の纒が集大成されているので参照されたい。　（白井和雄）

to commit harakiri. 47 Ako *ronin* (masterless samurai) plot revenge: 1702 invade Kira residence in Honjo, behead Kira, later commit ritual harakiri.

1714 Affair exposed between lady-in-waiting at Castle and popular Yamamuraza kabuki actor; both exiled; official disapproval closes Yamamuraza, reducing number of theatres to 3: Nakamuraza, Ichimuraza, Moritaza; restrictions on theatres tightened.

1716 Yoshimune becomes 8th Shogun; introduces austerity measures.

1717 Ooka, Echizen, becomes *Edo-minamimachi-bugyo* (South Edo Magistrate). Legendary administrator, reforms include: *meyasubako* (boxes for suggestions to Shogun) placed in courtrooms; hospital and medicinal herbarium (now Koishikawa Botanical Gardens) founded in Koishikawa; neighbourhood fire brigades systematized.

1737 Asukayama, and Koganei banks of *Tamagawa-josui* planted with cherry trees; become important places for Edo people's recreation.

1767 Tanuma Okitsugu, trusted assistant of 9th Shogun Ieshige, becomes *sobayonin* (chief secretary), to 10th Shogun Ieharu. During "Tanuma Era," trade and culture (but also corruption) flourish; *ukiyoe* and *nishikie* prints become popular.

Intellectual, Social, Political Upheavals

1771 Doctors including Maeno Ryotaku, Sugita Genpaku witness dissection of executed criminals, recognize superior accuracy of Dutch anatomy texts; after long struggle publish translation *Kaitai-shinsho* (New Anatomy) 1774. This gives stimulus to revival of illicit interest in Western affairs, encourages *rangakusha* (students of *ran* = Holland = the West).

1772 Great fire; 14,700 killed.

1783 Mt. Asama erupts. Great famine begins; riots against rice merchants; riots in country against authorities.

1787 Ienari becomes 11th Shogun. Matsudaira Sadanobu appointed chief *roju* (head of Shogun's Council of Elders); ideological, economic reforms introduced: prices stabilized, agriculture rehabilitated.

1790s Russian and other foreign ships approach Japanese shores more and more frequently; Matsudaira organizes defences.

1837 U.S. ship *Morrison* attempts to land shipwrecked Japanese mariners, repulsed at Uraga; Edo *rangakusha* who protest are imprisoned.

1855 Great earthquake; much of city burnt down.

1858 Cholera epidemic kills over 28,000, including *ukiyoe* artist Ando Hiroshige.

The End of the Shogunate
—Weakness Under Pressure from Home and Abroad

1841 *Roju* Mizuno Tadakuni introduces reactionary measures to deal with repeated famines (1833, 35, 36), approaches by foreign ships, economic collapse.

1853 U.S. Commodore Perry with fleet of Black Ships at Uraga demands opening of ports, makes survey of Tokyo Bay; Shogunate orders coastal defences at Shinagawa and elsewhere.

1854 Perry returns; Japan signs separate treaties with U.S., G.B., Russia.

1859 Slogan *sonno joi* (Respect the Emperor, repel the barbarians!) used by critics of shogunate; many beheaded as shogunate becomes more and more desperate for domestic support.
Port of Yokohama (insignificant fishing village considered safely distant from Edo) opened.
Sudden rapid inflation; Edo traders and consumers suffer.

1860 *Tairo* (chief minister) Ii Naosuke, signer of first foreign treaties, assassinated by nationalist samurai.

1862 Samurai fire British Legation in Shinagawa.

1867 Foreign settlement laid out in Tsukiji (not occupied until 1869). 15th Shogun Yoshinobu agrees to relinquish authority to Emperor.

1868——the Meiji Restoration

Jan. Yoshinobu and supporters reject Imperial demands for total surrender; beaten in battle outside Kyoto, retreat to Ueno Kan'eiji temple, offer passive resistance.

Mar. 14 Imperial officer Saigo Takamori negotiates bloodless surrender of Edo Castle, but opponents of surrender gather at Ueno.

May 15 Imperial troops crush resistance at Ueno. Kan'eiji burnt down; fire spreads to Machiya nearby. (Yoshinobu survives, lives in dignified obscurity until 1913.)

July Edo renamed Tokyo.
Sept. Meiji Era proclaimed.
Oct. Emperor Meiji enters Castle, now renamed Kokyo (Imperial alace).

The Westernizing City—Rapid Strides

1868 Fukuzawa Yukichi, great educator and Westernizer, founds Keio Gijiuku (later Univ.) Forerunners of other great universities founded: 1872 Tsukuba; 1874 Ochanomizu; 1877 Tokyo; 1880 Hosei, Meiji; 1882 Waseda; 1884 Hitotsubashi; 1885 Meiji Gakuin.

1869 Naval Academy opens in Tsukiji; military modernized and expanded, leading later to victory over China (1895), Russia (1905) and colonization of Taiwan (1895), Korea (1910).
Jinrikisha (rickshaw) invented; 1870 enter service.
Slaughterhouse opens in Tsukiji; gradual acceptance of Western eating habits follows: 1870 milk goes on sale in Shiba; 1871 Emperor Meiji eats meat; 1872 French chef employed at Seiyoken Hotel, Ginza; 1874 *anpan* (bread rolls with bean jam) sold by Kimuraya; 1887 Ebisu Beer.

1870 First primary schools in Tokyo; 1872 first girls' school, compulsory education introduced.

1871 Old *han* (provinces) replaced by *ken* (prefectures); Tokyo-fu expanded to include Toshima, Adachi, Katsushika districts.

1872 Great fire in Tsukiji, Ginza; Ginza rebuilt in brick. First train service Shinbashi—Yokohama; public transport expands: 1874 Horse buses Shinbashi—Asakusa; 1883 trains Ueno—Kumagaya; 1885 Yamanote line Shinagawa—Akabane; 1889 Tokaido line reaches Kyoto, trains Shinjuku—Hachioji; 1899 electric streetcars Shinagawa—Shinbashi; 1904 electric trains Iidamachi—Nakano. First postal service Tokyo—Takasaki; 1889 public telegraph Tokyo—Atami; 1890 telephones Tokyo—Yokohama.

1873 Western calendar adopted: Dec. 3 1872 becomes Jan. 1 1873. 5 public parks open: Ueno, Asakusa, Shiba, Fukagawa, Asukayama. Paper factory founded in Oji, glass factory in Shinagawa. Government sponsors industrialization on Western lines: 1877 first of a series of industrial expositions at Ueno; new industries and businesses founded: 1881 Hattori watches, clocks in Ginza (1892 Seiko factory); 1885 Western drugs, cosmetics at Ginza Shiseido.

1874 Gaslights in Ginza.

1877 Saigo Takamori leads doomed revolt against new Imperial policies; commits suicide; 1889 posthumously pardoned; 1898 statue erected in Ueno Park.

1880 Fukuzawa founds gentlemen's club Kojunsha in Ginza.

1881 In response to growing demands for democracy, government agrees to set up Diet.

1882 Ueno Zoo opens. Electric lights in Ginza,

1883 Rokumeikan (Western-style banqueting hall) opens; parties and balls provide contact with foreign community; attending together is a novelty for Japanese married couples.

1889 Imperial Constitution: 1890 Diet meets in temporary building. Tokyo-shi inaugurated with 15 *ku* (wards).

1890 Imperial Hotel opens; Asakusa Ryounkaku 12-storey "skyscraper" completed, with Japan's first elevator, top-floor restaurant.

1898 Tokyo-shi City Hall opens.

1899 Hibiya Park, laid out in Western style, opens (bandstand added 1923).

1903 Ebisu station opens, for beer shipments only.

1904 Old Mitsui *gofuku-ten* (kimono shop) becomes Mitsukoshi department store.

The Early Twentieth Century
—Successes and Disasters

19th century Western visitors to Edo/Tokyo often saw it as a huge village rather than a city, but by the early 20th century Tokyo seems to have gained all the features, and problems, of a real city. Traces of Edo were fast disappearing.

1905 Public meetings and riots against Russo-Japanese War; martial law.

1907 Great floods. 6th and greatest Ueno industrial exposition, to encourage economic revival after Russo-Japanese war.

1909 Ii clan lands become Yoyogi parade grounds (after World War II, U.S. Occupation's Washington Heights; 1964 Olympic Village; now Yoyogi Park).

1910 Last great floods.

1911 Streetcars municipalized; transport strike. First *cafés* in Ginza.

1912	Death of Emperor Meiji; in a break with tradition, his funeral ceremony at Aoyama is Shinto, not Buddhist; buried in Kyoto. Taisho Era begins.
1914	Tokyo Station completed.
1915	Stock market rises on account of World War I (Japan joined Allies against Germany in 1914, but played little part in direct military action). Work starts on Meiji Jingu shrine.
1918	Rice riots; 3,500 troops called out in Tokyo. First Western-style school uniforms for girls, indicating one step towards recognizing new role for woman in society; 1920 first bus conductresses.
1919	Murayama reservoir completed.
1920	Short period of "Taisho democracy" begins. First May Day at Ueno Park. Collapse of bridge at dedication of Meiji Jingu exposes corruption in City Hall; popular mayor Tajiri Inajiro forced to resign, replaced by forward-looking Goto Shinpei (until spring, 1923).
1923	Sept.1 Great Kanto Earthquake; central Tokyo devastated.
1924	First reinforced concrete apartment blocks built, to house earthquake victims.
1925	Radio broadcasts begin from Atagoyama, Shiba.
1926	Death of Emperor Taisho; succeeded by Hirohito (already Regent since 1921). Showa Era begins.
1927	Subway service begins Ueno-Asakusa; 1939 extended to Shibuya.
1929	Festival to celebrate recovery from Earthquake.
1932	Greater Tokyo formed: 20 *ku* added for a total of 35; 1943 Tokyo-to inaugurated. Fire at Shirokiya department store, Nihonbashi; shop girls in kimono afraid to jump to safety for fear of exposing themselves; woman begin to wear drawers under kimono.
1933	Crown Prince Akihito born.
1934	Toyoko department store opens in Shibuya; 1940 Musashino (now Seibu) opens in Ikebukuro.
1936	Diet Building completed.
1937	Korakuen opens on site of old Mito clan's estate.

A Decade of War

1936	Political assassinations, increasing since late 1920s, culminate in martial law.
1937	War with China begins.
1938	1940 Olympic games scheduled here, but Tokyo withdraws.
1940	Campaign against wasteful expenditure; dance halls closed down. 2,600 years of Imperial rule celebrated.
1941	Rice rationed; shortage of tobacco. Dec. 8 (Dec. 7 in U. S.) Pearl Harbour; Japan and U.S. enter World War II; curfew imposed.
1942	First air raids on Tokyo; rationing extended; metal ornaments etc. collected for war effort.
1943	Ueno Zoo animals slaughtered.
1944	Entertainments closed down; geisha, bar girls etc. drafted for war work. Food, transport shortage worsens.
1945	Mar.10 Intensive fire-bombing of Tokyo begins; most of Tokyo laid waste in raids that follow. Aug. 15 Japan surrenders. Aug. 20 Curfew lifted. Aug. 30 Gen. MacArthur arrives at Atsugi to head Occupation forces. GHQ set up in Hibiya (now Daiichi-seimei Bldg.).

Peace and Resurgence

Recovery after the war was not immediate. As in Europe, rationing and shortages continued for several years before things returned to something like normal. Also as in Europe, the elements were not always kind in the immediate postwar years.

1945	Anti-hunger demonstrations begin. Black market thrives.
1946	Food supply worsens; several die daily of starvation. People travel to country for black market provisions in exchange for kimono, valuables etc.; trains dangerously crowded.
1947	Restaurants forbidden to serve except for meal coupons. Typhoon Kathleen brings heavy floods.
1951	Heavy snow.

But there were important reforms, and attempts to make life more enjoyable.

1947	Fist nude show in Shinjuku. 35 *ku* reorganized into 22, Nerima added to make present 23.
1948	Public admitted to Imperial Palace at New Year; 160,000 visit. Fashion shows in Kanda.
1949	119 becomes emergency telephone number (police 110). Ban on moving to big cities lifted.
1950	First night games at Korakuen.
1951	Streetlights on again in Ginza. Street trading regulated; stalls for

electric parts concentrate in Akihabara.

After the Occupation ended, Tokyo could concentrate on normal life again. Greater American influence seemed to have come to stay, but people were happily freed from the desperate, demeaning struggles to survive of the 1940s.

1951	Peace Treaty. Rice trade returned to private hands.
1952	Part of Haneda Airport released for civil flights. First bowling alley in Aoyama.
1953	Feb. NHK TV broadcasts begin; Aug. NTV. Red telephones appear in streets.
1954	350,000 visit Palace at New Year; Nijubashi (Double Bridge) collapses, 16 dead. Marunouchi line opens.
1956	Stricter regulations on night life; 1958 Prostitution banned.

At last rehabilitated, Tokyo had regained its position as a world leader, plans for, and hopes to profit from, the coming Olympics fuelled the incipient economic boom to a level approaching frenzy. There was also frenzied political activity.

1957	Tokyo-to population 8,518,622, world's largest.
1958	Tokyo Tower completed. Heated, air-conditioned office blocks begin to go up in Otemachi.
1959	War graves dedicated at Chidorigafuchi. Crown Prince and Princess Michiko married; TV subscribers top 2 million.
1960	Tokyo telephones given 7 digits (3+4). Demonstrations against renewed defence treaty.
1962	Population tops 10 million.
1964	Haneda monorail, Shinkansen begin service. Most of inner city expressway network completed. Oct. Olympic Games, in modernistic, brand-new facilities.

Modern Tokyo reflects all the stresses and strains, and the delights of the modern city. Concerns for comfort and convenience, equality and freedom sometimes complement each other, and sometimes conflict.

1965	Smog warnings issued.
1966	Serious student riots begin and last until c.1970. Beatles perform at Budokan.
1967	Socialist-neutral Minobe Ryokichi becomes *to-chiji* (Metropolitan Governor).
1968	100 years since Meiji Restoration celebrated. GNP world's 2nd greatest.
1969	Tomei (Tokyo-Nagoya) expressway completed.
1970	Serious pollution detected; photochemical smog claims victims. Suicide of Mishima Yukio.
1971	Keio Plaza becomes Tokyo's tallest building, first of many in Shinjuku.
1972	Pandas come to Ueno Zoo.
1973	Energy crisis; rapid inflation. Minobe plan for free medical treatment for the old goes into effect.
1976	Lockheed scandal; ex-prime minister Tanaka arrested.
1977	Tachikawa Base returned to Japan; 1982 becomes Showa Memorial Park.
1978	Narita Airport opens, after strong local and political opposition. Harajuku latest fashion.
1979	Tokyo Summit. First Tokyo Women's Marathon. Conservative-neutral Suzuki Shun'ichi elected *to-chiji*.
1982	Hotel New Japan burnt down. JAL crash in Tokyo Bay, just before landing at Haneda. Tohoku, Joetsu Shinkansen services begin from Omiya; 1985 from Ueno.
1983	Tokyo Disneyland opens.
1984	Turkish student campaigns successfully to have *toruko* ("Turkish baths) renamed.
1985	New Kokugikan opens in Ryogoku. Plan approved to move metropolitan administration to Shinjuku. Bombs disrupt train services in protest against privatization of JNR.
1986	Tokyo Summit, followed closely by visit of U.K. Prince Charles and Princess Diana; tight security in city centre.

公園・郷土資料館・文化財

地図中に所在を示してあるものについては，所在地の後に地図索引を記してあります。

公園

国立公園

秩父多摩国立公園	奥多摩
富士箱根伊豆国立公園	伊豆諸島
小笠原国立公園	小笠原諸島

国定公園

明治の森高尾国定公園	八王子市

都立自然公園

多摩丘陵都立自然公園	八王子市，日野市，多摩市
高尾陣場都立自然公園	八王子市
滝山都立自然公園	八王子市
狭山都立自然公園	東村山市，武蔵村山市，瑞穂町
秋川丘陵都立自然公園	八王子市，五日市町，秋川市
羽村草花丘陵都立自然公園	青梅市，福生市，秋川市，羽村町

都市公園

		地図索引
日比谷公園	千代田区日比谷公園	127 E4
北の丸公園	千代田区北の丸公園1	127 E4
外濠公園	千代田区富士見2丁目・九段北4丁目，新宿区市谷本村町，本塩町	
清水谷公園	千代田区紀尾井町3	127 E4
芝公園	港区芝公園1〜4丁目	129 E1
台場公園	港区港南5	
有栖川宮記念公園	港区南麻布5	129 D1
高橋是清翁記念公園	港区赤坂7丁目	127 D4
青山公園	港区六本木7丁目，南青山1丁目	129 D1
戸山公園	(1)新宿区戸山町 (2)新宿区大久保3丁目	
明治神宮外苑	新宿区霞岳町	127 D4
明治公園	新宿区霞岳町，渋谷区千駄ヶ谷1丁目	
新宿中央公園	新宿区西新宿2	127 D4
新江戸川公園	文京区目白台1-1-22	127 D3
上野公園	台東区上野公園，池之端	130 A3
横網町公園	墨田区横網2	
隅田公園	墨田区向島1-2-5，台東区花川戸1-2，浅草7，今戸1	130 B3
錦糸公園	墨田区錦糸4丁目	130 B4
猿江公園	江東区住吉2丁目	
夢の島公園	江東区夢の島3丁目	132 B2
亀戸中央公園	江東区亀戸8丁目	132 C1
戸越公園	品川区豊町2-1-30	129 D2
十三号地公園	品川区東八潮	129 E2
林試の森	目黒区下目黒5-37	129 D2
駒場公園	目黒区駒場4	129 C1
碑文谷公園	目黒区碑文谷6-9-11	129 C2
多摩川台公園	大田区田園調布1-63-1	128 C3
洗足公園	大田区南千束2-15-8	129 D2
西六郷公園（通称タイヤ公園）	大田区西六郷1-6-1	129 D4
入新井西公園	大田区大森北4-27-3	
徳持公園	大田区池上8-20-10	
萩中公園	大田区萩中3-25-26	129 E4
聖蹟蒲田梅屋敷公園	大田区蒲田3-25-6	129 D3
池上梅園	大田区池上2-2-13	129 D3
駒沢オリンピック公園	世田谷区駒沢公園	128 C2
蘆花恒春園	世田谷区粕谷1	128 B1
馬事公苑	世田谷区上用賀2	128 B1
世田谷城址公園	世田谷区豪徳寺2-14	128 C1
砧公園	世田谷区砧	128 B2
祖師谷公園	世田谷区祖師谷3丁目	128 A1
代々木公園	渋谷区神南2，代々木神園町	127 D4
北江古田公園	中野区江古田3丁目	126 C2
哲学堂公園	中野区松が丘1	127 C3
善福寺公園	杉並区善福寺2・3丁目	126 A3
和田堀公園	杉並区大宮1・2丁目，成田東2丁目，成田西1丁目，堀ノ内1丁目	126 B4
善福寺川緑地	杉並区成田東2・3・4丁目，成田西1・3・4丁目	
名主の滝公園	北区岸町1，王子本町2	127 D2
浮間公園	北区浮間2，板橋区舟渡2	127 D1
飛鳥山公園	北区王子1	127 E2
城北中央公園	板橋区桜川1，練馬区氷川台1	127 C2
赤塚公園	板橋区高島平3丁目，徳丸7・8丁目，四葉2丁目，大門	126 C1
西台公園	板橋区西台1	127 C1
武蔵関公園	練馬区関町北3丁目	126 A3
光が丘公園	練馬区光が丘	126 B1
石神井公園	練馬区石神井台1・2，石神井町5	126 B2
水元公園	葛飾区水元公園	131 C1
堀切菖蒲園	葛飾区堀切2-19	130 B3
東綾瀬公園	足立区東綾瀬1・2・3丁目，綾瀬3・5・6丁目，谷中1丁目	130 C2
舎人公園	足立区入谷町，舎人町	130 A1
都市農業公園	足立区鹿浜2-44-1	
見沼代親水公園	足立区舎人4丁目〜古千谷5丁目	130 A1
篠崎緑地	江戸川区上篠崎町1〜2丁目先，篠崎町1〜3丁目先，北篠崎1〜2丁目先	
行船公園	江戸川区宇喜田町	
篠崎公園	江戸川区上篠崎町，西篠崎町，北篠崎町，鹿骨町	131 D3
古川親水公園	江戸川区江戸川6丁目	133 D2
小松川境川親水公園	江戸川区中央4-18-5	131 C3
総合レクリエーション公園	江戸川区西葛西7〜南葛西4	133 D2
今井児童交通公園	江戸川区江戸川1114-10	133 D1
富士森公園	八王子市台町2-2	121 E3
陵南公園	八王子市長房町，東浅川町	121 D3
平山城址公園	八王子市堀之内	124 A1
長沼公園	八王子市長沼町，下柚木，堀之内	124 A1
諏訪の森公園	立川市柴崎町1丁目	122 B3
国営昭和記念公園	立川市，昭島市	122 B3
井の頭公園	武蔵野市御殿山1丁目，三鷹市井の頭3・4丁目ほか	126 A3
青梅鉄道公園	青梅市勝沼3-155	119 D3
浅間山公園	府中市浅間町4丁目，若松町5丁目	123 D4
交通遊園	府中市矢崎町5-5	
昭和公園	昭島市東町5	122 B3
神代植物公園	調布市深大寺町	123 E4
武者小路実篤公園	調布市若葉町1-23	128 A1
薬師池公園	町田市野津田町3270	124 C3
小金井公園	小金井市桜町3丁目，小平市花小金井南町3丁目，田無市向台6丁目ほか	123 D3
武蔵野公園	小金井市前原町2丁目，東町5丁目，府中市多磨町3丁目	123 D3
野川公園	調布市野水1・2丁目，小金井市東町1丁目，三鷹市大沢3・6丁目	123 E4
玉川上水緑道	小平市小川町，三鷹市井の頭1丁目ほか	
多摩動物公園	日野市程久保，南平	124 B1
百草園(松連寺跡)	日野市百草560	124 B1
北山公園	東村山市野口町	123 C1
狭山公園	東村山市多摩湖町2・3丁目，東大和市清水	122 C1
東大和緑地	東大和市湖畔3丁目，高木1丁目	
東大和市立狭山緑地	東大和市奈良橋1丁目，蔵敷1丁目，芋窪1丁目	
東大和公園	東大和市奈良橋1丁目，狭山3丁目	122 C1
狭山・境緑道	小平市花小金井南町1・2・3，東大和市清水2丁目，東村山市廻田2，保谷市新町3ほか	
竹林公園	東久留米市南沢1	123 E2
野山北公園	武蔵村山市中藤6453	122 A1
桜が丘公園	多摩市連光寺	125 C1
弁天山公園	五日市町網代	121 C1
大島公園	大島町泉津福重	
八丈植物公園	八丈町大賀郷	
大神山公園	小笠原村	

庭園

皇居東御苑	千代田区千代田1	
皇居外苑	千代田区皇居外苑	127 E4
浜離宮庭園	中央区浜離宮庭園	132 A2
旧芝離宮恩賜庭園	港区海岸1-4-1	132 A2
国立科学博物館付属自然教育園	港区白金台5-21-5	129 D1
新宿御苑	新宿区内藤町	127 D4
六義園	文京区本駒込6-16-3	127 E3
小石川後楽園	文京区後楽1-6-6	127 E3
小石川植物園	文京区白山3-7-1	127 E3
伝法院の庭	台東区浅草2浅草寺内	
旧安田庭園	墨田区横網1	130 B4
向島百花園	墨田区東向島3	130 B3
清澄庭園	江東区清澄3	
明治神宮御苑	渋谷区代々木神園町	
旧古河庭園	北区西ヶ原1-27-39	127 E2
牧野記念庭園	練馬区東大泉6-34-4	126 A2
花畑記念庭園	足立区花畑4-40-1	130 B1
滄浪泉園	小金井市貫井南町3-2-28	123 D3
殿ヶ谷戸庭園	国分寺市南町2-16	123 D3

海上公園

お台場海浜公園	港区台場	129 E2
大井ふ頭中央海浜公園	品川区八潮4丁目，大田区東海1丁目	129 E3
晴海ふ頭公園	中央区晴海5丁目	132 A2
竹芝ふ頭公園	港区海岸1丁目	
品川北ふ頭公園	港区港南5丁目	129 E2
品川南ふ頭公園	品川区東品川5丁目	
コンテナふ頭公園	品川区八潮2丁目	129 E2
新木場ふ頭公園	江東区新木場2丁目	132 B2
フェリーふ頭公園	江東区有明4丁目	132 B3
みなとが丘ふ頭公園	品川区八潮3丁目	129 E3
春海橋公園	中央区晴海2丁目，江東区豊洲2丁目	
有明南ふ頭公園	江東区有明3丁目	132 B3
青海ふ頭公園	江東区青海2丁目	132 A3
東京港野鳥公園	大田区東海1丁目地先大井ふ頭その一埋立地内	129 E3
潮見公園	江東区潮見1丁目	132 B2
八潮北公園	品川区八潮1丁目	129 E2
京浜島つばさ公園	大田区京浜島2丁目	129 E3
京浜島ふ頭公園	大田区京浜島2丁目	129 E3
暁ふ頭公園	江東区青海2丁目	132 B3
辰巳の森緑道公園	江東区辰巳1丁目，2丁目	132 B2
東八潮緑道公園	品川区東八潮	
京浜運河緑道公園	品川区八潮1丁目，5丁目	
昭和島北緑道公園	大田区昭和島2丁目	
昭和島南緑道公園	大田区昭和島1丁目	
大井ふ頭緑道公園	品川区八潮1丁目，5丁目	
夢の島緑道公園	江東区夢の島	
大森緑道公園	大田区大森南4丁目地先	
東雲南緑道公園	江東区東雲2丁目	132 B2
京浜島緑道公園	大田区京浜島1丁目	
有明テニスの森公園	江東区有明2丁目	132 B3
東海緑道公園	大田区東海1丁目，4丁目	
青海緑道公園	江東区青海1丁目，2丁目	132 A3
お台場緑道公園	港区台場	
城南島緑道公園	大田区城南島1丁目	

動物園

東京都上野動物園	台東区上野公園9-83	130 A3
	☎828-5171	
板橋区立子供動物園	板橋区板橋3-50-1	
	☎963-8003	
江戸川区立自然動物園	江戸川区北葛西3-2-1 行船公園内☎680-0777	
東京都多摩動物園	日野市程久保300	124 B1
	☎0425-91-1611	
羽村町動物園	羽村町羽4122 ☎0425-55-2581	119 E3
東京都大島公園	大島町泉津☎04992-2-8423	135大島

植物園

新宿御苑	新宿区内藤町11☎350-0151	127 D4
牧野記念庭園	練馬区東大泉6-34-4	126 A2
	☎922-2920	
小石川植物園（東京大学理学部付属植物園）	文京区白山3-7-1	127 E3
	☎814-0138	
国立科学博物館付属自然教育園	港区白金台5-21-5	129 D1
	☎441-7176	

星薬科大学　薬用植物園　品川区荏原2-4-41　☎786-1011
板橋区立　温室植物園　板橋区高島平8-29-2　126 C1　☎934-8337
板橋区立　赤塚植物園　板橋区赤塚5-17-14　126 B1　☎975-9127
高尾　自然動植物園　八王子市高尾町　121 C3　☎0426-61-2381
神代植物公園　調布市深大寺町2708　123 E4　☎0424-83-2300
京王百花苑　調布市多摩川4-38-1　125 E1　☎0424-82-2653
国分寺　万葉植物園　国分寺市西元町1-13-16　☎0423-21-0420
薬用植物園　小平市中島町72　122 C2　☎0423-41-0344
八丈植物公園　八丈町大賀郷　☎04996-2-2394　135 八丈島
小笠原亜熱帯　農業センター　小笠原村父島字小曲　135 父島

郷土資料館

国立公文書館　千代田区北の丸公園　☎214-0621
中央区立京橋図書館郷土資料室　中央区築地1-1-1　☎543-9025
中央区立郷土資料館　中央区築地4-15-1　☎542-4801
港区立郷土資料館　港区芝5-28-4三田図書館内　☎452-4951
東京都公文書館　港区海岸1-13-17　☎432-8161
新宿区立中央図書館郷土資料室　新宿区下落合1-9-8　☎364-1421
浅草巧芸館　台東区西浅草2-27-7　☎845-3591
台東区立下町風俗資料館　台東区上野公園2-1　☎823-7451
品川区立歴史館　品川区大井6-11-1　☎777-4060
守屋教育会館　郷土資料室　目黒区五本木2-20-17　☎715-1531
世田谷区立郷土資料館　世田谷区世田谷1-29-18　☎429-4237
岡本公園民家園　世田谷区岡本2-19-1　☎709-6959
渋谷区白根記念郷土文化館　渋谷区東4-9-1　☎407-8615
中野文化センター　郷土資料室　中野区中野2-9-7　☎383-1631
井草民俗資料館　杉並区善福寺1-33-1　井草八幡宮境内☎399-8133
豊島区立郷土資料館　豊島区西池袋2-37-4　☎980-2351
北区郷土資料館　北区王子本町5-2-12　☎914-4820
板橋区立郷土資料館　板橋区赤塚5-35-25　☎975-1578
練馬区立郷土資料室　練馬区石神井台1-16-31　☎996-0563
足立区立中央図書館資料室　足立区梅田7-13-1　☎840-4646
葛飾区立葛飾図書館郷土資料室　葛飾区新宿3-7-1　☎607-9201
教育資料館　葛飾区水元4-21-1　☎607-5569
江戸川区教育委員会郷土資料室　江戸川区松島1-38-1　☎653-5151
陣馬民芸館　八王子市上恩方町2174　☎0426-51-3105
八王子市郷土資料館　八王子市上野町70　☎0426-22-8939
武蔵野市立武蔵野図書館郷土資料室　武蔵野市吉祥寺北町4-8-11　☎0422-51-5131
三鷹図書館資料室　三鷹市上連雀8-3-3　☎0422-43-9151
青梅市郷土博物館　青梅市駒木町1-684　☎0428-23-6859
府中市立郷土館　府中市宮町3-1　☎0423-64-4111
調布市郷土博物館　調布市小島町3-26-2　☎0424-85-1164
小島資料館　町田市小野路町950　☎0427-35-2046
東京都武蔵野郷土館　小金井市桜町3-7-4　小金井公園内☎0423-81-1336
鈴木遺跡資料館　小平市鈴木町1-487-4
日野市立中央図書館郷土資料室　日野市豊田2-49-2　☎0425-81-7354
東村山市立郷土館　東村山市諏訪町1-2-7　☎0423-91-5353

徳蔵寺板碑保存館　東村山市諏訪町1-26-3　☎0423-91-1603
国分寺市文化財保存館　国分寺市西元町1-13-16　☎0423-21-0420
清瀬市郷土博物館　清瀬市上清戸2-6-41　☎0424-93-8585
武蔵村山市立歴史民俗資料館　武蔵村山市中藤6343　☎0425-60-6620
昭島市民図書館郷土資料展示室　昭島市東町2-6-33　☎0425-43-1523
田無市郷土資料室　田無市向台町2-5-1　☎0424-64-1311
福生市郷土資料室　福生市熊川850-1　☎0425-53-3111
羽村町郷土博物館　羽村町羽741　☎0425-58-2561
東京都立埋蔵文化財調査センター　多摩市落合1-14-2　☎0423-73-5296
瑞穂町郷土資料館　瑞穂町石畑1962　☎0425-57-5614
五日市町郷土館　五日市町五日市920　☎0425-96-4069
奥多摩郷土資料館　奥多摩町原5　☎0428-86-2731
大島町郷土資料館　大島町元町字地の岡　☎04992-2-3810
新島郷土資料館　新島本村6番地　☎04992-5-0240(新島本村役場)
神津島村郷土資料館　神津島村10番地　☎04992-8-0011(神津島教育委員会)
御蔵島村郷土資料館　御蔵島村　☎04994-8-2121(御蔵島村役場)
八丈島歴史民俗資料館　八丈町大賀郷1186　☎04996-2-3105

国指定文化財

国宝
正福寺地蔵堂　東村山市野口町4-6-1

重要文化財
旧江戸城田安門　千代田区代官町
旧江戸城清水門　千代田区代官町
旧江戸城外桜田門　千代田区皇居外苑
日本ハリストス正教会教団復活大聖堂（ニコライ堂）　千代田区神田駿河台4-1-3
旧近衛師団司令部庁舎　千代田区北の丸公園
日本銀行本店本館　中央区日本橋本石町2-2-1
増上寺三解脱門　港区芝公園4-7-35
旧台徳院霊廟惣門　港区芝公園4-8-2
有章院(徳川家継)霊廟二天門　港区芝公園3-3
慶応義塾三田演説館　港区三田2-15-45慶応義塾内
慶応義塾図書館　港区三田2-15-45慶応義塾内
学習院旧正門　新宿区戸山1-20-1
旧加賀屋敷御守殿門(赤門)　文京区本郷7-3東京大学構内
護国寺本堂　文京区大塚5-40-1
護国寺月光殿(旧日光院客殿)　文京区大塚5-40-1
根津神社　文京区根津1-28-9
旧東京医学校本館　文京区白山3-7-1
旧岩崎家住宅　文京区湯島4-6-6
旧因州池田屋敷表門　台東区上野公園東京国立博物館構内
旧十輪院宝蔵　台東区上野公園東京国立博物館構内
表慶館　台東区上野公園東京国立博物館構内
東照宮社殿　台東区上野公園9-88
寛永寺五重塔　台東区上野公園
寛永寺清水堂　台東区上野公園
寛永寺旧本坊表門(黒門)　台東区上野公園
巌有院霊廟勅額門および水盤舎　台東区上野桜木1丁目
巌有院霊廟奥院　台東区上野桜木1丁目
常憲院霊廟勅額門および水盤舎　台東区上野桜木1丁目
常憲院霊廟奥院　台東区上野桜木1丁目
浅草寺二天門　台東区浅草2-3-1
浅草神社本殿および幣殿　台東区浅草2-3-1
旧弾正橋(八幡橋)　江東区富岡1-19, 富岡2-7間

明治丸　江東区越中島2-1-6東京商船大学構内
円融寺本堂(釈迦堂)　目黒区碑文谷1-22-22
本門寺五重塔　大田区池上1-1-1
大場家住宅主屋および表門　世田谷区世田谷1-29-18
妙法寺鉄門　杉並区堀之内3-48-8
観音寺本堂　青梅市塩船194
観音寺阿彌陀堂　青梅市塩船194
観音寺仁王門　青梅市塩船194
旧宮崎家住宅　青梅市駒木町1-684　青梅市立郷土博物館構内
旧永井家住宅　町田市野津田3270　町田市立薬師池公園内
金剛寺不動堂　日野市高幡733
金剛寺仁王門　日野市高幡733
小林家住宅　檜原村4994

特別史跡
江戸城跡　千代田区

特別史跡および特別名勝
小石川後楽園　文京区後楽1-6

特別名勝
六義園　文京区本駒込6-16-3

特別名勝および特別史跡
旧浜離宮庭園　中央区浜離宮庭園1-1

特別天然記念物
大島のサクラ株　大島町大字泉津字福重

史跡
江戸城外堀跡　千代田区, 新宿区, 港区
常盤橋門跡　千代田区大手町2丁目　中央区日本橋本石町2丁目
品川台場(第3・第6)　港区芝港南5丁目
荻生徂徠墓　港区三田4-7-29(長松寺内)
高輪大木戸跡　港区芝高輪2-19先
旧新橋・横浜間鉄道創設起点跡　港区東新橋1丁目
浅野長矩墓および赤穂義士墓　港区高輪2-11-1(泉岳寺内)
佐藤一斎墓　港区六本木7-14-6(深広寺内)
林氏墓地　新宿区市谷山伏町
山鹿素行墓　新宿区弁天町1(宗参寺内)
湯島聖堂　文京区湯島1-4-25
高島秋帆墓　文京区向丘1-11-3(大円寺内)
大塚先儒墓所　文京区大塚5-23-1
弥生2丁目遺跡　文京区弥生2-11(東京大学構内)
蒲生君平墓　台東区谷中1-4-13(臨江寺内)
伊能忠敬墓　台東区東上野6-19-2(源空寺内)
高橋至時墓　台東区東上野6-19-2(源空寺内)
平賀源内墓　台東区橋場2丁目
松平定信墓　江東区白河1-3-32(霊巌寺内)
沢庵墓　品川区北品川3-11-9(東海寺大山墓地)
賀茂真淵墓　品川区北品川3-11-9(東海寺大山墓地)
大森貝塚　品川区大井6-21
青木昆陽墓　目黒区下目黒3-20-26(滝泉寺内)
亀甲山古墳　大田区田園調布3丁目(多摩川台公園内)
細井広沢墓　世田谷区等々力3-15-1(満願寺内)
西ヶ原一里塚　北区西ヶ原2-4-2先
志村一里塚　板橋区志村1-12　および小豆沢2-16-11
船田石器時代遺跡　八王子市長房町
小仏関跡　八王子市裏高尾町駒木野
滝山城跡　八王子市高月町, 加住町1丁目, 丹木町1~3丁目
八王子城跡　八王子市元八王子3丁目, 下恩方町
椚田遺跡　八王子市椚田町
高ヶ坂石器時代遺跡　町田市高ヶ坂町1,431
武蔵国分寺跡　国分寺市西元町1~4丁目
西秋留石器時代住居跡　秋川市牛沼字清水

名勝
小金井(サクラ)　武蔵野市・小金井市・小平市
旧芝離宮庭園　港区海岸1丁目11-1, 11-2, 13-1, 13-5

名勝および史跡
向島百花園　墨田区向島3丁目

天然記念物

江戸城跡のヒカ リゴケ生育地	千代田区北の丸公園1-1 (北門から田安門にいたる江戸城跡の石垣の区域)
善福寺のイチョウ	港区元麻布1-6-21(善福寺内)
練馬白山神社の 大ケヤキ	練馬区練馬4-1-3(白山神社内)
三宝寺池沼沢 植物群落	練馬区石神井台1丁目(石神井公園内)
御岳の神代ケヤキ	青梅市御岳山円山
馬場大門の ケヤキ並木	府中市宮町1丁目, 宮西町1丁目, 寿町1丁目, 府中町1丁目
幸神神社の シダレアカシデ	日の出町大久野2129
シイノキ山の シイノキ群叢	大島町泉津字小洞
大島海浜植物群落	大島町泉津字松山
鳥島	鳥島
南硫黄島	小笠原村(南硫黄島全島)

天然記念物および史跡

旧白金御料地	港区白金台5-21-5 品川区上大崎2丁目

都指定文化財

建造物

旧自証院霊屋	千代田区紀尾井町1番地(赤坂プリンスホテル内)
増上寺経蔵	港区芝公園4-7-35
氷川神社社殿	港区赤坂6-10-12
瑞聖寺大雄宝殿	港区白金台3-2-19
半床庵	文京区千駄木3-13-13
湯島神社表鳥居 銅造明神鳥居柱に寛文七年同八年の刻銘がある	文京区湯島3-30-1
浅草寺六角堂	台東区浅草2-3-1
天祐庵	台東区浅草2-3-1
一円庵	台東区池之端3-1-28
池上本門寺宝塔	大田区池上1-1-1
武家屋敷門	大田区下丸子3-19-7
滝泉寺前不動堂	目黒区下目黒3-20-26
武家屋敷門	世田谷区下馬2-11-6
妙法寺祖師堂	杉並区堀の内3-48-8
妙法寺書院 (御成間)	杉並区堀の内3-48-8
妙法寺仁王門	杉並区堀の内3-48-8
法明寺鬼子母神堂	豊島区雑司ヶ谷3-18-18
普賢寺宝篋印塔 石造宝篋印塔	葛飾区東堀切3-9-3
西蓮寺薬師堂	八王子市大楽寺町566
広園寺 総門・山門・仏殿・鐘楼	八王子市山田町1577
浄福寺内厨子 観音堂	八王子市下恩方町3259
薬王院二王門	八王子市高尾町2177
薬王院飯縄観現堂	八王子市高尾町2177
高尾山不動堂	八王子市高尾町2177
薬王院大師堂	八王子市高尾町2177
金剛寺表門	青梅市青梅1032
御嶽神社旧本殿	青梅市御岳山176
安楽寺本堂	青梅市成木1-583
成木熊野神社本殿	青梅市成木3-207
旧吉野家住宅	青梅市新町383
大国魂神社本殿	府中市宮町3-1
妙福寺祖師堂	町田市三輪町811
旧荻野家住宅	町田市野津田町3270(薬師池公園内)
金剛寺 旧五部権現社殿	日野市高幡733
熊川神社本殿	福生市熊川660
豊鹿嶋神社本殿	東大和市芋窪2067
真照寺薬師堂	秋川市引田863
阿蘇神社本殿	羽村市羽1365
大悲願寺本堂	五日市町横沢134
高倉(十二脚倉) 1棟	八丈町末吉2589
高倉(六脚倉) 1棟	八丈町三根1501

史跡

亀塚	港区三田4-16-15
杉田玄白墓	港区虎ノ門3-10-10(栄閑院内)
芝丸山古墳	港区芝公園4丁目(都立芝公園内)
関孝和墓	新宿区弁天町95(浄輪寺内)
牛込氏墓	新宿区弁天町9(宗参寺墓地内)
安井息軒墓	文京区千駄木5-38-3(養源寺墓地内)
井上哲次郎宅跡	文京区小石川3-20-11(区立井上児童公園内)
原氏墓所	文京区本駒込3-19-4(洞泉寺内)
動坂遺跡	文京区本駒込3-18-22(都立駒込病院敷地内)
西村茂樹墓	文京区千駄木5-38-3(養源寺墓地内)
駒込名主屋敷	文京区本駒込3-40-3(高木嘉久)
徳田秋声旧宅	文京区本郷6-6-9(徳田一穂方)
北村季吟墓	台東区池之端2-4-22(正慶寺墓地内)
浄厳律師墓	台東区池之端2-5-30(妙極院墓地内)
太宰春台墓	台東区谷中1-2-14(天眼寺墓地内)
徳川慶喜墓	台東区谷中7-2(寛永寺墓地内)
子規庵	台東区根岸2-5-11
中村不折旧宅	台東区根岸2-10-4(書道博物館)
亀田鵬斎墓	台東区今戸2-5-4(称福寺墓地内)
世田谷代官屋敷	世田谷区世田谷1-29-18
野毛大塚古墳	世田谷区野毛1-25(玉川野毛町公園内)
等々力渓谷 三号横穴	世田谷区等々力1-22
御岳山古墳	世田谷区等々力1-18
井伊直弼墓	世田谷区豪徳寺2-24-7(豪徳寺墓地内)
三宅雪嶺旧宅	渋谷区初台2-27-14
大宮遺跡	杉並区大宮2
釜寺東遺跡	杉並区方南2-435-1ほか
伊藤政武墓	豊島区駒込5-11-4(西福寺墓地内)
茂呂遺跡	板橋区小茂根5-17
東高野山奥之院	練馬区高野台3-10-3(長命寺境内)
尾崎遺跡	練馬区春日町5-3066
白旗塚古墳	足立区東伊興町30-10
一之江名主屋敷	江戸川区春江町2-29-1および2
広園寺寺域	八王子市山田町1576-1, 1577
井の頭池遺跡群	武蔵野市吉祥寺南町1丁目同市御殿山1丁目, 三鷹市井の頭3丁目・4丁目
天寧寺境域	青梅市根ヶ布1-454
安楽寺境域	青梅市成木1-583
成木熊野神社境域	青梅市成木3-207
海禅寺境域	青梅市二俣尾3-962
町田市田端 環状積石遺構	町田市小山町3112-2・3113-2
青木家屋敷	町田市相原町810外
小山田一号遺跡	町田市小山町桜台2-16-6
坂西横穴墓群	日野市大坂上1-7-2
兜塚古墳	狛江市和泉本町1-1-5
新山遺跡	東久留米市下里3丁目
下里木曽遺跡	東久留米市野火止3-310-19
稲荷塚古墳	多摩市百草1140
霞ヶ関南木戸柵跡	多摩市関戸1190
まいまいず井戸	羽村市五の神30
広徳寺境域	五日市町小和田234
深沢家屋敷跡	五日市町深沢7ほか
武田信道および家臣供養塔並びに屋敷跡	大島町 { 野増字和田(供養塔) / 野増6(屋敷跡) }
鉄砲場の岩陰遺跡	大島町泉津字松山336号
ケッケイ山遺跡	利島村西山22号1802番地の1・2
原町の井戸	新島本村2
上木甚兵衛墓および三島勘右衛門石像	新島本村3 共同墓地内
三宅島役所	三宅村神着199
三宅島大里遺跡	三宅村坪田2914・2995
梅辻規清墓	八丈町大字中之郷上浦墓地
八重根のメットウ井戸付石碑 二基	八丈町大賀郷8311-3外
八丈島湯浜遺跡	八丈町樫立
佐々木次郎太夫墓	青ヶ島村休戸郷塔ノ坂
モットレイ夫妻墓 良志羅留晋墓	小笠原村母島沖村

天然記念物

芝東照宮のイチョウ	港区芝公園4-8-10(東照宮内)
旧細川邸のシイ	港区高輪1-16-25(港区立高松中学校内)
旧蓬莱園のイチョウ	台東区浅草橋5-1-20(都立忍岡高等学校内)
玉林寺のシイ	台東区谷中1-7-15
大鳥神社の オオアカガシ	目黒区下目黒3-1-2(大鳥神社内)
秋葉のクロマツ	大田区田園調布5-30-7
九品仏のカヤ	世田谷区奥沢7-41-3(浄真寺内)
九品仏のイチョウ	世田谷区奥沢7-41-3(浄真寺内)
上野毛のコブシ	世田谷区上野毛3-9-25
善養寺のカヤ	世田谷区野毛2-7-11
桜小学校の オオアカガシ	世田谷区世田谷2-4-15(区立桜小学校内)
大宮八幡社叢	杉並区大宮2-3-1(大宮八幡宮内)
横倉邸のケヤキ並木	杉並区高井戸東3-16
雑司ヶ谷鬼子母 神のイチョウ	豊島区雑司ヶ谷3-18-18(法明寺内)
鬼子母神大門 ケヤキ並木	豊島区雑司ヶ谷3丁目
王子神社のイチョウ	北区王子本町1-1-12(王子神社内)
延命院のシイ	荒川区西日暮里3-10-1(延命院内)
水元のオニバス	葛飾区水元公園1-1(都水産試験場A・18号池)
善養寺影向のマツ	江戸川区東小岩2-24-2(善養寺内)
高尾山のスギ並木	八王子市高尾町
小仏のカゴノキ	八王子市裏高尾町1785(宝珠寺内)
高尾山の飯盛スギ	八王子市高尾町2177
川口のキハダ	八王子市川口町552
吉祥寺旧本宿の ケヤキ	武蔵野市吉祥寺本町1-35-12
吉祥寺八幡神社 のキハダ	武蔵野市吉祥寺東町1-1-23(武蔵野八幡神社境内)
金剛寺の青梅	青梅市青梅1032(金剛寺内)
塩船観音の大スギ	青梅市塩船194(観音寺内)
安楽寺の大スギ	青梅市成木1-583(安楽寺内)
宗泉寺のカヤ	青梅市吹上385(宗泉寺内)
拝島のフジ	昭島市拝島1-20-16(普明寺内)
佐須の禅寺丸古木	調布市佐須町126
虎柏神社のクロマツ	調布市佐須町154(虎柏神社境内)
簗田寺のハリギリ	町田市忠生2-5-33(簗田寺内)
梅岩寺のケヤキ	東村山市久米川町5-24-6(梅岩寺内)
谷保天満宮社叢	国立市谷保5209(天満宮内)
平久保のケヤキ	多摩市落合4-7-2
高勝寺のカヤ	稲城市坂浜551(高勝寺内)
秋川の六枚屏風岩	秋川市引田1774
慈勝寺のモッコク	秋川市草花1811(慈勝寺内)
出雲神社のツバキ	秋川市渕上310(出雲神社内)
阿蘇神社のシイ	羽村市羽1365(阿蘇神社内)
羽村橋のケヤキ	羽村市羽369
大久野のフジ	日の出町大久野622
岩井のエントモ ノチシ化石産地	日の出町岩井2778・2821
広徳寺のタラヨウ	五日市町小和田234(広徳寺内)
広徳寺のカヤ	五日市町小和田234(広徳寺内)
開光院のナツツバキ	五日市町五日市691(開光院内)
大岳鍾乳洞	五日市町養沢
南沢の鳥ノ巣 石灰岩産地	五日市町深沢
神戸岩	檜原村神戸8020-2, 8038-2, 8082-2, 8083-2
古里附のイヌグス	奥多摩町古里附7-2(春日神社内)
氷川三本スギ	奥多摩町氷川206(奥氷川神社内)
白髪大岩	奥多摩町境
日原鍾乳洞	奥多摩町日原
野増大宮のシイ樹叢	大島町野増字大宮(大宮神社内)
差木地の大クス	大島町差木地2(観音堂)
春日神社の イヌマキ群叢	大島町差木地字やかた411(春日神社内)
潮吹の鼻	大島町泉津字松山336
おたいね浦の 岩脈と筆島	大島町波浮字おたいね
東要寺のイヌマキ	新島本村大字式根島字石白川
東要寺のナギ自生地	新島本村大字式根島字石白川
神着の大ザクラ	三宅村大字神着(神着小学校内)
ビャクシン	三宅村大字神着60
堂のシイ	三宅村大字伊豆字堂ノ山
三宅島椎取神社 の樹叢と溶岩流	三宅村神着下馬野尾
御蔵島鈴原の 湿原植物群落	御蔵島村鈴原
八丈小島の ハマオモト群落	八丈町小島字津木字浜ノ平

Index of Place Names
地名索引

1 「地図でよむ市街の変遷」(P 63～111)の地名索引は、下図
　のように図を4等分して位置を示してある。
2 ❀印の地名は昔の地図にあって現在は無い地名。
3 青山 北町の青山のように小さい文字で記した地名は地図上で
　省略されているもの。

a	b
c	d

151

神田神保町（かんだじんぼうちょう）　千代田区
　84c,127E3
神田駿河台（かんだするがだい）　千代田区　84b
神田錦町（かんだにしきちょう）　千代田区　66b
神田美土代町（かんだみとしろちょう）　千代田区
　84d

紀尾井（きおい）坂　80C
紀尾井町（きおいちょう）　千代田区　80d,127E4
菊川（きくがわ）　墨田区　130B4
菊坂町（きくさかちょう）　103a
菊野台（きくのだい）　調布市　128A1
象潟町（きさかたちょう）　107a
岸（きし）　武蔵村山市　122A1
木曽町（きそまち）　町田市　124B3
北（きた）〔区〕　127D1
北（きた）　国立市　122C3
北青山（きたあおやま）　港区　127D4
北秋（きたあき）川　117D2
北浅（きたあさ）川　121D2
北上野（きたうえの）　台東区　104b,130A3
北大塚（きたおおつか）　豊島区　127D2
北葛西（きたかさい）　江戸川区　133C2
北加平町（きたかへいちょう）　足立区　130B2
北烏山（きたからすやま）　世田谷区　126A4
北清島町（きたきよしまちょう）　105d
北小岩（きたこいわ）　江戸川区　131D3
北糀谷（きたこうじや）　大田区　129D3
北品川（きたしながわ）　品川区　110d,129E2
北品川宿（きたしながわじゅく）　111d
北篠崎町（きたしのざきちょう）　江戸川区　131D3
北新宿（きたしんじゅく）　新宿区　127D3
北砂（きたすな）　江東区　132C1
北千住（きたせんじゅ）〔駅〕　130B3
北千束（きたせんぞく）　大田区　129C2
北多原町（きたたわらまち）　107c
北田園（きたでんえん）　福生市　119E4
北野（きたの）　三鷹市　126A4
北野町（きたのまち）　八王子市　124A1
北の丸公園（きたのまるこうえん）　千代田区
　127E4
北原町（きたはらちょう）　田無市　123E2
北日下窪町（きたひがくぼちょう）　93a
北東仲町（きたひがしなかまち）　107c
北槇町（きたまきちょう）　73a
北馬込（きたまごめ）　大田区　129D2
北町（きたまち）　練馬区　126C1
北町（きたまち）　国分寺市　122C3
北町（きたまち）　保谷市　123E2
北松山町（きたまつやまちょう）　105d
喜多見（きたみ）　世田谷区　128A2
北嶺町（きたみねまち）　大田区　129C3
北山町（きたやままち）　府中市　123C4
吉祥寺（きちじょうじ）　武蔵野市　126A3
切欠（きっかけ）　秋川市　121E1
生藤（きっと）山　120A2
絹ヶ丘（きぬがおか）　八王子市　124A1
砧（きぬた）　世田谷区　128B1
砧公園（きぬたこうえん）　世田谷区　128B2
砧（きぬた）浄水場　128A2
紀伊国（きのくに）坂　80c
木野下（きのした）　青梅市　119D2
木場（きば）　江東区　108b,132B2
喜平町（きへいちょう）　小平市　123D3
給田（きゅうでん）　世田谷区　128A1
京島（きょうじま）　墨田区　130B3
経堂（きょうどう）　世田谷区　128B1
境南町（きょうなんちょう）　武蔵野市　123E3
京橋（きょうばし）　中央区　72c,132A1
清川（きよかわ）　台東区　130B3
清川町（きよかわちょう）　八王子市　121E2
清澄（きよすみ）　江東区　132B1
清瀬（きよせ）〔市〕　123
清瀬（きよはら）　東大和市　122C2
桐ヶ岡（きりがおか）　北区　127D1
銀座（ぎんざ）　中央区　74b,132A2
錦糸（きんし）　墨田区　130B4
錦糸町（きんしちょう）〔駅〕　130B4
金助町（きんすけちょう）　103d
金龍山下瓦町（きんりゅうざんしたかわらまち）

107b
金六町（きんろくちょう）　73d

久が原（くがはら）　大田区　129D3
久我山（くがやま）　杉並区　126B4
草花（くさはな）　秋川市　119E4
具足町（ぐそくちょう）　73c
九段（くだん）　千代田区　127E3
九段北（くだんきた）　千代田区　82b
九段南（くだんみなみ）　千代田区　82b
国立（くにたち）〔市〕　122
椚田町（くぬぎたちょう）　八王子市　121E3
熊川（くまがわ）　福生市　121E1
熊野町（くまのちょう）　板橋区　127D2
久米川町（くめがわちょう）　東村山市　123D1
雲取（くもとり）山　114A2
倉掛（くらかけ）　檜原村　117D2
倉沢（くらさわ）鍾乳洞　115D2
蔵前（くらまえ）　台東区　86a,130B4
栗原（くりはら）　足立区　130B2
車坂町（くるまざかちょう）　105c
樽正町（くれまさちょう）　73b
黒江町（くろえちょう）　109a
黒沢（くろさわ）　青梅市　119C2
黒目（くろめ）川　123E2
京浜（けいひん）運河　129E3
迎賓（げいひん）館　80c
京浜島（けいひんじま）　大田区　129E3

コ
小網町（こあみちょう）　71d
恋ヶ窪（こいがくぼ）〔駅〕　123C3
小石川（こいしかわ）　文京区　102a,127E3
小石川（こいしかわ）後楽園　102c,127E3
小泉町（こいずみちょう）　87d
高円寺北（こうえんじきた）　杉並区　126C3
高円寺南（こうえんじみなみ）　杉並区　126C3
笄町（こうがいちょう）　93a
高ヶ坂（こうがさか）　町田市　125C4
皇居（こうきょ）　127E4
皇居外苑（こうきょがいえん）　千代田区　127E4
光月町（こうげつちょう）　107a
麹町（こうじまち）　千代田区　80b,127E4
麹町元園町（こうじまちもとぞのちょう）　81b
河内（こうち）　奥多摩町　114C4
郷地町（ごうちちょう）　昭島市　122B3
神津島（こうづしま）〔村〕　134神津島
江東（こうとう）〔区〕　132
弘道（こうどう）　足立区　130B2
江東橋（こうとうばし）　墨田区　130B4
豪徳寺（ごうとくじ）　世田谷区　128C1
港南（こうなん）　港区　110b,129E1
江北（こうほく）　足立区　130A2
小梅瓦町（こうめかわらちょう）　107d
小梅町（こうめちょう）　107d
小梅業平町（こうめなりひらちょう）　107d
向山（こうやま）　練馬区　126B2
後楽（こうらく）　文京区　102c,127E3
後楽園（こうらくえん）〔駅〕　102c
小金井（こがねい）〔市〕　123
国分寺（こくぶんじ）〔市〕　122,123
国領町（こくりょうちょう）　調布市　125E1
護国寺（ごこくじ）〔駅〕　100b
越野（こしの）　八王子市　124B2
小島（こじま）　台東区　130A4
小島町（こじまちょう）　調布市　125E1
古千谷（こじや）　足立区　130A1
五十人町（ごじゅうにんちょう）　97b
五条町（ごじょうちょう）　105c
小菅（こすげ）　葛飾区　130B2
御前（ごぜん）山　115D4
小平（こだいら）〔市〕　122,123
小平（こだいら）霊園　123D2
小竹町（こたけちょう）　練馬区　127C2
小丹波（こたば）　奥多摩町　118A2
五反田（ごたんだ）〔駅〕　129D2
国会議事堂前（こっかいぎじどうまえ）〔駅〕　64c
乞田（こった）　多摩市　124C2
御殿（ごてん）峠　121E4
御殿山（ごてんやま）　武蔵野市　126A3

御殿山（ごてんやま）　品川区　111c
寿（ことぶき）　台東区　106c,130B4
寿町（ことぶきちょう）　府中市　123D4
こどもの国　125D3
小中野（こなかの）　五日市町　120B1
五ノ神（ごのかみ）　羽村町　119E3
湖畔（こはん）　東大和市　122C2
五番町（ごばんちょう）　千代田区　127E4
木槏町（こびきちょう）　75d
小比企町（こびきまち）　八王子市　121E3
小日向（こひなた）　文京区　100d,127E3
小日向水道町（こひなたすいどうちょう）　101d
小日向台町（こひなただいまち）　101b
小日向茗荷谷町（こひなたみょうがだにちょう）
　101b
小舟町（こぶなちょう）　71b
小仏（こぼとけ）川　121D3
小仏（こぼとけ）峠　120C3
五本木（ごほんぎ）　目黒区　129C1
駒井町（こまいまち）　狛江市　128A2
狛江（こまえ）〔市〕　128
駒形（こまがた）　台東区　106c,130B4
駒形富士山（こまがたふじやま）　瑞穂町　122A1
駒木町（こまきちょう）　青梅市　119C3
駒込（こまごめ）　豊島区　127E2
駒沢（こまざわ）　世田谷区　128C2
駒沢公園（こまざわこうえん）　世田谷区　128C2
小松川（こまつがわ）　江戸川区　132C1
小松町（こまつちょう）　109a
駒場（こまば）　目黒区　129C1
小宮町（こみやまち）　八王子市　122A3
小茂根（こもね）　板橋区　127C2
子安町（こやすちょう）　八王子市　121E3
小柳町（こやなぎちょう）　府中市　125D1
小山（こやま）　品川区　129D2
小山（こやま）　東久留米市　123E1
小山台（こやまだい）　品川区　129D2
是政（これまさ）　府中市　125D1
五郎兵衛町（ごろべえちょう）　73c
小和田（こわだ）　五日市町　120C1
紺屋町（こんやちょう）　73c

サ
材木町（ざいもくちょう）　港区　93a
材木町（ざいもくちょう）　台東区　107c
幸町（さいわいちょう）　板橋区　127D2
幸町（さいわいちょう）　立川市　122B3
幸町（さいわいちょう）　府中市　123D4
幸町（さいわいちょう）　東久留米市　123E2
佐賀（さが）　江東区　132B1
境（さかい）　武蔵野市　123E3
境（さかい）　奥多摩町　115D3
境（さかい）川　124B3
境（さかい）浄水場　123E3
栄町（さかえちょう）　北区　127E2
栄町（さかえちょう）　板橋区　127D2
栄町（さかえちょう）　練馬区　126C2
栄町（さかえちょう）　立川市　122B3
栄町（さかえちょう）　府中市　123C4
栄町（さかえちょう）　小平市　122C2
栄町（さかえちょう）　東村山市　123C2
栄町（さかえちょう）　保谷市　123E2
栄町（さかえちょう）　羽村町　119E3
栄町（さかえまち）　日野市　122B4
坂下（さかした）　板橋区　127C1
坂下町（さかしたちょう）　93d
坂浜（さかはま）　稲城市　125D2
坂本（さかもと）　105b
坂本裏町（さかもとうらまち）　105b
坂本町（さかもとちょう）　71d
鷺宮（さぎのみや）　中野区　126B3
桜（さくら）　世田谷区　128B1
桜丘（さくらがおか）　世田谷区　128B1
桜が丘（さくらがおか）　東大和市　122B2
桜ヶ丘（さくらがおか）　多摩市　124C1
桜丘町（さくらがおかちょう）　渋谷区　94c,129D1
桜川（さくらがわ）　板橋区　127C2
桜木町（さくらぎちょう）　101d
桜上水（さくらじょうすい）　世田谷区　128B1
桜新町（さくらしんまち）　世田谷区　128B2
桜台（さくらだい）　練馬区　126C2
桜田町（さくらだちょう）　93a

桜田門(さくらだもん)〔駅〕64b
桜町(さくらちょう) 小金井市 123D3
桜堤(さくらづつみ) 武蔵野市 123E3
さくら町(さくらまち) 日野市 122A4
笹塚(ささづか) 渋谷区 126C4
差木地(さしきじ) 大島町 135大島
佐須町(さすまち) 調布市 125E1
里(さと) 御蔵島村 134御蔵島
◇佐内町(さないちょう) 71c
左入町(さにゅうまち) 八王子市 121E2
佐野(さの) 足立区 130C1
鮫洲(さめず)〔駅〕129E2
狭山(さやま) 東大和市 122C2
皿沼(さらぬま) 足立区 130A1
猿江(さるえ) 江東区 132B2
猿楽町(さるがくちょう) 千代田区 84a
猿楽町(さるがくちょう) 渋谷区 129D1
◇猿屋町(さるやちょう) 87a
◇猿若町(さるわかちょう) 107b
沢井(さわい) 青梅市 118B2
三軒茶屋(さんげんぢゃや) 世田谷区 128C1
◇三間町(さんげんちょう) 107c
◇三軒家町(さんげんやちょう) 93c
三十間堀(さんじっけんぼり) 75b
サンシャイン60 98b
散田町(さんだまち) 八王子市 121E3
三内(さんない) 五日市町 118C4
◇三年町(さんねんちょう) 65c
山王(さんのう) 大田区 129D3
三番町(さんばんちょう) 千代田区 82b
三宝寺(さんぽうじ)池 126A2
残堀(ざんぼり) 武蔵村山市 122A2

(シ)
塩浜(しおはま) 江東区 108d, 132B2
塩船(しおぶね) 青梅市 119D2
潮見(しおみ) 江東区 132B2
◇地方今戸町(じかたいまどまち) 107b
鹿浜(しかはま) 足立区 130A2
式根島(しきねじま) 新島本村 134式根島
◇茂森町(しげもりちょう) 109b
鹿骨(ししぼね) 江戸川区 131D4
下谷(したや) 台東区 104b, 130A3
◇七軒町(しちけんちょう) 港区 77b
◇七軒町(しちけんちょう) 台東区 105d
品川(しながわ)〔区〕129
品川(しながわ)〔駅〕110b
◇品川歩行新宿(しながわかちしんしゅく) 111d
◇品川町(しながわちょう) 71a
品川(しながわ)ふ頭 129E2
信濃町(しなのまち) 新宿区 126D4
篠崎町(しのざきちょう) 江戸川区 131D4
東雲(しののめ) 江東区 132B2
不忍(しのばずの)池 104c, 130A4
芝(しば) 港区 76c, 129E1
芝浦(しばうら) 港区 129E1
◇芝口(しばぐち) 75c
芝久保町(しばくぼちょう) 田無市 123E2
◇芝北新門前町(しばきたしんもんぜんちょう) 93b
芝公園(しばこうえん) 港区 76c, 129E1
柴崎(しばさき) 調布市 128A1
◇芝崎町(しばさきちょう) 107c
柴崎町(しばさきちょう) 立川市 122B3
芝大門(しばだいもん) 港区 76b, 129E1
柴又(しばまた) 葛飾区 131D2
◇芝森元町(しばもりもとちょう) 93b
渋谷(しぶや)〔区〕127, 129
渋谷(しぶや) 渋谷区 94d, 129D1
渋谷(しぶや)〔駅〕94c
◇島田町(しまだちょう) 109b
島根(しまね) 足立区 130B2
清水(しみず) 杉並区 126B3
清水(しみず) 東大和市 122C2
清水が丘(しみずがおか) 府中市 123D4
清水谷(しみずだに)公園 80d
清水町(しみずちょう) 板橋区 127D2
志村(しむら) 板橋区 127D1
志茂(しも) 北区 127D1
志茂(しも) 福生市 119E4
下井草(しもいぐさ) 杉並区 126B3
下石原(しもいしわら) 調布市 125E1
下馬(しもうま) 世田谷区 129C1
◇下大崎(しもおおさき) 111a

下落合(しもおちあい) 新宿区 127D3
下小山田町(しもおやまだまち) 町田市 124B2
下恩方町(しもおんがたまち) 八王子市 121C2
下鎌田町(しもかまたまち) 江戸川区 133D1
下清戸(しもきよと) 清瀬市 123E1
◇下車坂町(しもくるまざかちょう) 105b
下里(しもさと) 東久留米市 123D2
下篠崎町(しもしのざきまち) 江戸川区 133D1
下石神井(しもしゃくじい) 練馬区 126B2
下宿(しもじゅく) 清瀬市 123E1
下田(しもだ) 日野市 122B4
下高井戸(しもたかいど) 杉並区 126B4
◇下戸塚(しもとつか) 101c
◇下富坂町(しもとみさかちょう) 103a
◇下二番町(しもにばんちょう) 83c
◇下平右衛門町(しもへいうえもんちょう) 87c
下保谷(しもほうや) 保谷市 123E2
◇下槇町(しもまきちょう) 73b
下丸子(しもまるこ) 大田区 129C3
下目黒(しもめぐろ) 目黒区 129D2
下元郷(しももとごう) 檜原村 120A1
下柚木(しもゆぎ) 八王子市 124A2
下代継(しもよつぎ) 秋川市 121D1
下連雀(しもれんじゃく) 三鷹市 126A4
石神井(しゃくじい)川 126B2
石神井台(しゃくじいだい) 練馬区 126A2
石神井町(しゃくじいまち) 練馬区 126B2
自由が丘(じゆうがおか) 目黒区 128C2
十条台(じゅうじょうだい) 北区 127D2
十条仲原(じゅうじょうなかはら) 北区 127D1
十二双(じゅうにそう) 97c
松庵(しょうあん) 杉並区 126A3
上川原町(じょうがわらちょう) 昭島市 122A3
上水新町(じょうすいしんまち) 小平市 122C3
上水本町(じょうすいほんちょう) 小平市 123D3
上水南町(じょうすいみなみちょう) 小平市 123D3
◇聖天町(しょうでんちょう) 107b
◇聖天横町(しょうでんよこちょう) 107b
松濤(しょうとう) 渋谷区 94c, 129D1
城南島(じょうなんじま) 大田区 129E3
昭和島(しょうわじま) 大田区 129E3
昭和町(しょうわちょう) 昭島市 122A3
昭和町(しょうわまち) 北区 127E2
白糸台(しらいとだい) 府中市 123D4
白河(しらかわ) 江東区 132B1
白子(しらこ)川 126B2
白鷺(しらさぎ) 中野区 126B3
白鳥(しらとり) 葛飾区 130C2
白金(しろかね) 港区 129D1
白金台(しろかねだい) 港区 129D1
白丸(しろまる) 奥多摩町 115E3
◇新網町(しんあみちょう) 93b
◇新栄町(しんえいちょう) 89a
◇新右衛門町(しんえもんちょう) 71c
新大橋(しんおおはし) 江東区 132B1
新小川町(しんおがわちょう) 新宿区 127E3
新河岸(しんがし) 板橋区 126C1
◇新片町(しんかたまち) 87c
新蒲田(しんかまた) 大田区 129D4
新川(しんかわ) 中央区 132A2
新川(しんかわ) 三鷹市 126A4
新川町(しんかわちょう) 東久留米市 123E2
新木場(しんきば) 江東区 132B3
神宮(じんぐう)外苑 127D4
神宮前(じんぐうまえ) 渋谷区 94b, 127D4
新小岩(しんこいわ) 葛飾区 131C3
真光寺町(しんこうじまち) 町田市 125C2
◇新小梅町(しんこうめちょう) 107d
◇新材木町(しんざいもくちょう) 71b
◇新肴町(しんさかなちょう) 75b
◇新坂本町(しんさかもとちょう) 105b
新芝(しんしば)川 130A1
新宿(しんじゅく)〔区〕127
新宿(しんじゅく) 新宿区 96b, 127D4
新宿(しんじゅく)〔駅〕新宿区 96d
新宿(しんじゅく)御苑 96d
新宿(しんじゅく)中央公園 新宿区 96c
◇新須賀町(しんすがちょう) 87c
新砂(しんすな) 江東区 132C2
神泉町(しんせんちょう) 渋谷区 129D1
深大寺(じんだいじ) 三鷹市 123E3
深大寺(じんだいじ) 調布市 123E4
新町(しんちょう) 八王子市 121E3
新田(しんでん) 足立区 130A2

新富(しんとみ) 中央区 88a, 132A2
新富町(しんとみちょう)〔駅〕88a
新中(しんなか)川 131D4
神南(じんなん) 渋谷区 94a, 129D1
◇新乗物町(しんのりものちょう) 71b
新橋(しんばし) 港区 129E1
新橋(しんばし)〔駅〕74c
陣馬(じんば)山 120A3
◇新畑町(しんはたちょう) 107c
神宝町(しんほうちょう) 東久留米市 123E1
神保町(じんぼうちょう) 85c
神保町(じんぼうちょう)〔駅〕84c
◇新堀(しんぼり) 東大和市 122C2
◇新堀町(しんぼりちょう) 93d
新町(しんまち) 世田谷区 128C2
新町(しんまち) 青梅市 119D3
新町(しんまち) 府中市 123D4
新町(しんまち) 日野市 122B4
新町(しんまち) 国分寺市 122C3
新町(しんまち) 保谷市 123E3
◇新湊町(しんみなとちょう) 89b
神明(しんめい) 足立区 130C1
神明(しんめい) 日野市 122B4
神明(しんめい) 武蔵村山市 122B2
神明台(しんめいだい) 羽村町 119E4
神明南(しんめいみなみ) 足立区 130C1
◇新森田町(しんもりたちょう) 87c
◇新門前町(しんもんぜんちょう) 93d
◇新葭町(しんよしちょう) 71b
◇新吉原揚屋町(しんよしわらあげやちょう) 107a
◇新吉原江戸町(しんよしわらえどちょう) 107a
◇新吉原京町(しんよしわらきょうまち) 107a
◇新吉原五十間町(しんよしわらごじっけんちょう) 107a
◇新吉原角町(しんよしわらすみちょう) 107a

(ス)
水道(すいどう) 文京区 100d, 127E3
水道町(すいどうちょう) 新宿区 100d, 127E3
水道橋(すいどうばし)〔駅〕102c
末広町(すえひろちょう) 青梅市 119E3
末吉(すえよし) 八丈町 134八丈島
菅生(すがお) 秋川市 119D4
◇須賀町(すがちょう) 87a
巣鴨(すがも) 豊島区 127D2
巣鴨(すがも)〔村〕99b
巣鴨(すがも)監獄 99b
杉並(すぎなみ)〔区〕126
◇数寄屋町(すきやちょう) 中央区 71c
◇数寄屋町(すきやまち) 台東区 105c
◇洲崎町(すざきちょう) 109b
◇洲崎弁天町(すざきべんてんちょう) 109d
鈴木町(すずきちょう) 小平市 123D3
鈴木町(すずきちょう) 中央区 73d
砂川町(すながわちょう) 立川市 122B3
墨田(すみだ)〔区〕130
墨田(すみだ) 墨田区 130B3
隅田(すみだ)川 132A2
◇炭町(すみちょう) 73d
住吉(すみよし) 江東区 132B1
住吉町(すみよしちょう) 府中市 123C4
住吉町(すみよしちょう) 保谷市 123E2
◇駿河台北甲賀町(するがだいきたこうがちょう) 85d
◇駿河台鈴木町(するがだいすずきちょう) 85b
◇駿河台西紅梅町(するがだいにしこうばいちょう) 85b
◇駿河台東紅梅町(するがだいひがしこうばいちょう) 85d
◇駿河台袋町(するがだいふくろまち) 85b
◇駿河台南甲賀町(するがだいみなみこうがちょう) 85d
◇駿河町(するがちょう) 71a
諏訪(すわ) 多摩市 124C2
諏訪町(すわちょう) 東村山市 122C1
諏訪町(すわまち) 八王子市 121D2

(セ)
成城(せいじょう) 世田谷区 128A1
清新町(せいしんちょう) 江戸川区 132C2
聖蹟桜ヶ丘(せいせきさくらがおか)〔駅〕124C1

富士町(ふじまち) 保谷市 123E2
富士見(ふじみ) 千代田区 127E3
富士見台(ふじみだい) 練馬区 126B2
富士見台(ふじみだい) 国立市 122C4
富士見平(ふじみだいら) 羽村町 119E3
富士見町(ふじみちょう) 板橋区 127D2
富士見町(ふじみちょう) 八王子市 122A4
富士見町(ふじみちょう) 立川市 122B3
富士見町(ふじみちょう) 調布市 123E4
富士見町(ふじみちょう) 東村山市 123C2
◈富士見町(ふじみちょう) 千代田区 83b
◈富士見町(ふじみちょう) 港区 93c
富士本(ふじもと) 国分寺市 122C3
富士山栗原新田(ふじやまくりはらしんでん)
　瑞穂町 119E3
布田(ふだ) 調布市 125E1
二葉(ふたば) 品川区 129D2
◈二葉町(ふたばちょう) 75c
双葉町(ふたばちょう) 板橋区 127D2
二俣尾(ふたまたお) 青梅市 118C2
淵上(ふちかみ) 秋川市 121D1
府中(ふちゅう)〔市〕 122, 123, 125
福生(ふっさ)〔市〕 119, 121, 122
福生(ふっさ) 福生市 119E4
払沢(ふっさわ)の滝 120A1
舟(ふなど) 板橋区 127C1
船橋(ふなばし) 世田谷区 128B1
船堀(ふなぼり) 江戸川区 133C1
◈船松町(ふなまつちょう) 89b
分梅町(ぶばいちょう) 府中市 123C4
冬木(ふゆき) 江東区 132B2
古石場(ふるいしば) 江東区 108a, 132B2
文花(ぶんか) 墨田区 130B4
文京(ぶんきょう)〔区〕 127

◈平久町(へいきゅうちょう) 109b
平和島(へいわじま) 大田区 129E3
平和台(へいわだい) 練馬区 126C2
平和の森公園(へいわのもりこうえん) 大田区
　129E3
別所(べっしょ) 八王子市 124B2
弁慶(べんけい)堀 80d
人里(へんぼり) 檜原村 117D3

方南(ほうなん) 杉並区 126C4
保谷(ほうや)〔市〕 122, 126
保木間(ほきま) 足立区 130B1
細田(ほそだ) 葛飾区 131C3
牡丹(ぼたん) 江東区 108a, 132B2
保塚町(ほづかちょう) 足立区 130B1
程久保(ほどくぼ) 日野市 124B1
◈堀江町(ほりえちょう) 71b
堀切(ほりきり) 葛飾区 130B2
◈堀留町(ほりどめちょう) 71b
堀ノ内(ほりのうち) 杉並区 126C4
堀之内(ほりのうち) 足立区 130A2
堀之内(ほりのうち) 八王子市 124B1
堀船(ほりふね) 北区 127E2
本天沼(ほんあまぬま) 杉並区 126B3
本一色町(ほんいっしきまち) 江戸川区 131C3
◈本革屋町(ほんかわやちょう) 71a
本郷(ほんごう) 文京区 102b, 127E3
本郷三丁目(ほんごうさんちょうめ)〔駅〕 102c
本駒込(ほんこまごめ) 文京区 127E3
◈本材木町(ほんざいもくちょう) 73b
本塩町(ほんしおちょう) 新宿区 127D4
本宿町(ほんしゅくまち) 府中市 123C4
本所(ほんじょ) 墨田区 130B4
本多(ほんだ) 国分寺市 123D3
本町(ほんちょう) 中野区 127C3
本町(ほんちょう) 板橋区 127D2
本町(ほんちょう) 八王子市 121E3
本町(ほんちょう) 小金井市 123D3
本町(ほんちょう) 東村山市 123C2
本町(ほんちょう) 国分寺市 123D3
本町(ほんちょう) 田無市 123E2
本町(ほんちょう) 保谷市 123E2
本町(ほんちょう) 福生市 119E4
本町(ほんちょう) 東久留米市 123E2

◈本町(ほんちょう) 中央区 71a
◈本八丁堀(ほんはっちょうぼり) 73d
本羽田(ほんはねだ) 大田区 129D4
◈本舟町(ほんぶねちょう) 71b
本町(ほんまち) 渋谷区 127C4
本町(ほんまち) 府中市 123C4
本町田(ほんまちだ) 町田市 124C3
◈本湊町(ほんみなとちょう) 89b
◈本村町(ほんむらちょう) 93c
◈本両替町(ほんりょうがえちょう) 71a

前沢(まえさわ) 東久留米市 123D2
前野町(まえのちょう) 板橋区 127C1
前原町(まえはらちょう) 小金井市 123D3
真砂町(まさごちょう) 103c
馬頭刈(まずかり)山 118A4
町田(まちだ)〔市〕 124, 125
町屋(まちや) 荒川区 130A3
松江(まつえ) 江戸川区 133C1
◈松ヶ枝町(まつがえちょう) 101d
松が丘(まつがおか) 中野区 126C3
松が谷(まつがや) 台東区 104d, 130B3
松が谷(まつがや) 八王子市 124B2
◈松川町(まつかわちょう) 73d
松木(まつぎ) 八王子市 124B2
◈松清町(まつきよちょう) 107c
◈松坂町(まつざかちょう) 87d
松島(まつしま) 江戸川区 131C4
松ノ木(まつのき) 杉並区 126B4
◈松葉町(まつばちょう) 105d
松原(まつばら) 世田谷区 128C1
松原町(まつばらちょう) 昭島市 122A3
松原町(まつばらちょう) 羽村町 119E3
◈松村町(まつむらちょう) 109a
松本町(まつもとちょう) 江戸川区 131D3
◈松屋町(まつやちょう) 73d
松山(まつやま) 清瀬市 123D1
丸の内(まるのうち) 千代田区 68b, 127E4
◈丸屋町(まるやちょう) 75c
丸山(まるやま) 中野区 126C3
丸山町(まるやまちょう) 渋谷区 94c
丸山町(まるやまちょう) 八王子市 122A3
円山町(まるやまちょう) 渋谷区 129D1
◈丸山福山町(まるやまふくやまちょう) 103a
万願寺(まんがんじ) 日野市 122B4
◈万年町(まんねんちょう) 105b

御蔵島(みくらじま)〔村〕 134御蔵島
三崎町(みさきちょう) 千代田区 84a, 127E3
三沢(みさわ) 日野市 124B1
◈三島町(みしまちょう) 77b
三宿(みしゅく) 世田谷区 129C1
三筋(みすじ) 台東区 130B4
瑞穂(みずほ)〔町〕 119, 122
美住町(みすみちょう) 東村山市 123C2
水元(みずもと) 葛飾区 131C2
水元公園(みずもとこうえん) 葛飾区 131C1
三園(みその) 板橋区 126B1
美園町(みそのちょう) 小平市 123D2
三田(みた) 港区 92d, 129E1
三田(みた) 目黒区 129D1
三鷹(みたか)〔市〕 123, 126
◈三田北寺町(みたきたてらまち) 93d
御岳(みたけ) 青梅市 118B2
御岳(みたけ)渓谷 118B2
御岳(みたけ)山 118A3
御岳山(みたけさん) 青梅市 118A3
御岳本町(みたけほんちょう) 青梅市 118B2
◈三田小山町(みたこやまちょう) 93d
三ツ木(みつぎ) 武蔵村山市 122A2
三都郷(みつごう) 檜原村 118A4
三ツ合(みつごう)鍾乳洞 118A4
三根(みつね) 八丈町 134八丈島
三ツ藤(みつふじ) 武蔵村山市 122A2
三峰(みつみね)山 114A1
三頭(みとう)山 116C2
◈美土代町(みとしろちょう) 85d
緑(みどり) 墨田区 130B4
緑が丘(みどりがおか) 目黒区 129C2

緑ヶ丘(みどりがおか) 調布市 128A1
緑ヶ丘(みどりがおか) 羽村町 119E3
緑町(みどりちょう) 八王子市 121E3
緑町(みどりちょう) 立川市 122B3
緑町(みどりちょう) 武蔵野市 126A3
緑町(みどりちょう) 昭島市 122A3
緑町(みどりちょう) 小金井市 123D3
緑町(みどりちょう) 田無市 123E2
港(みなと)〔区〕 127, 129
湊(みなと) 中央区 88b, 132A2
湊町(みなとちょう) 77d
南(みなみ) 目黒区 129C2
南青山(みなみあおやま) 港区 129D1
南秋(みなみあき)川 117D3
南浅(みなみあさ)川 121E3
南浅川町(みなみあさかわまち) 八王子市 121C4
南麻布(みなみあざぶ) 港区 92c, 129D1
◈南飯田町(みなみいいだちょう) 89c
南池袋(みなみいけぶくろ) 豊島区 98d, 127D3
◈南稲荷町(みなみいなりちょう) 105d
南大井(みなみおおい) 品川区 129D3
南大泉(みなみおおいずみ) 練馬区 126A2
南大沢(みなみおおさわ) 八王子市 124A2
南大塚(みなみおおつか) 豊島区 127D3
南大岡(みなみおおおか) 町田市 124C4
南荻窪(みなみおぎくぼ) 杉並区 126B3
◈南小田原町(みなみおだわらちょう) 89c
南葛西(みなみかさい) 江戸川区 133C2
◈南鍛冶町(みなみかじちょう) 73c
南蒲田(みなみかまた) 大田区 129D4
◈南茅場町(みなみかやばちょう) 71d
南烏山(みなみからすやま) 世田谷区 128B1
◈南金六町(みなみきんろくちょう) 75c
南久が原(みなみくがはら) 大田区 129C3
南小岩(みなみこいわ) 江戸川区 131D3
◈南紺屋町(みなみこんやちょう) 73c
◈南佐柄木町(みなみさえきちょう) 75a
◈南鞘町(みなみさやちょう) 73d
南沢(みなみさわ) 東久留米市 123E2
南品川(みなみしながわ) 品川区 129E2
南篠崎町(みなみしのざきちょう) 江戸川区
　133D1
南新町(みなみしんちょう) 八王子市 121E3
◈南神保町(みなみじんぼうちょう) 85c
南砂(みなみすな) 江東区 132B2
南千住(みなみせんじゅ) 荒川区 130B3
南千束(みなみせんぞく) 大田区 129D2
南台(みなみだい) 中野区 126C4
◈南大工町(みなみだいくちょう) 73a
南平(みなみだいら) 日野市 124B1
南田中(みなみたなか) 練馬区 126B2
南町(みなみちょう) 板橋区 127D2
南町(みなみちょう) 国分寺市 123D3
南町(みなみちょう) 田無市 123E3
南町(みなみちょう) 東久留米市 123E2
南つくし野(みなみつくしの) 町田市 124A4
南田園(みなみでんえん) 福生市 121E1
◈南伝馬町(みなみでんまちょう) 73c
南常盤台(みなみときわだい) 板橋区 127C2
南長崎(みなみながさき) 豊島区 127C3
南成瀬(みなみなるせ) 町田市 125C4
南野(みなみの) 多摩市 124C2
◈南八丁堀(みなみはっちょうぼり) 73d
南花畑(みなみはなはた) 足立区 130B1
◈南本郷町(みなみほんごうちょう) 89c
◈南槇町(みなみまきちょう) 73a
南馬込(みなみまごめ) 大田区 129D3
南町(みなみまち) 府中市 125C1
◈南松山町(みなみまつやまちょう) 105d
南水元(みなみみずもと) 葛飾区 131C2
南雪谷(みなみゆきがや) 大田区 129C3
南六郷(みなみろくごう) 大田区 129D4
三ノ輪(みのわ) 台東区 130B3
三ノ輪橋(みのわばし)〔駅〕 130B3
三原台(みはらだい) 練馬区 126B2
美堀町(みほりちょう) 昭島市 122A3
宮(みや) 日野市 122B4
三宅(みやけ)〔村〕 134三宅島
宮城(みやぎ) 足立区 130A2
宮坂(みやさか) 世田谷区 128B1
宮沢町(みやざわちょう) 昭島市 122A3
◈宮下町(みやしたちょう) 93b
宮下町(みやしたまち) 八王子市 121E1
宮前(みやまえ) 杉並区 126B3
宮町(みやまち) 府中市 123D4

美山町(みやまちょう)　八王子市　121C2
◈宮村町(みやむらちょう)　93a
宮本町(みやもとちょう)　板橋区　127D2
◈宮本町(みやもとちょう)　千代田区　103d
◈宮本町(みやもとちょう)　港区　77b
御幸町(みゆきちょう)　小平市　123D3
妙正寺(みょうしょうじ)川　126B3
明神町(みょうじんちょう)　八王子市　121E3
三好(みよし)　江東区　132B1
美好町(みよしちょう)　府中市　123C4
三輪町(みわまち)　町田市　125D3

向原(むかいはら)　板橋区　127C2
向丘(むこうがおか)　文京区　127E3
◈向ヶ岡弥生町(むこうがおかやよいちょう)　103b
向島(むこうじま)　墨田区　106d, 130B3
向台町(むこうだいまち)　田無市　123E3
向原(むこうはら)　東大和市　122C2
武蔵(むさし)　瑞穂町　122A1
武蔵台(むさしだい)　府中市　123C3
武蔵野(むさしの)〔市〕　123, 126
武蔵野台(むさしのだい)　福生市　119E4
武蔵村山(むさしむらやま)〔市〕　122
六木(むつぎ)　足立区　130C1
村山(むらやま)貯水池　122B1
牟礼(むれ)　三鷹市　126A4
◈室町(むろまち)　71a

回田町(めぐりたちょう)　小平市　123D3
廻田町(めぐりたちょう)　東村山市　122C2
目黒(めぐろ)〔区〕　129
目黒(めぐろ)　目黒区　129D1
目黒(めぐろ)川　129D1
目黒本町(めぐろほんちょう)　目黒区　129D2
目白(めじろ)　98c, 127D3
めじろ台(めじろだい)　八王子市　121E3
目白台(めじろだい)　文京区　100a, 127D3

毛利(もうり)　江東区　132B1
百草(もぐさ)　日野市　124B1
元赤坂(もとあかさか)　港区　78a, 127D4
元浅草(もとあさくさ)　台東区　104d, 130A4
元麻布(もとあざぶ)　港区　92c, 129D1
元和泉(もといずみ)　狛江市　128A2
◈元衛町(もとえちょう)　67a
本木(もとき)　足立区　130C1
◈元島町(もとじまちょう)　73d
本宿(もとしゅく)　檜原村　120A1
◈元数寄屋町(もとすきやちょう)　75a
◈元大工町(もとだいくちょう)　71c
◈元千代田町(もとちよだちょう)　69a
元八王子町(もとはちおうじまち)　八王子市　121D3
元本郷町(もとほんごうちょう)　八王子市　121E2
元町(もとまち)　清瀬市　123D1
元町(もとまち)　大島町　135大島
◈元町(もとまち)　103d
◈元柳町(もとやなぎちょう)　87c
◈元横山町(もとよこやまちょう)　八王子市　121E3
◈元四日市町(もとよっかいちちょう)　71d
元代々木町(もとよよぎちょう)　渋谷区　127C4
紅葉丘(もみじがおか)　府中市　123D4
百村(もむら)　稲城市　125D1
桃井(ももい)　杉並区　126B3

◈盛岡町(もりおかちょう)　93c
森下(もりした)　江東区　132B1
森野(もりの)　町田市　124C4
師岡町(もろおかちょう)　青梅市　119D3
門前仲町(もんぜんなかちょう)　江東区　108a, 132B2

八重洲(やえす)　中央区　72a, 132A1
矢口(やぐち)　大田区　129D3
八雲(やくも)　目黒区　128C2
谷河内町(やごうちちょう)　江戸川区　131D4
谷在家(やざいけ)　足立区　130A1
◈弥左衛門町(やざえもんちょう)　75b
矢崎町(やざきちょう)　府中市　125D1
八潮(やしお)　品川区　129E2
谷戸町(やとちょう)　田無市　123E2
谷中(やなか)　台東区　104a, 130A3
谷中(やなか)　足立区　130C2
谷中(やなか)霊園　130A3
柳窪(やなぎくぼ)　東久留米市　123D2
柳沢(やなぎさわ)　保谷市　123E3
◈柳町(やなぎちょう)　中央区　73d
◈柳町(やなぎちょう)　文京区　103a
柳橋(やなぎばし)　台東区　86c, 130B4
柳原(やなぎはら)　足立区　130B3
谷野(やの)　青梅市　119D2
矢野口(やのくち)　稲城市　125D1
谷野町(やのまち)　八王子市　121E2
八幡町(やはたちょう)　武蔵野市　123E3
谷原(やはら)　練馬区　126B2
八広(やひろ)　墨田区　130B3
矢部町(やべまち)　町田市　124B3
谷保(やほ)　国立市　122C4
山崎町(やまさきまち)　町田市　124C3
山下(やました)町　75a
◈山城町(やましろちょう)　75a
山田(やまだ)　五日市町　121D1
山田町(やまだまち)　八王子市　121E3
大和町(やまとちょう)　中野区　126C3
大和町(やまとちょう)　板橋区　127D2
◈大和町(やまとちょう)　江東区　109b
◈山之宿町(やまのしゅくまち)　107d
山吹町(やまぶきちょう)　新宿区　100d, 127D3
◈山伏町(やまぶしちょう)　105b
弥生(やよい)　文京区　102b, 127E3
弥生(やよい)　東久留米市　123D2
弥生町(やよいちょう)　中野区　127C4
弥生町(やよいちょう)　板橋区　127D2
矢来町(やらいちょう)　新宿区　127D3
鑓水(やりみず)　八王子市　124A2
◈槍屋町(やりやちょう)　75b

祐天寺(ゆうてんじ)　目黒区　129D1
有楽町(ゆうらくちょう)　千代田区　127E4
雪谷大塚町(ゆきがやおおつかまち)　大田区　129C3
柚木町(ゆぎまち)　青梅市　118B2
湯島(ゆしま)　文京区　102d, 127E3
◈湯島梅園町(ゆしまうめぞのちょう)　103d
◈湯島切通坂町(ゆしまきりどおしさかまち)　103d
◈湯島切通町(ゆしまきりどおしちょう)　103b
◈湯島新花町(ゆしましんはなちょう)　103d
◈湯島天神下同朋町(ゆしまてんじんしたどうぼうちょう)　105c
◈湯島天神町(ゆしまてんじんちょう)　105c
◈湯島三組町(ゆしまみくみちょう)　103d
◈湯島両門町(ゆしまりょうもんちょう)　103b

豊町(ゆたかちょう)　品川区　129D2
湯殿(ゆどの)川　121E3
◈弓町(ゆみちょう)　103c
夢の島(ゆめのしま)　江東区　132B2

用賀(ようが)　世田谷区　128B2
八日町(ようかまち)　八王子市　121E3
養沢(ようざわ)　五日市町　118B4
養沢(ようざわ)川　118B4
養沢(ようざわ)鍾乳洞　118B3
横網(よこあみ)　墨田区　86d, 130B4
横川(よこかわ)　墨田区　130B4
横川町(よこかわまち)　八王子市　121D3
横沢(よこさわ)　五日市町　118C4
横十間(よこじっけん)川　132B1
横山町(よこやまちょう)　八王子市　121E3
◈吉川町(よしかわちょう)　87c
◈吉町(よしのちょう)　107b
四つ木(よつぎ)　葛飾区　130C3
四葉(よつば)　板橋区　126C1
四谷(よつや)　新宿区　80a
四谷(よつや)　府中市　122C4
四ツ谷(よつや)〔駅〕　80a, 127D3
四谷町(よつやまち)　八王子市　121D2
◈四谷尾張町(よつやおわりちょう)　81a
◈四谷仲町(よつやなかちょう)　81a
◈米沢町(よねざわちょう)　87c
代々木(よよぎ)　渋谷区　96d, 127D4
代々木神園町(よよぎかみぞのちょう)　渋谷区　127D4
代々木(よよぎ)公園　94a
◈代々木山谷(よよぎさんや)　97c
◈代々木(よよぎ)練兵場　95a
万町(よろずちょう)　八王子市　121E3
◈万町(よろずちょう)　中央区　71c
四番町(よんばんちょう)　千代田区　82c, 127E4

竜泉(りゅうせん)　台東区　104b, 130B3
両国(りょうごく)　墨田区　86d, 130B4
臨海町(りんかいちょう)　江戸川区　133C2
連光寺(れんこうじ)　多摩市　124C1
六月(ろくがつ)　足立区　130B1
六町(ろくちょう)　足立区　130B2
六番町(ろくばんちょう)　千代田区　80a, 127D4
◈鹿鳴(ろくめい)館　75a
六本木(ろっぽんぎ)　港区　92b, 129E1

若木(わかぎ)　板橋区　127C1
若郷(わかごう)　新島本村　135新島
若洲(わかす)　江東区　132C3
若葉町(わかばちょう)　立川市　122C3
若葉町(わかばちょう)　調布市　128A1
若林(わかばやし)　世田谷区　128C1
若松町(わかまつちょう)　新宿区　127D3
若松町(わかまつちょう)　府中市　123D4
若宮(わかみや)　中野区　126C3
◈和倉町(わぐらちょう)　109a
早稲田鶴巻町(わせだつるまきちょう)　新宿区　100c, 127D3
早稲田町(わせだまち)　新宿区　100c
早稲田南町(わせだみなみちょう)　新宿区　100c
和田(わだ)　杉並区　126C3
和田(わだ)　多摩市　124C1
和田町(わだまち)　青梅市　118C3

アトラス東京——地図でよむ江戸~東京
ATLAS TOKYO——Edo／Tokyo through Maps

企画	株式会社平凡社 株式会社平凡社地図出版
製作	株式会社平凡社地図出版
監修	正井泰夫
編集委員	正井泰夫(立正大学)　石井　實(地理写真家)　清水靖夫(立教高校) ポール・スノードンPaul Snowden(早稲田大学)　中川浩一(茨城大学) 中村和郎(駒沢大学)
解説執筆	石井　實　大塚昌利(立正大学)　河邊　宏(厚生省人口問題研究所)　小森隆吉(台東区立台東図書館)　澤田裕之(立正大学)　清水靖夫　白井和雄(東京消防庁図書資料室)　中川浩一　中村和郎　萩原八郎(立正大学・大学院)　正井泰夫　村中泰志(リモート・センシング技術センター)
英語解説執筆	Paul Snowden
写真撮影	川合生人　島崎哲也太　平野武利　藤森　武　脇坂　進
写真提供	新井信太郎　久田雅夫　吉田千秋　渡辺一男　渡辺千昭 朝日新聞社　麻布十番商店街振興組合　海上保安庁水路部　交通公社フォトライブラリー　世界文化フォト　伝統的工芸品産業振興協会　東京都水道局　東京都立中央図書館　毎日新聞社　リモート・センシング技術センター　武蔵野市役所　武蔵村山市役所　目黒区役所
編集協力	石丸哲也　今井金吾　久保幸夫　進士慶幹　須貝　稔　村井益男 青ケ島村役場　秋川市役所　昭島市役所　浅草観光連盟　浅草文庫　足立区役所　荒川区役所　板橋区役所　五日市町役場　稲城市役所　江戸川区役所　青梅市役所　大島町役場　大田区役所　小笠原村役場　奥多摩町役場　葛飾区役所　北区役所　清瀬市役所　国立市役所　神津島村役場　江東区役所　江東区立深川図書館　小金井市役所　国分寺市役所　小平市役所　狛江市役所　品川区役所　渋谷区役所　新宿区役所　杉並区役所　墨田区役所　世田谷区役所　台東区役所　台東区立台東図書館　立川市役所　田無市役所　多摩市役所　中央区役所　中央大学広報部　調布市役所　千代田区役所　東京都交通局　東京都公文書館　東京消防庁　東京都水道記念館　東京都島嶼町村会　東京都立青梅図書館　豊島区役所　利島村役場　中野区役所　新島本村役場　練馬区役所　八王子市役所　八丈町役場　羽村町役場　東久留米市役所　東村山市役所　東大和市役所　日野市役所　日の出町役場　檜原村役場　府中市役所　福生市役所　文京区役所　防災専門図書館　保谷市役所　町田市役所　御蔵島村役場　瑞穂町役場　三鷹市役所　港区役所　三宅村役場　武蔵野郷土館　武蔵野市役所　武蔵村山市役所　目黒区役所　早稲田大学演劇博物館
地図作図	株式会社平凡社地図出版　田村ふじみ　辻野民雄
地図製版	地図精版株式会社　日本地図研究所
印字・製版	株式会社東京印書館　株式会社大和写植
デザイン	山岸義明
制作スタッフ	清水康厚　清水哲夫　水谷一彦　荒木淳子　武田むつみ　赤池享一　古沢純一　木下美智子　荒尾克己　磯前睦子

本書の地図の作成に当たっては、建設省国土地理院発行の20万分の1地勢図および5万分の1地形図を使用しました。(測量法第30条に基づく成果使用承認　昭61総使，第45号)
本書に掲載した1万分の1地図は，建設省国土地理院長の承認を得て，同院発行の1万分の1地形図を複製したものです。(承認番号　昭61総複，第36号)

アトラス東京 *ATLAS TOKYO*

——地図でよむ江戸～東京
Edo/Tokyo through Maps

1986年10月1日　初版第1刷発行

編集兼発行人　下中邦彦
発 行 所　株式会社 平凡社
　　　　　　〒102 東京都千代田区三番町5
電　　話　(03)265-0451(代表)
　　　　　　(03)265-0455(営業)
振替口座　東京8-29639

印　　刷　株式会社東京印書館
地図用紙　王子製紙株式会社
索引用紙　大昭和製紙株式会社
ク ロ ス　特種製紙株式会社
製　　本　和田製本工業株式会社

定価　5,800円

ISBN4-582-43413-4